EL AGENTE SECRETO

LETRAS UNIVERSALES

JOSEPH CONRAD

El agente secreto

Edición de Dámaso López García

Traducción de Héctor Silva

TERCERA EDICIÓN

CATEDRA
LETRAS UNIVERSALES

Título original de la obra:
The Secret Agent

1.ª edición, 1995
3.ª edición, 2005

Diseño de cubierta: Diego Lara
Ilustración de cubierta: Dibujo tomado de *L'outre de vents,*
abril, 1902

© Ediciones Cátedra (Grupo Anaya, S. A.), 1995, 2005
Juan Ignacio Luca de Tena, 15. 28027 Madrid
Depósito legal: M. 30.554-2005
ISBN: 84-376-1394-9
Printed in Spain
Impreso en Anzos, S. L.
Fuenlabrada (Madrid)

INTRODUCCIÓN

Joseph Conrad en 1904

El autor

L A biografía de Joseph Conrad (1857-1924) es sobradamente conocida, y sus datos más salientes se dejan resumir de manera sencilla, aunque reclamen para sí
más de un rasgo de asombro. El novelista nace en el seno
de una familia aristocrática con talentos variados, aunque
ninguno de éstos remotamente relacionado con aspectos
prácticos de la vida; su abuelo paterno, por ejemplo, un
nada notable militar, administrador y político, había escrito
una tragedia en cinco actos, editada a sus expensas, que, según su nieto, era «tan tediosa que no se sabía de nadie que
hubiera concluido su lectura»[1].

La madre de Joseph Conrad, Evelina Bobrowski, se casó
con Apollo Korzeniowski, y el matrimonio vivió durante
un tiempo en diferentes lugares de las provincias ucranianas
de Polonia, donde Apollo administraba haciendas rurales.
Al poco tiempo de su matrimonio, el capital inicial con el
que contaba la pareja había sido dilapidado gracias a la
mala administración de Apollo, quien, por fin, ya en banca-
rrota, pudo dedicarse a lo que de verdad le interesaba: la política y la creación literaria. Un par de piezas dramáticas, un
puñado de poemas místico-patrióticos, y un crecido número de traducciones del francés (Victor Hugo, de Vigny), del

---

[1] Jocelyn Baines, *Joseph Conrad. A Critical Biography*, Londres, Weidenfeld, 1993, pág. 2. El biógrafo apoya esta afirmación en la cita de una carta
de Conrad dirigida a Garnett, del 20 de enero de 1900. Estas páginas biográficas pretenden resumir parte del rico contenido de la obra de Jocelyn
Baines.

alemán (Heine) y del inglés (Shakespeare) acreditan una dedicación que no podría calificarse simplemente de dominical. Sin embargo, la política, su otra dedicación absorbente, iba a consumir sus energías hasta el punto de que terminará por acarrear la desgracia de la familia, y la suya propia.

Polonia, virtualmente durante las vidas de estas dos generaciones, la de Apollo y su hijo, Conrad, fue administrativamente un dominio ruso. La participación de Apollo en una insurrección política contra la dominación zarista concluyó con el destierro de toda la familia. En enero de 1863, la familia de exiliados llegaba a Vologda, ciudad al norte de Rusia en la que las condiciones de vida, debido a un clima despiadado, eran extremadamente duras. Cuando los términos del exilio se relajaron un tanto, cuando la familia pudo recobrar cierta libertad de movimientos, se dejaron sentir los postergados efectos de la dureza del clima de Vologda: Evelina muere en 1865, y Apollo muere en 1869; Joseph Conrad se queda huérfano a la edad de once años.

A pesar de las circunstancias en las que transcurrieron los primeros años de su vida, la educación del joven Conrad no se descuidó por completo, al menos en lo que se refiere a la formación que determinará ciertos aspectos de su obra futura. Joseph Conrad había recibido brevemente clases de una institutriz francesa, y a los ocho años dice saber hablar y leer francés. Tras el fallecimiento de su madre, su padre se despreocupa algo de sus responsabilidades pedagógicas, pero el niño se convierte en un gran lector: Fenimore Cooper, Captain Marryat, Dickens, *Gil Blas* y *Don Quijote* (en ediciones abreviadas), leídos en polaco y francés, estos autores y títulos son algunas muestras de la clase de orientación de sus primeras lecturas. La asistencia del joven Conrad a varias instituciones educativas está suficientemente atestiguada, así como su rechazo de la disciplina y restricciones de esas instituciones, en las que no dejó un recuerdo brillante, aunque, a decir verdad, tampoco el novelista recordará con afecto su estancia en las aulas.

A partir de los once años, Joseph Conrad quedó nominalmente bajo la tutela de su abuela materna, Teófila Bobrowska, y del conde Ladislao Mniszek; pero, en realidad,

fue su tío materno, Tadeo (Thaddeus, Tadeusz), qui
que enfrentarse con un problema al que dedicó tier
energías, pero que finalmente desbordó sus iniciativas y
previsiones. Lvov (austriaca entonces) y Cracovia fueron
ciudades en las que más tiempo pasó durante su infancia y
adolescencia Joseph Conrad, y de esta última saldrá a los
diecisiete años, en 1874, para no regresar a su patria sino fugazmente —la última vez, ya convertido en un famoso novelista, al comienzo de la Gran Guerra, en circunstancias
bien amargas. No deja de ser curioso que ni Polonia ni sus
habitantes aparezcan apenas en su obra narrativa. Lo cual,
obviamente, ha dado ocasión a toda suerte de conjeturas
respecto de los sentimientos de culpa o indiferencia por
parte de Conrad hacia su patria. La razón de su marcha, la
más explícita, no es otra que la de un deseo que había expresado Joseph Conrad desde muy temprano, y que, al parecer, tiene su justificación literaria en una lectura temprana
de la obra de Victor Hugo, *Travailleurs de la Mer:* el deseo de
embarcarse, de seguir una vocación marina. Los motivos
del joven Conrad para marcharse, y los del permiso que finalmente arrancó a su tío Tadeo para este insólito viaje, parecen muy abundantes, y todos tienen un rasgo de complementariedad, de manera que quizá no haya habido un solo
motivo, sino una constelación de razones que creó un estado conveniente que, a su vez, hacía aconsejable o deseable
la partida de Conrad. El puerto de destino elegido fue el de
una ciudad francesa: Marsella.

Aquí, en Marsella, comienza una breve pero intensa etapa de la vida de Conrad que, con alguna excepción, no dejó
huellas literarias profundas o visibles excepto en las novelas
y narraciones menos celebradas que escribió. Entre los
acontecimientos importantes de este periodo mediterráneo
(1874-1876) deben enumerarse los siguientes: aprende, y
bien, el oficio de navegante, participa vagamente en conspiraciones carlistas (ayuda a los legitimistas haciendo contra-
bando de armas en la costa catalana, aunque algunos biógrafos han negado esta actividad), se enamora, contrae
cuantiosas deudas, intenta suicidarse, y despilfarra una cantidad de dinero varias veces superior a la asignada para su

esto por su tío Tadeo. Ni que decir tiene que el tío
al sobrino hasta una medida más allá de la que ha-
aconsejado tanto la prudencia como el amor avuncu-
El tempestuoso enjambre de cartas que dirige el tío al
sobrino se inscribe con toda justicia en ese subgénero al que
satirizaba Julio Cortázar en *Rayuela:* «Le importaba muy
poco la carta de su hermano, rotundo abogado rosarino
que producía cuatro pliegos de papel avión cerca de los deberes filiales y ciudadanos malbaratados por Oliveira. La
carta era una verdadera delicia y ya la había fijado con *scotch
tape* en la pared para que la saborearan sus amigos.» Tadeo
se diferenciaba del abogado rosarino en que, al menos, logró alguna satisfacción cuando supo que Conrad había
aprobado satisfactoriamente el examen que lo convertía en
oficial de la marina mercante británica; y Conrad, por su
parte, a diferencia de Oliveira, no se burlaba de su tío; un
tío que, a decir verdad, había sabido comprenderlo mejor
que nadie, pues en ningún momento dejó el tío de interes-
sarse por su sobrino; y, ciertamente, la asistencia de aquél
fue providencial y decisiva, singularmente en el momento
del suicidio frustrado, que, por cierto, Conrad ocultó en
vida a todo el mundo, incluida su propia familia británica,
y que disimuló alegando que las cicatrices que lo recor-
daban las había ocasionado un duelo. De ninguna forma
puede subestimarse el valor formativo de la figura del tío
Tadeo, con quien mantuvo Conrad una ininterrumpida correspondencia hasta 1894. Durante veinte años, aproximadamente, su tío no descuidó en ningún momento la tutela
de su sobrino, tutela a la que hacía visible una preocupación generosa y cordial que comprendía la salud del cuerpo, la del alma, las finanzas, el destino y las normas básicas
de la conducta y deberes propios de un caballero. Años después del fallecimiento lo recordará el sobrino con sincero
afecto: «El más sabio, el más firme y el más indulgente de
los tutores, que me protegió siempre con su afecto y cuida-
dos paternales, un apoyo moral que incluso en los lugares
más alejados del mundo nunca ha dejado de sostenerme»[2].

---

[2] *Ibíd.,* pág. 134.

La relación entre tío y sobrino es una de las relaciones má hondamente significativas en la vida de Joseph Conrad.

Los años franceses los cancela la imposibilidad de acceder a un puesto estable como oficial en la marina de este país, los cancela asimismo el temor al servicio militar francés, y la amenaza siempre presente del temible servicio militar ruso (veinticinco años), al que todavía como súbdito del zar era candidato Conrad. La marina inglesa reunía todas las ventajas necesarias para solucionar la precaria situación de Conrad: ya poseía los conocimientos necesarios para ingresar a su servicio, no había ninguna amenaza de servicio militar en el horizonte, y había una razonable esperanza de obtener la nacionalidad británica, lo cual hacía desvanecerse al formidable fantasma del servicio militar ruso.

En 1878, Conrad, apenas con veinte años de edad, llega a Londres, sin saber inglés; en 1880, Joseph Conrad aprueba el examen que certifica su aptitud como segundo oficial de la marina mercante. Su tío Tadeo, tras años de paciencia, generosidad y sinsabores epistolares, por fin, puede estallar de alegría: «¡La mezcla de ambas familias en tu valiosa persona hará nacer una personalidad cuyo tesón y cuyo carácter emprendedor asombrará al mundo!»[3]. Su tío no se equivocaba, aunque, ciertamente, aún no se sabía de qué forma el talento de su sobrino iba a causar asombro en el mundo. En 1886, Joseph Conrad aprueba el examen de capitán de la marina mercante —la alegría de su tío, que lo aclama como almirante, alcanza cumbres cercanas al éxtasis—, y se convierte en súbdito británico.

Entre 1887 y 1893, Conrad sigue la «llamada de la mar», y ocupa varios puestos en diferentes barcos, muchas de cuyas experiencias reflejará posteriormente en sus novelas. Sus viajes abarcan virtualmente todo el mundo, desde los mares de la China hasta el río Congo, y los escenarios que conoce, no menos que las experiencias que sufre, proporcionarán elementos inconfundibles de su obra narrativa. Por otro lado, causa una cierta extrañeza lo poco que se sabe de las

---

[3] *Ibíd.*, pág. 66.

cturas e inquietudes del autor durante estos años; extrañeza que no aplaca, sino que refuerza la mucha variedad, extensión y profundidad de la cultura literaria que se muestra en sus obras. Variedad, extensión y profundidad que nacen, en una medida muy importante, de su familiaridad con la literatura en lengua francesa: Flaubert y Maupassant son quizá los dos autores que mayor influencia ejercieron sobre el novelista, pero junto a estos dos autores, pueden mencionarse a otros como Balzac, Daudet, o incluso Pierre Loti. Nada de extraño tiene que quien con el tiempo se convirtió en un escritor poco común haya sido también un marino poco común. Paul Langlois, armador de la compañía en la que navegaba Conrad, cuarenta y dos años después de la visita de éste a Port Louis (1888), en la isla Mauricio, recordaba haber tratado al *Capitaine Korzeniowski*, y lo recordaba de la siguiente manera:

> De talla levemente superior a la media, de rasgos enérgicos y animados, y que pasaba con rapidez de la amabilidad a un nerviosismo cercano a la ira; con grandes ojos negros, generalmente melancólicos y soñadores; aunque siempre dulces, excepto durante los demasiado frecuentes arrebatos de ira; barbilla que mostraba decisión; boca finamente dibujada, graciosa, coronada por un bigote de color castaño oscuro, muy poblado y finamente cortado; tal era su fisonomía, ciertamente agradable, pero que, sobre todo, poseía una expresión extraña y difícil de olvidar después de haberla visto una o dos veces[4].

Este curioso capitán, entonces al mando del *Otago* era el antitipo de aquellos marinos que frecuentaban las oficinas de *père Krumpholtz* (corredores de fletes) de Port Louis: marinos cuyos toscos atuendos, caras curtidas, modales desenfadados y quizá groseros, y escaso aseo personal tal vez se acomoden mejor con el retrato tradicional del lobo de mar.

---

[4] *Ibíd.*, pág. 96.

A diferencia de sus colegas, el capitán Korzeniowski iba vestido siempre como un dandi. Aún me parece verlo llegar (y precisamente a causa del contraste mi recuerdo es más nítido) casi a diario a mi despacho vestido con chaqueta negra o de color oscuro, chaleco generalmente de color claro, y pantalón «de fantasía», todo bien cortado y de gran elegancia; tocado generalmente con un «sombrero hongo» de color negro o gris, ligeramente inclinado; siempre con guantes, y con un junco de Malaca con empuñadura de oro[5].

Ciertas imágenes no hay paso del tiempo que las borre: todas las fotografías que se conservan de Joseph Conrad lo presentan ante los ojos modernos como un caballero impecablemente vestido, extremadamente preocupado por su aspecto, y atento a esos detalles que convierten a la apariencia en el retrato más significativo de las personas. Conrad tenía treinta y un años cuando se hizo de él esta descripción. Sin duda, un individuo cuyos contrastes visibles frente al resto de sus compañeros de oficio eran tan notorios como los que señala su retratista no dejaría de poseer otros rasgos que habían de hacerlo aún algo más diferente no ya de los no muy refinados marinos que lo bautizaron jocosamente como «el conde ruso», sino en cualquier otro medio social, y en cualquier lugar del mundo en el que se presentase; estos otros rasgos, rasgos que complementan los aspectos físicos, y que también ha descrito Paul Langlois, no son menos dignos de recuerdo:

En cuanto a lo moral: una educación perfecta, una conversación tan variada como interesante, cuando tenía un día en que se sentía comunicativo. Lo cual no siempre sucedía. Quien adquirió posteriormente fama como Conrad era muy frecuentemente una persona taciturna y nerviosa. Tenía tics en la espalda y ojos, y la cosa más inesperada, la caída de un objeto, una puerta que se cerrara, lo sobresaltaba. Era lo que ahora se denomina un «neurasténico», entonces se decía «nervioso»[6].

---

[5] *Ibíd.*
[6] *Ibíd.*, págs. 96-97.

De las experiencias marítimas de Joseph Conrad, antes de abandonar de forma irrevocable la profesión, quizá ninguna tan intensa y de efectos tan duraderos como la aventura en el Congo; y quizá tampoco otra más públicamente dada a conocer, ni más valorada desde diferentes puntos de vista. Uno de los frecuentes periodos de inactividad en Londres lo movió a aceptar la propuesta de embarcarse en un vapor fluvial por el río Congo. Las experiencias de esta aventura se reflejan de manera fiel, «apenas modificada la realidad», en las páginas de *El corazón de las tinieblas;* y el lector interesado tiene en esa obra la mejor relación autobiográfica de una experiencia que hizo exclamar a su protagonista: «antes del Congo yo era un sencillo animal»; y que lo devolvió a las costas de Inglaterra con la salud irremediablemente quebrantada para el resto de su vida. Esta experiencia de Joseph Conrad, la del viaje por el río Congo, fue determinante en muchos aspectos de su vida, pero no lo fue en el terreno de la escritura: antes de este viaje, Joseph Conrad había empezado ya a trabajar en el manuscrito de *La locura de Almayer.* En 1886, cuando obtuvo el grado de capitán, Joseph Conrad había enviado un cuento a una revista, *Tit-Bits,* que organizaba concursos literarios entre sus lectores —curiosamente se trata de la misma revista a la que unos pocos años más tarde James Joyce, apenas adolescente, pensaba enviar un cuento que había escrito, y es la revista que aparece en el capítulo cuatro de *Ulysses,* y cuyo final poco honroso, por cierto, lo compensa el momento en que el propio Leopold Bloom considera la posibilidad de presentarse al concurso de narraciones—; estos dos hechos, junto con su abundante correspondencia, y las lejanas piezas teatrales que había escrito en su infancia, son los únicos indicios de una carrera literaria que tardará poco en florecer. Mientras espera a que se despejen las incertidumbres que rodean su posible próximo puesto de trabajo en algún barco, Joseph Conrad se decide a probar suerte, y envía el manuscrito de una novela que acaba de terminar, *La locura de Almayer,* a la editorial Fisher Unwin. La novela está terminada en 1894, en 1878 es cuando Joseph Conrad había empezado a aprender inglés, en dieciséis años ha aprendido la lengua lo suficientemente bien como para escribir una primera novela que llamará la atención de Edward Garnett, el exigente y riguroso lector de la editorial Fisher Unwin[7]. La editorial aceptó la publicación, y la vida de Conrad experimentó un nuevo y profundo cambio que iba a convertirlo en uno de los más significativos novelistas en lengua inglesa de los últimos años del siglo XIX, y de los primeros decenios del XX.

La literatura, en forma de entrega y devoción, ocupa la última etapa en la biografía de Joseph Conrad. De 1895 a 1924 se extienden treinta sedentarios años de incesante actividad creadora que inscriben el nombre del autor en los lugares más eminentes de la narrativa en lengua inglesa. Pero esta ruptura con sus actividades como marino es menos acusada de lo que suelen hacer creer las biografías oficiales; en realidad, como se ha señalado, parece como si el autor hubiera vivido la misma vida dos veces: una primera vez a bordo de los navíos que lo llevaban y traían de sus lejanos destinos hasta las costas de Inglaterra; y una segunda vez a través de la delicada recreación de la memoria de todas aquellas experiencias, mediante el arte minucioso de la narración. No sería justo tampoco decir que estos años carecen de acontecimientos, ni de relevancia respecto de su obra narrativa, ni que el triunfo del novelista fuera inmediato, incuestionable. En realidad, quizá sea más cierto lo contrario. *La locura de Almayer,* la primera obra de Conrad, tuvo que esperar siete años para que viera la luz una tercera edición (para la primera edición se imprimieron 2.000 ejemplares); y aunque la crítica lo había saludado en general como un estimable novelista, e incluso como un gran novelista, la aceptación y el favor del público se hicieron de rogar. Este

[7] El asunto de su dominio de la lengua inglesa despertaba recelos en la compleja y quizá defensiva psicología de Conrad: «He sentido siempre que se me contemplaba como si fuera un extraño fenómeno, lo cual, excepto en el circo, no es nada grato. Se necesita un temperamento muy especial para obtener alguna satisfacción del hecho de ser capaz de hacer cosas extravagantes de forma intencional, y, en cierta forma, estimulado por la vanidad.» Joseph Conrad, *The Mirror of the Sea & A Personal Record,* Oxford, Oxford University Press, The World's Classics, 1988, pág. III.

retraso tuvo consecuencias funestas para Conrad: por un lado, sus crecientes dificultades económicas le amargaron buena parte de su vida, y, por otro, agudizaron una inestabilidad emocional que ya se había manifestado en otros momentos anteriores. Se multiplican los testimonios de desesperación, de impotencia, los estados de postración; en 1889 (cuarenta y un años), por ejemplo, escribe lo siguiente a Edward Garnett:

> Le aseguro —y palabra de honor que estoy sereno— que hay veces en que necesito toda mi fuerza de voluntad y control para no arrojarme de cabeza contra la pared. Deseo gritar y echar espuma por la boca, pero no me atrevo por no despertar al niño o preocupar a mi esposa. No es broma. Tras estas crisis de desesperación me quedo postrado durante horas pensando todavía de forma semiinconsciente en que hay un cuento que tengo que escribir. Después me despierto, intento trabajar, y me voy a la cama completamente derrotado. Pasan los días, y no he hecho nada[8].

Se trata de un simple ejemplo. Hay una sobreabundancia de testimonios en los que se describe el estado en que sumía al autor su dedicación literaria. Los achaques de toda índole, pero singularmente la postración nerviosa y los ataques de gota, malaria y reúma son afecciones constantes durante los años sedentarios. En realidad, tales postraciones físicas —algunas son anteriores al viaje por el río Congo— no son sino la continuidad de los síntomas de una delicada constitución que, a través de circunstancias cambiantes, desde la temprana infancia, desde la pérdida de sus padres, se había caracterizado por «largos periodos de migrañas», acompañados de otras manifestaciones no menos preocupantes: «También era presa de crisis nerviosas, quizá incluso de alguna clase de manifestación epiléptica, de la que luego se curó»[9].

---

[8] Jocelyn Baines, *op. cit.*, pág. 209.
[9] Ian Watt, *Conrad in the Nineteenth Century*, Berkeley, University of California Press, 1981, pág. 4.

Hay que señalar que Joseph Conrad se granjeó desde muy temprano la admiración, el apoyo o el estímulo de un grupo significativo de escritores ingleses o residentes en Inglaterra. Entre éstos, deben contarse autores como John Galsworthy, Stephen Crane, H. G. Wells, Ford Madox Ford, Henry James, Rudyard Kipling y, en fin, Bertrand Russell. No todos tendrán idéntica influencia sobre Joseph Conrad; de hecho, de algunos de ellos puede decirse que la relación con Joseph Conrad se debió más a la cortesía que a otros motivos, pero algunos de ellos tuvieron una influencia determinante en el novelista, y entre éstos debe destacarse a Ford Madox Ford, con quien escribió algunas obras en colaboración.

En 1893 Joseph Conrad conoció en Londres a una mecanógrafa que se llamaba Jessie George, y en 1896 se casó con ella. El matrimonio de Conrad con Jessie no es exactamente un misterio, pero sí que puede decirse de él que algunos de sus aspectos son desconcertantes: Jessie Conrad no aportó a su unión un interés literario ni remotamente parecido al de su marido, ni parece ser que la comunidad afectiva entre ambos fuera lo suficientemente fuerte como para impedir las repetidas confesiones de soledad radical que salpican las cartas y testimonios personales del autor durante su vida en Inglaterra. Dos rasgos de Jessie, invariablemente, llaman la atención de los biógrafos, su talento culinario, y la invalidez relativa en que quedó como resultas de una caída (1904) que le dañó ambas rodillas, una de las cuales ya estaba muy resentida como consecuencia de un accidente que sufrió a los dieciséis años (la madre de Winnie Verloc, esposa del «agente secreto», se queda progresivamente inválida a lo largo de la novela). El matrimonio tuvo dos hijos, Borys Conrad (1898) y John Conrad (1906). En un viaje en tren, Conrad se tomó todas las molestias necesarias para que nadie pudiera inferir que viajaba con el mismo grupo de su familia, y confesó a Garnett: «Detesto a los niños.» Confesión que no le impidió dedicar toda clase de esfuerzos, atenciones y desvelos al desarrollo y crecimiento de sus hijos.

Por supuesto, todo esto no tendría un interés más allá del puramente biográfico, si no fuera porque precisamente

El agente secreto, publicada en 1907, entre otros aspectos, trata de la vida conyugal, y trata de las relaciones que se establecen dentro de la familia, y de los vínculos entre el matrimonio y los hijos (en la novela: el hermano menor de Winnie Verloc es quien ocupa el lugar de los hijos). Pero incluso dentro del interés no estrictamente biográfico, podría decirse que la novela tal vez mantenga algunos de los elementos del propio hogar de Conrad en una perspectiva inquietante, aunque no tanto porque necesariamente hayan de coincidir con sus propias circunstancias biográficas, sino por el poder de generalización que revelan. Quizá no sea conveniente introducir un reduccionismo biográfico en la interpretación (como han hecho, por ejemplo, Bernard C. Meyer o John Seymour-Smith), pero creo que no debe desdeñarse el valor simbólico que adquiere la familia en esta sencilla narración.

La recepción de su obra por sus contemporáneos, y la aportación específica del autor en el terreno de la narrativa, son todavía asunto de debate; pero puede decirse, en general, que entre quienes aceptan la importancia de su obra —F. R. Leavis, por ejemplo—, y quienes relativizan los logros de Joseph Conrad —E. M. Forster, por ejemplo— hay un punto de acuerdo en que las virtudes aparecen vinculadas a los defectos. Es decir, se ha distinguido a Joseph Conrad como ese escritor que está condenado a enconar las posiciones de los críticos porque, aunque estén de acuerdo éstos en cuáles sean los aspectos que constituyen los rasgos más peculiares del narrador, difieren grandemente en cuanto a la valoración que hacen de esos mismos aspectos. Y quizá, puestas así las cosas, la crítica más provechosa sea la que tenga en cuenta ambos aspectos. Véase, por ejemplo, cómo se abre un capítulo que en una guía de la literatura inglesa pretende fijar las características generales del autor:

> El arte de Conrad tiene sus limitaciones. No explora las relaciones humanas, hay pocos triunfos en sus retratos femeninos, se entrega a un tipo de escritura de calidad inferior, y dos o tres de sus obras maestras tienen fallos —*Lord Jim,* por ejemplo, *Chance* y *Victory.* Pero no tiene sentido in-

Joseph Conrad, su esposa Jessie y su hijo John en 1916

sistir en las limitaciones, porque la sorprendente variedad de los logros de Conrad es parte esencial de ellas[10].

Puede el lector, si lo desea, salvar incluso ese escollo de los retratos femeninos; Virginia Woolf, por ejemplo lo salvaba pensando que los barcos (que son del género femenino en inglés) eran los retratos femeninos de Joseph Conrad. Pero lo cierto es que la obra del novelista aparece extrañamente dividida quizá de forma irreconciliable. Y dividida de tal manera que parece reflejar una división de carácter personal, una división que trasciende la fractura que, en ocasiones, aparece en los textos de sus novelas. Pondré otro ejemplo, traído éste de la escritora cuyo nombre acaba de aparecer, Virginia Woolf: «Está compuesto [Joseph Conrad] de dos personas que no tienen nada en común. Puede ser ese capitán de la marina, sencillo, fiel, anónimo; y es Marlow, sutil, psicólogo, locuaz»[11]. Y traeré un último ejemplo de un autor cuyas opiniones literarias no pueden subestimarse, E. M. Forster:

> Estos ensayos sugieren que es oscuro en su interior al igual que lo es en la periferia, que el cofre secreto de su genio contiene un vapor, no una joya; y que no es preciso que lo entendamos en sentido filosófico, porque no hay nada que entender en ese sentido[12].

En efecto, puede volver a verse aquí que la división se establece en el sentido en que he señalado anteriormente: la ambigüedad, que en ocasiones se ha utilizado como sinónimo de riqueza expresiva, se entiende que aquí, así lo entiende E. M. Forster, condiciona el modo de comprensión del

---

[10] Douglas Brown, «From *Heart of Darkness* to *Nostromo*», en *The New Pelican Guide to English Literature. 7. From James to Eliot,* Harmondsworth, Penguin Books, pág. 131.

[11] Virginia Woolf, «Mr. Conrad: A Conversation», en *Collected Essays,* I, Londres, The Hogarth Press, 1980, págs. 310-311.

[12] E. M. Forster, «Joseph Conrad: A Note», en *Abinger Harvest,* Londres, Edward Arnold, 1940, pág. 135. Los ensayos a los que se refiere E. M. Forster son los escritos autobiográficos de Joseph Conrad: *Notes of Life and Letters* y *A Personal Record.*

lector porque no conduce precisamente al enriquecimiento expresivo buscado, sino a la confusión. De forma parecida razonaba F. R. Leavis cuando afirmaba de Joseph Conrad, en *El corazón de las tinieblas:* «Todo su empeño consiste en convertir en virtud su desconocimiento de lo que quiere decir»[13]. Pero es precisamente F. R. Leavis, a pesar de esta opinión, que se aplica sólo a esta novela, el responsable de buena parte de la reconsideración de la obra de Joseph Conrad, de su consagración canónica, con posterioridad a la Segunda Guerra Mundial. Piénsese en que, por ejemplo, en el libro hegemónico durante el tercer y cuarto decenio del siglo XX de Percy Lubbock, *The Craft of Fiction,* el Modernismo, al que se asocia comúnmente la obra de Joseph Conrad, no aparece representado por ninguno de sus nombres más conocidos. F. R. Leavis dio forma académica a un gusto por las novelas de Joseph Conrad por el que se había pronunciado, entre otros, un autor como el propio T. S. Eliot, quien en el poema «The Hollow Men» (1925), como cita introductoria, había colocado la comunicación de la muerte de Kurtz, el personaje de *El corazón de las tinieblas: Mistah Kurtz —he dead.* Al igual que hubo otros miembros del Grupo de Bloomsbury entre los primeros admiradores del novelista. Por ejemplo, Lytton Strachey opina (1907) que Joseph Conrad es un escritor «superior, en realidad es el único novelista superior en estos momentos, si exceptuamos al bueno de Henry James»[14].

La dualidad que reviste cualquier aspecto de la obra o de la personalidad de Joseph Conrad puede extenderse hacia las direcciones más impredecibles, no se trata tan sólo de que el cofre del tesoro contenga algo confuso o de escaso valor, sino de que la propia naturaleza de los méritos del autor no es idéntica para todos los críticos u observadores, porque, en los elementos que la integran hay una nueva división que puede atribuirse al escritor: la que separa dos

---

[13] F. R. Leavis, *The Great Tradition,* Harmondsworth, Penguin Books, 1972, pág. 207.

[14] Michael Holroyd, *Lytton Strachey: A Biography,* Harmondsworth, Penguin Books, 1980, pág. 353.

modos diferentes de enfrentarse con los fenómenos que se describen:

> De forma que hay continuas discrepancias entre la visión inmediata y la larga distancia, y ahí quizá radique la centralidad de su oscuridad. Si sólo hubiera tenido en cuenta sus experiencias, sin levantar nunca los ojos hacia lo que hubiera más allá; o si, tras haber visto lo que había más allá, subordinara sus experiencias a esa visión, en ese caso, cuando menos, la lectura sería más fácil[15].

Parece que la dificultad de la prosa que señala E. M. Forster nace de un aspecto fundamental de sus rasgos estilísticos: la inmediatez de la visión de Joseph Conrad puede llegar a ser ocasionalmente aburrida cuando la sobreabundancia de detalles oculta el sentido de la descripción; pero, por otra parte, cuando las ideas se proyectan sobre el lienzo de gran formato para obtener la visión de conjunto, entonces las ideas de Conrad pueden llegar a parecer triviales, poco elaboradas o, incluso, exageradas. Tal parece que esta cualidad de su prosa viniera a reflejar esa división de los propios elementos familiares que se mezclaban en su personalidad: el carácter supuestamente práctico de la familia de su madre, y el carácter supuestamente idealista de la familia paterna. Estos dos elementos, los estrictamente literarios, como señala E. M. Forster, pueden ser ocasionalmente inarmónicos, y pueden pugnar entre sí, y pueden perjudicar algunos de los aspectos de su narrativa; pero, a diferencia de E. M. Forster, pienso que es imprescindible para entender a Joseph Conrad mantener en el horizonte de expectativas una relación dinámica de estos dos elementos; cuando la visión de lo inmediato se entrelaza con inconsútil levedad con la visión de lo general hay pocos escritores que sean capaces de igualar su penetración y su fuerza expresiva. Sus obras solicitan la atención del lector hacia dos elementos complementarios: hacia lo inmediato y hacia lo general. Y hay momentos en que la conjunción de ambos elementos se celebra en

---

[15] E. M. Forster, *op. cit.*, pág. 137.

páginas brillantes e inolvidables. De igual modo su personalidad y su biografía reclaman la atención del retratista hacia el individuo, hacia la peripecia personal, hacia la fuerza de voluntad, hacia la atención demorada con la que se complace en la descripción de la geografía de la vida cotidiana; y, por otra parte, invitan a considerar las inquietudes fundamentales del ser humano: su sentido de fidelidad y responsabilidad, la honradez de sus convicciones, las vinculaciones sociales.

El retrato que hace Bertrand Russell de Joseph Conrad puede cerrar estas notas biográficas; en él, una vez más, se advierten las huellas de la escisión, de la profunda heterogeneidad de la personalidad de Joseph Conrad. Como una paradoja más, viene a inscribirse esta admiración del filósofo, del pacifista, hacia quien representaba, cuando menos en apariencia, los valores más próximos al pequeño terrateniente victoriano:

> Conocí a Joseph Conrad en septiembre de 1913, a través de una amiga común, Lady Ottoline Morrell. Durante años había sido yo admirador de sus libros, pero no me había atrevido a relacionarme con él sin previa presentación. Me acerqué hasta su casa en Ashford, Kent; mi estado de ánimo podría decirse que era el de una nerviosa inquietud. La primera impresión fue de sorpresa. Hablaba inglés con notable acento extranjero, y no había nada que recordara al mar en su aspecto externo. Era un caballero de la aristocracia polaca de los pies a la cabeza. Su actitud hacia el mar y hacia Inglaterra era la del amor romántico: un amor a cierta distancia, la suficiente como para mantener intacto ese ideal. Su amor hacia el mar se había manifestado desde muy temprana edad. Cuando dijo a sus padres que quería ser marino, le instaron a que se enrolara en la marina austriaca, pero él deseaba aventuras, mares tropicales, y ríos extraños en medio de espesas selvas; y la marina austriaca no ofrecía nada que pudiera saciar este apetito. La familia se horrorizó cuando supo que quería navegar en la marina mercante inglesa, pero su voluntad era inquebrantable[16].

[16] Bertrand Russell, *Portraits from Memory and Other Essays,* Londres, Allen and Unwin, 1956, pág. 81.

Joseph Conrad aparece aquí resumido en esos rasgos personales de difícil o imposible clasificación: la rara determinación de la voluntad, el apego hacia unas tradiciones que virtualmente habían abandonado las sociedades humanas, la apariencia inofensiva que ocultaba una nada común capacidad de atención hacia toda suerte de fenómenos. Nada permite anticipar que el pulcro caballero polaco ha sido el tripulante del *Narcissus,* el capitán del *Roi des Belges,* el cronista de Sulaco, el biógrafo del señor Verloc. Aunque, nada podría hacer suponer tampoco que el mesmerizador del filósofo iba a elegir un aspecto externo tan poco propicio para su actividad más relevante:

> Mi relación con Joseph Conrad fue muy diferente de cualquier otra que yo haya tenido. Lo vi pocas veces, y durante muy pocos años. En los aspectos externos de nuestras biografías éramos casi por completo ajenos el uno al otro, pero compartíamos una cierta opinión sobre la vida y sobre el destino que, desde el primer momento, forjó entre nosotros lazos muy fuertes. Quizá se me pueda perdonar que cite una frase de una de las cartas que me envió poco después de habernos conocido. La modestia debería impedirme reproducir esta frase, si no fuera porque expresa con gran fidelidad lo que yo sentía hacia él. Lo que él expresó, pero que yo también sentía hacia él, fue lo siguiente: «Un afecto y una admiración que, si usted no volviera a verme, y mañana olvidara mi existencia, serían siempre suyos *usque ad finem*»[17].

El destino y el valor de la vida parecen dos puntos de apoyo excesivamente inconcretos para fundar una admiración y afecto como los que manifiesta Bertrand Russell, pero el esquivo navegante británico no entregaba fácilmente sus secretos:

---

[17] *Ibíd.,* págs. 81-82. La frase latina, *usque ad finem,* «hasta el fin», pertenece a la fraseología de la Biblia, la versión de la Vulgata; sin embargo, es interesante hacer notar que esta misma frase es la que pronuncia Stein en *Lord Jim* al decir cómo deben ser las aspiraciones humanas, y es, asimismo, la frase que había utilizado el tío de Joseph Conrad, Tadeo, en alguna carta a su sobrino.

Las opiniones de Conrad distaban de ser modernas. En el mundo moderno hay dos filosofías: una, que procede de Rousseau, desdeña la disciplina, la considera innecesaria; la otra, que halla su expresión plena en el totalitarismo, piensa que la disciplina hay que imponerla desde el exterior. Conrad pertenecía a una tradición más antigua: opinaba que la tradición debía proceder del interior. Desdeñaba la indisciplina que era sólo externa.

En todos estos aspectos yo estaba muy de acuerdo con él. La primera vez que nos vimos hablamos sin parar, y se cimentó nuestra confianza. Parecíamos atravesar sucesivas capas superficiales, hasta que poco a poco llegamos al fuego central. Fue una experiencia nueva para mí. Nos miramos a los ojos, medio sorprendidos y medio embriagados por el hecho de encontrarnos juntos en semejante región. La emoción fue intensa, como la de un amor apasionado, y a la vez, abarcaba todo. Cuando me fui iba aturdido, apenas sabía reanudar la rutina de mis asuntos ordinarios[18].

Las metáforas con las que se ha descrito al autor y a su obra revelan, una vez más, esa elusiva dualidad del autor: E. M. Forster, tras buscar afanosamente el cofre del tesoro, halla que en su interior no hay tales tesoros prometidos, sino un vapor, una niebla, algo confuso y gaseoso; por el contrario, tras el asedio a la ciudadela, Bertrand Russell descubre que en su interior arde un fuego puro y luminoso. La complementariedad de ambos retratos, para un autor para quien la complementariedad de los contrarios era un depósito tan rico de sugerencias, habría de haberle parecido singularmente atractiva y feliz; para Joseph Conrad, luz y oscuridad son caras de una única moneda, y la luz y la oscuridad, en sus vertientes psicológicas, intervienen en la definición de algunos de sus personajes mejor logrados.

En 1924 Joseph Conrad muere, y con su muerte adquiere forma definitiva la prolongada elegía que a lo largo de su vida había ido escribiendo sobre la decadencia y desaparición de un mundo que podría denominarse de «la caballería navegante», representado por la navegación a vela; y desaparece una de las personas que antes detectó y describió

---

[18] *Ibíd.*, págs. 83-84.

la quiebra del edificio de la Ilustración, el polvo de cuyo hundimiento todavía a finales del siglo XX sigue cayendo sobre el mundo.

«EL AGENTE SECRETO»

La novela *El agente secreto* se escribe durante ese periodo de creatividad de Joseph Conrad que se extiende a lo largo del primer decenio del siglo XX, y que pone por primera vez de acuerdo a los críticos y a los lectores respecto de la importancia como narrador de aquél: obras como *Nostromo* y *El agente secreto* son el cimiento sobre el que se erigirá la fama del novelista. Son un cimiento sobre el que, además, descansará una nueva valoración de su etapa creativa inmediatamente anterior, la más vinculada a la vida marina, y al idealizado mundo de la aventura; y también sobre su etapa posterior, a la que suele imputarse una decadencia de poder creativo. Puede decirse que esta etapa central de su vida como escritor —que, junto con las novelas mencionadas, comprende obras tan significativas como *El corazón de las tinieblas* o *Lord Jim*— es el pivote sobre el que giran las discusiones acerca de su estimación como novelista; y puede decirse que *El agente secreto* representa, en cierta medida, buena parte de las virtudes más idiosincrásicas de su talento artístico; aunque difícilmente podrá considerarse una obra maestra por quienes no sean previamente admiradores de su arte. Al modo en que hay poetas a quienes de forma preferente sólo los poetas leen, *El agente secreto* es una novela que ha encontrado sus mejores admiradores entre los propios lectores de Conrad. Esta reflexión tiene en cuenta algunas de las consideraciones que el propio autor expone en su nota prologal. «Un fracaso honorable», así describió el propio Conrad la recepción que el público y la crítica dispensaron a esta obra. A Conrad le disgustaba que sus novelas no llegaran a un número amplio de lectores; y le mortificaba que sus obras, no más sombrías ni pesimistas que las de Thomas Hardy, tuviesen tan escaso eco, tan escaso éxito.

Sobre esta novela, *El agente secreto,* hay que esperar a las opiniones expresadas por F. R. Leavis, en su influyente *The Great Tradition* (1948), para hallar la medida de su importancia relativa dentro del conjunto de la obra narrativa del autor, y en el seno de la tradición novelística británica. Para F. R. Leavis se trata de un «clásico» y de «una obra maestra», clasicismo y magisterio que el crítico halla en un conjunto de elementos que se relacionan de forma dinámica: una ironía cuyo efecto no descansa en la insistencia, un tono que se modula de manera sutil, y un asunto o argumento que se desarrolla de forma orgánica; el efecto de todo ello depende, según F. R. Leavis, del juego de las perspectivas morales enfrentadas, y de la sabia economía de la trama:

> El argumento, el «cuento», es el de una obra de misterio, horror e intriga —cónclaves de terroristas, intrigas de embajada, una bomba que estalla, investigaciones, asesinato, suicidio—; y lograr que, al tratar todos estos asuntos con todo el refinamiento de su arte, haya un complejo interés moral que sirva de principio rector es, advertimos, típico de Conrad. Su ironía ilumina la egocéntrica ingenuidad de la convicción moral, lo convencional de las actitudes morales convencionales, y la torpe confianza con que el hábito y el egoísmo distinguen maniqueamente el bien del mal. La trama del libro se teje de forma que nos haga sentir que las diferentes biografías o los actores son corrientes aisladas de sentimiento e intención; aisladas, pero vinculadas a la coexistencia y a la interrelación en lo que ni siquiera dudan que sea el mundo de todos, y, en ocasiones, relacionándose de forma desconcertante en su aislamiento[19].

La novela solicita la atención de sus lectores para dirigirla hacia dos centros de interés bien diferenciados, pero de ningún modo ajenos entre sí: el primero tiene a la familia, en abstracto, como objeto ostensible de preocupación, representada fundamental, aunque no únicamente, por los personajes que constituyen la propia familia del señor Verloc; el segundo contempla a la sociedad a través de un fenó-

---

[19] F. R. Leavis, *op. cit.*, pág. 240.

meno, el anarquismo (?), en cuyas actividades interviene —mediante relaciones variables y, en algunos casos, no muy evidentes— un grupo no muy extenso de personajes que cuenta, entre otros, con un pequeño comerciante, un diplomático, varias categorías de activistas políticos, un funcionario público, un policía, un político y una aristócrata. Ese «complejo interés moral», que advierte F. R. Leavis en esta obra, se abre paso precisamente a través de unos personajes que en una buena medida están concebidos sobre tipos representativos más que sobre personajes psicológicamente comprensibles; lo cual no señala una limitación del crítico, sino las contradicciones o paradojas de la propia novela[20]. Y, dicho sea de paso, el complejo interés moral no tiene necesidad alguna de entretenerse con las complejidades psicológicas de los personajes. La forma «desconcertante» en que se relacionan las personas en el mundo de la política no llamará la atención del lector; en este terreno, en el de los círculos de los activistas revolucionarios, y en el de los políticos ordinarios, nada nuevo hay, si bien hay cosas harto sorprendentes; pero sí es «desconcertante», y es trágico, el modo de relacionarse que tienen los miembros de una familia en su «aislamiento». Y aquí, en esta confrontación entre lo representativo y lo real, entre lo simbólico y lo simbolizado, es donde puede señalarse una discrepancia entre las intenciones, formalmente enunciadas del autor, y lo que de verdad hace hacer a sus personajes: o bien son representativos, o bien son una manifestación de una idiosincrasia psicológica o social singular, pero lo que no pueden es ser ambas cosas a la vez. Y quizá esta discrepancia es la que ha mantenido afanados y atareados a los críticos hasta el día del hoy. Pues esta novela, y como reflejo de la discrepancia que he mencionado, no deja en el lector la impresión de

---

[20] El descontento con uno u otro de los personajes, a causa de lo inadecuado de la caracterización psicológica, lo han manifestado no pocos críticos, véase E. M. W. Tillyard, «*The Secret Agent* Reconsidered», *Essays in Criticism*, XI, 3, 1961, pág. 309: «El único error grave es el de la psicología de Ossipon. Teniendo en cuenta la presentación que se hace del personaje, ¿es aceptable que el recuerdo de la fallecida señora Verloc lo haya atormentado sin descanso, y haya puesto fin a sus aventuras amorosas?»

Pent Farm, donde Conrad vivió desde 1898 hasta 1907

que se le ha contado algo en lo que el autor ha penetrado con singular perspicacia, sino que, a la luz de las abundantes e irresueltas contradicciones, el lector no tiene otro remedio que pensar que se le ha situado frente a un problema del que no se entrega ninguna solución; e incluso, todo lo que el autor podría tal vez considerar valores positivos se embosca en tal jungla de cautelas y prevenciones que le será difícil al lector establece otra lectura que no sea la de la desconfianza. Y como última paradoja, relacionada con lo anterior —coinciden en ella críticos y lectores—: la experiencia de la lectura es tonificante.

Estos dos centros de interés, sociedad y familia, se relacionan de manera bien singular: la familia, cuya constitución sólo a través de la sociedad es comprensible, conspira contra esa sociedad en cuya estabilidad debería descansar su confianza. El resultado, no podía ser de otra forma, es funesto para la familia que, buscando un interés propio, se coloca a un lado de los intereses generales de todas las familias, y termina acarreando su propia destrucción. La forma en que se presentan estos dos centros de interés, en sus cambiantes manifestaciones, autoriza al lector a pensar que la estimación que debe otorgarse a su importancia relativa no es idéntica: anarquismo y familia ocupan lugares diferentes en la escala de valores con la que ha de entenderse esta novela. Entiendo que para explicar mejor lo que quiere decirse con esta afirmación será preciso, tal vez, exponer de antemano las conclusiones para examinar posteriormente los razonamientos que pudieran fundarlas.

Conrad, respecto de sus aspectos doctrinales e ideológicos, sabía muy poco sobre anarquismo, y ello explica que sea muy poco lo que sobre este asunto se hable en la novela, y explica también que el autor se jacte de haber adquirido un conocimiento intuitivo, casi milagroso, de cuya eficacia él es el primer asombrado: «Es bastante obvio que Conrad no tiene nada nuevo que decir sobre el anarquismo en cuanto tal»[21]. Pero es bastante obvio, asimismo, que Conrad sí sa-

[21] Jacques Berthoud, *Joseph Conrad. The Major Phase,* Cambridge, Cambridge University Press, 1993, pág. 132.

bía, y bastante, sobre anarquistas y otros revolucionarios, cuyas actividades conoció a través de una copiosa documentación, y a través de Ford Madox Ford, el amigo omnisciente al que Conrad alude en la nota prologal.

> Su descripción [la de los cuatro activistas políticos de la obra] sugiere que se trata de tipos, y la lectura de las obras revolucionarias indica que Conrad reunió a estos personajes en el curso de copiosas lecturas, no sólo de obras anarquistas, sino también de la historia revolucionaria del movimiento Feniano [independentistas irlandeses]. Las ideas y actitudes que encarnan los anarquistas reflejan las formas más radicales del pensamiento revolucionario[22].

Y, sin embargo, su asombro, el asombro del autor en la nota prologal, venía precedido de una clara conciencia de que el asunto del anarquismo, dejando a un lado su interés estrictamente literario, no figuraba entre el repertorio de inquietudes que había introducido en la novela; un párrafo de una carta dirigida a John Galsworthy (12 de septiembre de 1906) demuestra, de forma palmaria, que el autor era sobradamente consciente de lo que había hecho, y de lo que pretendía hacer:

> En un cuento como éste es probable que le malinterpreten a uno. Y, a decir verdad, no es preciso que lo tome demasiado en serio. Todo el asunto es superficial, sólo es un cuento. Yo no había pensado en considerar el anarquismo en sus aspectos políticos, ni tratarlo en serio, teniendo en cuenta sus aspectos filosóficos, como manifestación de la naturaleza humana, de su descontento y de su imbecilidad[23].

Otros indicios refuerzan esta idea: el trato que reciben los anarquistas, los personajes, en las manos de Conrad no es

---

[22] Norman Sherry, *Conrad's Western World*, Cambridge, Cambridge University Press, 1971, pág. 249. Véase también las págs. 205 y sigs. de este mismo libro.

[23] Recogida en *Conrad: The Secret Agent. A Casebook*, ed. de Ian Watt, Basingstoke, Macmillan, 1993, pág. 16. En referencias sucesivas, mencionado como *CB*.

precisamente benévolo. Diríjase la atención, por ejemplo, a la carrera profesional, a la vocación política del revolucionario (anarquista o no). No sobresaltará al lector el desconocimiento del novelista respecto de las teorías políticas que, en apariencia, defienden los protagonistas, los personajes; pero sí lo hará, y mucho, que para la actividad política el autor de la obra no parezca hallar ninguna otra justificación o impulso que no sea estrictamente personal, ya como reflejo de algún resentimiento, ya como expresión de alguna limitación o de alguna peculiaridad del individuo; entiéndase que al mencionar la actividad política me he referido exclusivamente a la actividad de los presuntos revolucionarios, el inquietante silencio de Joseph Conrad sobre las motivaciones de Sir Ethelred, o de los políticos y funcionarios, manifiesta de manera harto elocuente qué clase de motivaciones guiaban su inspiración. Tan singular deficiencia es, a mi juicio, una carencia mucho más grave que cualesquier otras que se le hayan señalado en el terreno de la intención o la forma. Revela de repente que las ideas políticas de Joseph Conrad carecen del refinamiento que sería exigible a quien se adentra en un terreno tan complejo, y que necesita de toda la capacidad de matización y análisis que el novelista con mayor talento podría aportar.

Reducir todo activismo político violento, de forma sistemática, a un resentimiento personal, a una forma depurada y estilizada del resentimiento *cristiano,* no es nietzscheano, es, lisa y llanamente, una simpleza. Y, sin embargo, Nietzsche suscribiría buena parte de las ideas de Joseph Conrad sobre los activistas radicales; véase, por ejemplo, el aforismo 218 de *El gay saber:* «No me gustan los hombres que para hacer cualquier cosa tienen que hacer explotar bombas en el acto, y quien está en su proximidad se encuentra siempre en peligro, expuesto a perder de repente el oído o tal vez más.»

Tal vez sea el campo de las motivaciones (las de Verloc y su mujer, las de los conspiradores, las de los policías y políticos) el peor dibujado en este paisaje urbano de Londres. La crítica que pueda ofrecer el lector hacia ellos que retrata Conrad necesariamente ha de tener en cuenta lo

sospechoso que resulta que todos ellos sean tan convenientemente adecuados al retrato que las más arraigadas
concepciones burguesas dibujan de en qué consiste ser revolucionario; y esta crítica se verá reforzada cuando se ad-
vierta la extraña homogeneidad con la que se representa a
un grupo de conspiradores que, en el fondo, apenas tienen nada en común, ni en cuanto a sus diferentes credos
políticos, ni en cuanto a su forma de concebir la actividad
política[24].

Sin embargo, todavía en el campo de las motivaciones,
por muy dispares que sean entre sí, es preciso aceptar que lo
que une a los conspiradores, ya que no el credo político, es
la escasa convicción con que cada uno de ellos interpreta
en el papel que representa; tal parece como si cada uno de
los revolucionarios fuera más consciente de estar desempe-
ñando un papel, una representación dramatizada de cierta
forma de actividad humana, fruto de la normal organización burguesa de la sociedad, que, de hecho, de cumplir
con unos ideales políticos, o de cumplir con la idea de alcanzar unos objetivos prácticos de reforma o revolución social; en pocas palabras: los revolucionarios están más empe-
ñados en representar que en actuar —lo cual, dicho sea de
paso, no hace sino corroborar la función representativa y
simbólica que les ha atribuido el autor de antemano. El testimonio que apoya esta idea en el propio texto lo ofrece
Stevie, quien, precisamente porque carece de la inteligencia
para representar un papel, al modo de Ossipon, Yundt o
Verloc, lleva a la práctica su ingenuo ideal de justicia y revolución, y, en lugar de mirar por su propio interés, provoca
¿involuntariamente? su propia muerte al no haber aprendido a distinguir entre representación y realidad. La hermana
de Stevie, la señora de Verloc, ruega a su marido en cierta
ocasión que lleven más cuidado en sus cónclaves conspira-
torios, porque el muchacho carece precisamente de ese sex-
to sentido social de la hipocresía para saber distinguir entre
la lengua usada de buena fe, en su tenor literal —es decir,

---

[24] Cfr. Terry Eagleton, «Form, Ideology and *The Secret Agent*», *Against the Grain. Essays 1975-1985*, Londres, Verso, págs. 23-24.

en el sentido único en que lo entiende Stevie—, o cuándo se ha usado sirviéndose de esos aspectos de ambigüedad pragmática que sirven más para identificar y caracterizar a los interlocutores que para enunciar alguna intención práctica concreta («No está preparado para oír lo que se dice aquí. Cree que todo es verdad», cap. III). Creo que refuerza esta percepción de la inflexibilidad lingüística de Stevie el hecho de que su única forma de expresarse —vale decir, elaborada— sea a través de esos dibujos que confirman la locura que, según Ossipon, también hacen visibles sus rasgos físicos, pero que, aunque no se correspondan con una naturaleza ética *more geométrico demonstrata,* se acercan lo suficiente a la geometría como para que se asocie a ella una cierta rigidez en asuntos de principios: obsérvese, si no, cómo desarrolla Conrad la concatenación de pensamientos que median entre la combinación de figuras geométricas y el momento en que esa combinación ya se ha transformado en locura, se ha transformado en un viaje de regreso, del cosmos al caos:

> El señor Verloc, levantándose del sofá visiblemente contrariado, abrió la puerta que daba a la cocina para ventilar la habitación, con lo cual dejó al descubierto al inocente Stevie sentado, muy juicioso y callado, a una mesa de pino, dibujando círculos y más círculos; innumerables círculos, concéntricos, excéntricos; un chispeante remolino de círculos que, por la enmarañada multiplicidad de las reiteradas curvas, (...), sugería una representación del caos cósmico, el simbolismo de un arte que pretendiese expresar lo inconcebible (cap. III).

La mente de Stevie conserva ciertos rasgos del pensamiento racional que llevados a sus últimas consecuencias, a pretender lo inconcebible, parece que deberían conducir al suicidio; y muestra de forma inequívoca que es el único revolucionario dispuesto a llevar a la práctica los pensamientos que se formulan en voz alta, y a los que, ay, no menos que la burguesía respecto de los valores que dice defender, estiman los propios revolucionarios en mucho menos de lo que pudiera parecerle al lector.

La ausencia de una reflexión de naturaleza verdaderamente política sobre los revolucionarios de esta novela, así como la truculenta caricatura que se hace de los grupos clandestinos revolucionarios —caricatura que se presta a dos lecturas antitéticas pero complementarias: son estos tremendos revolucionarios, a la vez, risibles y temibles—, no puede, no debe ocultar que se promueven unos valores que encajan admirablemente con los que acepta la pequeña burguesía británica que no desea descender a los detalles groseros de la vida cotidiana o policial, y que aplaca sus deseos de revolución con el «revolucionario» decreto sobre la nacionalización de las pesquerías, o con una compasiva subvención económica y emocional destinada a un inofensivo recluso en libertad condicional.

Ante los conflictos con los que se enfrenta la política oficial, la que representa el ministro del interior y sus subordinados, el grupo de terroristas es francamente pintoresco, y aun caricaturesco: Verloc, Ossipon, Yundt y Michaelis son una colección bastante heterogénea de seres humanos respecto de los cuales no acaba de entenderse muy bien, como digo, qué es lo que los reúne, a la luz de las muchas cosas que los separan.

Si la caricatura que hace Conrad de la aristocracia británica es pura diversión, la de los anarquistas lo es menos porque Conrad no pudo resistirse a la idea de convertirlos en algo repulsivo. «A las almas serenas situadas en los dos extremos de la escala social, les es común cierta sencillez de pensamiento.» Los revolucionarios, Ossipon, Michaelis y Yundt son bastante patéticos en su general incapacidad para la supervivencia, pero lo son aún más en la que forma en cada uno de ellos contradice a los demás, mientras defienden las teorías de los «superhombres»: Nietzsche, Nechaev y Marx. Ossipon deposita sus esperanzas en la ciencia, pero predica que el cambio social puede sobrevenir recurriendo a las emociones de las masas. De forma semejante, Michaelis —gloriosamente optimista respecto al futuro de las masas— predica el determinismo económico, pero describe el caos cuando solicita precauciones: «al ignorar el efecto de lo que podría resultar, mediante determinado cambio económico (...) Pues la historia se hace con herra-

mientas, no con ideas; y los condicionamientos económicos lo cambian todo: el arte, la filosofía, el amor, la virtud,
¡incluso la verdad!» (cap. III)[25].

Sin duda, el único miembro de esta hermandad que manifiesta alguna sensibilidad respecto del sufrimiento humano —y no sólo humano, pienso, entre otras, en la escena
del postillón con el muchacho, cap. VIII— es precisamente Stevie, el revolucionario consecuente, quien, en realidad,
es un miembro supernumerario del grupo. Cada uno de estos personajes representa una manifestación diferente del
espíritu revolucionario. Y en este sentido, el que les otor-
ga su valor de representación, es en el que hay que enten-
derlos.

> Ninguna obra de intriga puede creerse, e incluso cuando
> se invierta en ella buen sentido e ingredientes psicológicos,
> ni los personajes ni los acontecimientos resisten la respon-
> sabilidad. *El agente secreto* comienza con Vladimir, un perso-
> naje increíble, absurdo, un conspirador intelectual de alta
> escuela, y el artificio choca con los elementos verdadera-
> mente reales y poderosamente descritos del libro: la presen-
> cia de Londres, la señora Verloc, la madre de ésta, Stevie.
> Cuando sale de este núcleo cálidamente humano, Conrad
> se convierte en un exhibicionista[26].

Es en la familia de Verloc donde, según las preferencias
de la mayoría de los críticos, se ha refugiado el mejor talento del novelista. Y, sin embargo, algo tienen estos personajes, también estos, que los acerca más a lo simbólico que a
lo realista, volveré sobre esto más adelante.

Un algo o un mucho de arquetípico tienen los activistas
revolucionarios de esta obra, a los que se atribuye lo que en
la época era el extremismo más radical en el campo de la actividad política. Eso es inmediatamente visible si se advierte cuánto y en qué proporción han intervenido, en la crea-

---

[25] Eloise Knapp Hay, *The Political Novels of Joseph Conrad. A Critical
Study*, Chicago, The University of Chicago Press, 1967, pág. 250.
[26] V. S. Pritchett, «An Emigré» *CB*, pág. 136.

ción de cada uno de estos personajes, las diferentes celebridades de la política revolucionaria; tómese, por ejemplo, a Karl Yundt, en quien pueden reconocerse rasgos de Michael Bakunin o de un anarquista famoso en aquella época, sepultado hoy en el olvido, el alemán Johann Most, de quien se evocan en la obra algunas de sus frases, y de quien se recuerda su elocuencia, brillantemente recogida por Conrad. Examínese este espécimen de proclama del anarquista auténtico recogido por Norman Sherry:

> Si por fin se decidiera el pueblo por la revolución, se escucharía por todo el mundo un interminable alarido de ira de estos dorados tigres: están ansiosos por participar en las masacres, y es insaciable su sed de sangre. Los ricos no otorgan ningún valor a la vida de los pobres.
> Las mujeres son más baratas que los hombres, por esta razón, los vampiros capitalistas, con insaciable rapacidad, buscan su sangre. Además, el trabajo femenino les proporciona amigas gratis.
> La carne de niño es la más barata, ¿habrá quien se asombre de que los caníbales de la sociedad moderna se den continuos festines de carne juvenil?[27]

Y compárese con la significativa violencia verbal de Karl Yundt, la única clase de violencia en la que ha incurrido el «terrorista» a lo largo de su vida. Las perturbadoras alusiones al canibalismo, que tanto inquietan a Stevie, son, como se ve, parte de una fraseología a la que hoy en día habría que exhumar de las hemerotecas para poder reconocer su importancia histórica.

Otro tanto sucede con Michaelis y con el anónimo Profesor; Michaelis, que también tiene rasgos —sobre todo, físicos— de Bakunin, está recreado sobre un activista feniano que intervino, desarmado, como cerrajero para liberar a unos presos de su propia organización; la liberación de los prisioneros le costó la vida a un policía; el activista sobre el que se modeló a Michaelis fue detenido, y fue condenado a un largo periodo de reclusión, condena que el público con-

---

[27] Norman Sherry, *op. cit.*, pág. 255.

sideró injusta al tener en cuenta que su intervención en el asunto había sido mínima. Sin renunciar a sus ideales políticos, Michaelis es capaz de ver los aspectos que de la sociedad presente reclaman piedad y comprensión; su pensamiento no invoca, como el de sus compañeros, actividades violentas y radicales; y se orienta más bien hacia la legislación de alguna clase de sociedad utópica; pero la idea que prevalece es la de una fenomenal confusión, una confusión que no le impide explotar en beneficio propio la amistad y generosidad de un cierto número de damas ante las que desempeña la función de *wild pet for the supercultivated,* es decir, «el animal de compañía salvaje para los muy refinados», esa amistad inquietante que no compromete a nada, pero robustece el sistema nervioso y la conciencia de ciertas damas con preocupaciones de índole social. Hago gracia del comentario que esta y otras otras actitudes —la de Ossipon hacia las mujeres— le merecería a la crítica feminista.

El Profesor es harina de otro costal, su figura es quizá la más inquietante de todas cuantas aparecen entre el muestrario de extremistas que exhibe Conrad; en él se condensa buena parte de lo más negativo de esta clase de activismo político; y, ciertamente, es casi tan culpable como Verloc de la muerte de Stevie, pues es quien proporciona los medios materiales —explosivo, recipiente y detonador— para que la bomba pueda estallar. El personaje carece de fuentes de identificación muy concretas, algunos de sus rasgos podrían compartirlos Yundt-Johann Most, pero otros parecen proceder de las descripciones de los asesinos de los libros de criminología de la época, por ejemplo, de Lombroso. A diferencia de los demás conspiradores, está menos interesado en que prevalezca su programa político —por lo demás, inexistente—, que en los aspectos prácticos y organizativos de la acción. Su inquietud política se reduce a la búsqueda del detonador perfecto, que junto con la bomba con la que suele pasearse escondida entre sus ropas, anuncia que su única finalidad es la pulsión de la muerte; y dentro de ella, de la muerte, más cercano se halla el Profesor del suicidio que del homicidio o el asesinato, como atestigua esa bomba que continuamente lleva sobre sí —y el suicidio, es preciso decirlo, es una pulsión invariablemente más intensa que el homicidio en esta novela. Hay, sin duda, además, una raíz religiosa en su formación y en su *fanatismo,* raíz que Conrad describe convenientemente; su padre, el padre del Profesor, había sido «un humilde y frágil fanático de frente augusta, había sido un vehemente predicador itinerante de alguna oscura pero inflexible secta cristiana»; y «en el hijo, individualista por temperamento, esa actitud moral se tradujo —una vez que la ciencia de los colegios hubo reemplazado completamente a la fe sectaria— en un frenético puritanismo de la ambición, que él cultivó como algo secularmente sagrado» (cap. V).

Ossipon es más fácil de entender, no sólo comparte rasgos del delincuente, según los describe Lombroso, sino también los del violador. Reúne su personalidad varios elementos que constituyen un florilegio de las desdichas humanas, según Conrad: sensualista cercano a la violencia (sus rasgos corresponden a los del violador según la tipología popular de la época); vago hasta la apatía y la abulia; dispuesto a vivir de las mujeres, mientras éstas se dejen engañar; y, en fin, representante de la ciencia en su vertiente de la charlatanería.

Pero sería demasiado fácil y demasiado cómodo resumir la obra de Conrad como el fruto de alguien simplemente reaccionario, demasiado preocupado por la salvaguardia de sus propios intereses, sus intereses de clase; incluso si lo fuera, si fuera ese reaccionario, no es este resumen de su obra el que, en su fuero interno, hubiera alegrado al autor; en realidad, el pesimismo de Conrad no deriva del alcance y la proporción de las fuerzas destructivas que amenazan a un orden querido, muy al contrario, Conrad advierte la íntima relación política entre perseguidores y perseguidos: no es sólo la ambigüedad política de Verloc, el anarquista *amateur,* lo que llama la atención en esta obra —ejerce simultáneamente como policía y como anarquista—, aunque, ciertamente, no deja de ser significativa, tiene mayor importancia la ambigüedad radical que acompaña y determina a las fuerzas que se enfrentan: «El terrorista y el policía provienen de una misma cesta. Revolución, legalidad: movimientos opuestos de un mismo juego, formas de inutilidad en el fondo idénticas. Él practica un pequeño juego y lo mismo hacen ustedes, los propagandistas. Pero yo no juego: yo trabajo catorce horas al día y a veces paso hambre» (cap. IV). Quien se expresa así es el Profesor, otro depositario de la llama de la pureza, que, a su vez, encarna una de las pocas virtudes en cuya defensa rara vez se halla ausente Conrad: la virtud del trabajo. Pero, claro está, Conrad siempre podrá argumentar, y de hecho así lo hizo («No creo haber satirizado el mundo de la revolución. No son revolucionarios, son impostores»: carta a Cunninghame Graham), que estos revolucionarios en el fondo no son tales, lo cual contradice su propia práctica narrativa, a la que nutrió con algunos de los personajes más representativos de ese mundo de conspiraciones y revolución. Pensar que, según Conrad, también esos revolucionarios públicos serían unos impostores equivaldría a negar la solución del problema: no puede haber revolucionarios, porque todavía no ha nacido el tipo verdadero del revolucionario; y si se contempla la otra posibilidad, si son representativos, entonces Conrad sí critica a los revolucionarios, no hay otros.

Queda por atender ese otro mundo oficial de la política institucional británica: parlamentarios, funcionarios, policías. La valoración comparativa podría arrojar alguna luz sobre la base que ha de servirle al lector para edificar sus juicios: sin duda, desde Sir Ethelred, el ministro del interior, hasta el último policía, no salen bien parados. Sir Ethelred es fatuo, está demasiado ocupado en otros asuntos de la política de partidos como para prestar atención además a lo que sucede en la calle. No tiene tiempo para entretenerse con los detalles, y, en el fondo, lo único que le interesa es que la oposición no pueda servirse en contra de él de algún fallo de los servicios de policía. El Subdirector, a su vez, está demasiado ocupado en complacer a su mujer impidiendo el arresto de Michaelis; y el Inspector Jefe de policía es nuevo en un oficio que detesta, y lo único que sabe hacer es inculpar y detener a todos los sospechosos que habiten en un área lo suficientemente próxima al lugar en que ocurre la explosión. Semejantes elementos de valoración de las conductas no hablan de mala voluntad, sino de ignorancia, negligencia y falta de interés; vicios, quizá, burocráticos, y fallos de las instituciones. Pero no se halla en esta colección de seres dos de las calificaciones más negativas con las que infama Conrad a los revolucionarios: no son vagos, ni viven de las mujeres. Incluso podría compararse favorablemente —en beneficio de la política institucional— el ambiente familiar: la familia de Verloc y la familia de Sir Ethelred. Y, en concreto, recordaré únicamente que mientras los terroríficos nombres de los anarquistas y sus colaboradores tienen una ostensible intención simbólica:

> Stott-Wartenheim recuerda a un «tartamudo hogareño» en alemán; Verloc en francés sugiere «sifilítico»; el *Chancelier d'Ambassade* Wurmt es un «gusano»; el estudiante de medicina Ossipon en latín es «huesos viejos»[28].

Los nombres de Sir Ethelred y Tootles tienen un efecto más bien cómico o levemente ridículo; y sus familias, las de ambos, se apartan decidamente de lo que es la familia, por ejemplo, de Verloc:

> La numerosa familia y el amplio círculo de amigos del juvenil secretario particular acariciaban la esperanza de que alcanzara un destino difícil y gratificante. Entre tanto, los círculos sociales que él adornaba en sus horas de ocio había decidido adoptarlo bajo el apodo antes mencionado [Tootles]. Y Sir Ethelred, como lo oía todas las mañanas en boca de su mujer y sus hijas (mayormente a la hora del desayuno), le había conferido carta de naturaleza (cap. VII).

La sátira, que no deja de existir, es considerablemente más suave que la que se dedica a los revolucionarios; y deja pocas dudas respecto de qué lado caen las simpatías de Conrad: los funcionarios son cómicos, se equivocan, pueden ser mezquinos, pero tienen una función; los revolucionarios sólo pueden ser cómicos, es decir, risibles, cuando se ha descubierto la escasa base que tienen sus pretensiones de ser trágicos.

---

[28] Eloise Knapp Hay, *op. cit.,* pág. 237, n. 44.

Sin embargo, si se atiende a que la novela se escribiera durante ese periodo de reacción «mental y emocional», al que misteriosamente se alude en la nota prologal, nada costará pensar que las preocupaciones más elaboradas e intensas del autor se concentraban no en el anarquismo, ni en la acción política o la acción de gobierno, sino en la familia, en su potencial de humanidad (la incuestionable devoción de Winnie Verloc hacia su hermano) y, singularmente, en su potencial de inhumanidad (la incuestionable brutalidad de la muerte del hermano de Winnie y del propio señor Verloc), como dirá el Subdirector de la policía: «Desde cierto punto de vista, nos encontramos ante un drama doméstico» (cap. X). Si se lee con detenimiento la nota de 1920 del propio Joseph Conrad sobre esta novela, no será difícil concluir que aunque el autor presuma de haber acertado como por casualidad en el diagnóstico de la sociedad anarquista, no se halla ninguna explicación semejante respecto de lo que puede suponerse que es un conocimiento tan generalizado —sobre la familia— que no es preciso reclamar una sabiduría particular para internarse en él. Sobre esa conjetura se funda algún que otro equívoco. No son pocos los autores que respaldan esta idea de que Conrad, movido quizá por el ejemplo de sus propias relaciones familiares, y examinando sus sentimientos de paternidad y de relación afectiva con Jessie, su mujer, vierte en esta novela parte de sus inquietudes[29]. Pero, en cualquier caso, hay una robusta

---

[29] No conviene dar como seguro que la propia familia de Conrad fuese la elegida de forma deliberada para proporcionar los personajes de la obra. Norman Sherry, por ejemplo, propone a la familia de un antiguo amigo del autor, A. P. Krieger: «Ciertamente hay aspectos del señor y la señora Verloc que parecen haber sido extraídos del señor y la señora Krieger, y que indican que Conrad los observó atentamente. [...] Los Krieger eran taciturnos; Adolf Krieger era un hombre pasivo, aunque amable, su mujer era robusta y silenciosa. Cuidaba con toda solicitud a su hijo Felix, el más pequeño de sus tres hijos, particularmente tras la meningitis que padeció en la infancia.» Norman Sherry, *op. cit.,* pág. 328. No obstante, que haya un modelo ajeno a la propia familia de Conrad no elimina por completo la idea de que se hallen reflejos quizá involuntarios o inconscientes —si se me autoriza la dichosa palabra— de la familia del autor en el retrato de los Verloc.

tradición literaria inglesa, de estirpe shakespeariana, que, sin necesidad de acudir a las doctrinas de Freud, ha contemplado siempre a la familia, como una asociación de delincuentes; piénsese en *Macbeth* o *Hamlet*, después de obras como éstas difícil será que ningún otro autor llegue tan lejos, y con tan desbordada violencia, en el análisis de la vida matrimonial o familiar; el mérito de Conrad consiste, sobre todo, en haberlo intentado.

La violencia es la gran preocupación de esta novela —es una gran preocupación que se comparte con otros temas colindantes: la ciudad, la explotación, la pobreza, etc.—, pero el lector advertirá cómo mientras se vacía de contenido político a la violencia social, por otro lado se hace nacer a la violencia individual precisamente en el campo de los conflictos sociales en los que se enreda cada uno de los protagonistas; puede decirse que las tres muertes más importantes de esta obra, que aparentemente son un misterioso accidente, un homicidio o una decisión libre de la voluntad, hunden una raíz última —mucho más evidente en el caso de Stevie— en el cuerpo de lo social, en el malestar en la cultura contemporánea. De forma que si en algún momento fue intención del autor negar la fuente social de estos conflictos —a través de la negación del origen social de las frustraciones de los revolucionarios—, niega su propia tesis al reconducir la violencia individual al origen social del que había brotado.

La familia y la sociedad contemplada a través de un fenómeno ligado comúnmente al anarquismo, la violencia, son, pues, los dos polos que de forma desigual atraen la atención del lector. Y son dos polos que actúan de manera interna también sobre los personajes, y de manera singular sobre el señor Verloc. Este extraño anarquista parece contemplar sus actividades no como un medio de subvertir la sociedad, sino precisamente, ejerciendo una actividad subversiva muy limitada, muy civilizada, y colaborando con la policía —denunciando a sus propios compañeros, por ejemplo—, consigue defender a esa sociedad de los anarquistas verdaderamente peligrosos e irracionales. Parece como si uno de sus empeños fuera el de dignificar lo que para él, al parecer, constituye una profesión honorable, una profesión con aspiraciones sindicales o burguesas; pero esta confusión entre la práctica del oficio y el aura de respetabilidad con que quiere investirlo Verloc se vive como confusión hacia dentro; no es que Conrad no fuese consciente de lo que quería hacer, sino que quería presentar a Verloc como víctima de un extraordinario naufragio ideológico: «Si todo es comedia y representación —parece pensar el agente secreto—, también yo podré representar un papel en esta farsa.» Desdichadamente hay límites de la representación que no pueden franquearse, de lo contrario el actor puede encontrarse con que se le toman sus palabras en serio, y sucede entonces lo que le sucede al señor Verloc. Es decir, Verloc sólo de forma secundaria representa al anarquismo. Defender los intereses de su propia familia es la razón que subyace a esa traición de sus ideales y de sus camaradas. Y es precisamente su familia la que no es capaz de valorar esa apasionada, aunque inexpresada, entrega a los ideales de las convenciones burguesas, y tampoco sabe valorar esa deslealtad: la defensa de esos intereses familiares conduce a la muerte de uno de sus miembros, y si la muerte hubiera sido la de cualquier otra persona, nada importante habría ocurrido en sus relaciones familiares; siendo quien muere hecho pedazos un miembro particularmente querido y desvalido de la familia, la propia familia, es decir, la mujer de Verloc, castiga enérgicamente esta grave infracción. La verdad es que cuesta comprender por qué la familia ocupa ese lugar privilegiado en la conciencia de señor Verloc, cuando precisamente, fue «el fatal enamoramiento de una indigna...» mujer lo que lo condujo a «cinco años de confinamiento riguroso en una fortaleza» (cap. II). Si una relación familiar previa ha podido resultar tan catastrófica, ¿qué ha podido hacerle pensar al señor Verloc que la felicidad de la señora Verloc (a la que debe agregarse la de la madre y hermano de ésta) merece que su peculiar forma de entender el anarquismo haga que éste se use en secreto precisamente en beneficio de la organización social cuya abolición proclama en público? ¿Qué rasgo de su psicología, cuál de sus experiencias puede justificar semejante fe? Lo cierto es que quien se interne en estas averiguaciones pronto llega a un punto en que los personajes dejan de tener autonomía psicológica y se convierten en abstracciones no muy bien definidas; abstracciones que, en cierto modo, como ya he dicho, fomenta el propio Conrad; pienso, en concreto, en esa caracterización que se hace de Winnie Verloc como encarnación de la Muerte en el momento culminante de su tragedia personal, caracterización que incluye nada menos que los elementos simbólicos que tradicionalmente adornan a la Némesis de los latinos: «Puntual, la señora Verloc salió, con el velo puesto y toda de negro, negra como la propia muerte ordinaria, coronada con unas pálidas flores baratas» (cap. XII). Coronada de narcisos, y cubierta con un velo se representaba en la iconografía griega a Némesis. Si una persona a quien se había descrito a través de la más minuciosa renuncia a la comprensión, en el momento en el que pudiera abrirse una rendija de luz, para poder leer su misterio, se le escapa al lector mediante un vaciado psicológico que la convierte en la venganza de los dioses sobre los malvados, ¿qué esperanza queda de entender a los personajes atendiendo a las claves que proporcionan sus motivos y aspiraciones? ¿Qué esperanza queda de entender al resto de los miembros de la familia, si precisamente la familia entera gravita en torno a la personalidad de la señora Verloc?

Resulta difícilmente creíble, aunque es extraordinariamente eficaz como recurso narrativo, el grado de desconocimiento que cada uno de los personajes tiene de los demás:

> La señora Verloc no llega a entender los movimientos de su madre para abandonar su hogar. A su vez, la madre no es capaz de penetrar en los motivos de su hija para casarse con el señor Verloc; y ambas se equivocan respecto del verdadero carácter del propio agente secreto. Son tan responsables de la muerte de Stevie como el señor Verloc. La idea que tiene de Winnie de los dos personajes como padre e hijo hace que se equivoque respecto de los motivos de la conducta del señor Verloc, y al fomentar esa relación acarrea la desgracia de su hermano[30].

---

[30] Robert D. Spector, «Irony as Theme: Conrad's *The Secret Agent*», *CB*, pág. 167.

Pero el lector puede ampliar este desconocimiento hacia muchos otros personajes; toda la novela, en realidad, está construida sobre esa extraña duplicidad que convierte a cada personaje en algo potencialmente diferente de lo que parece ser: y esto es aplicable al mundo clandestino, pero también al mundo que se mueve dentro de la legalidad.

La extraña familia Verloc, sin embargo, fuera el que fuera el modelo elegido por Conrad, tiene unos rasgos que son vagamente familiares para la historia de la literatura: un padre inhibido en su propio matrimonio, demasiado obsesionado, tal vez, por no estar a la altura de los deseos de su propia mujer; una mujer que, a su vez, ha prescindido de su marido para todo lo que vaya más allá de la rutina sexual, y que ha transferido su afecto a su propio hermano desvalido que, por edad y por la clase de afecto con que le obsequia, más parece un hijo con el que mantuviera un filo de relación incestuosa: «Cuando era un niño, asustado y encogido en un rincón, aterrorizado y doliente, sintiendo todas las penas de la más negra miseria del alma, solía aparecer su hermana Winnie y se lo llevaba a la cama» (cap. VIII). Así resumidas las relaciones, la familia aparece bajo una nueva luz: una esposa y hermana que se comporta con su hermano como si fuera un hijo, y un padre que convierte a su cuñado en el hijo que no ha tenido. Casi se parece a alguna de esas historias que revisó Freud en ediciones posteriores y en las que, por una delicadeza científica de otro siglo, revelaba que en lo que en la primera edición habían sido tío y sobrina eran, en realidad, padre e hija. La insinuación es lo que suficientemente clara como para que se tome en cuenta[31].

Sin duda, el verdadero, o el único revolucionario de la obra, y de la familia, es Stevie, que además sea un individuo con alguna clase de disminución física y mental, no es sino un defecto brutalmente irónico por parte de Joseph Conrad, pero las pruebas son concluyentes; mientras el señor Verloc muestra más aptitudes para ser policía que para ser un revolucionario, Stevie, con la constancia de sus senti-

---

[31] Véase Peter Stine, «Conrad's Secrets in *The Secret Agent*», *Conradiana*, XIII, 2, 1981, págs. 130-131.

mientos compasivos, y con ese indomable espíritu de rebeldía, deja fuera de toda duda lo arraigado e intenso de sus convicciones; que el único revolucionario coherente de este grupo no sea el más inteligente, es, como he dicho, una brutal ironía; que además su única salida sea una suerte de suicidio es una declaración política de carácter programático. A su lado, y si hubiera que juzgarlos a través de la pureza de las intenciones, el resto de los revolucionarios parece, en el mejor de los casos, un modesto grupo de aficionados; mientras que, en el peor de los casos, no hay más remedio que considerarlos, como hubiera complacido al autor, unos impostores. Su propia historia revolucionaria, la de Stevie, está jalonada por significativos movimientos de rebeldía ante la opresión social o la crueldad. Y cada uno de estos gestos, no hace falta decirlo, prefigura su futura muerte. En la primera ocasión que tiene Joseph Conrad de hablar sobre Stevie, informa al lector de que fue despedido con cajas destempladas de una firma comercial lechera por haber prendido fuego a unos petardos, buscapiés y ruedas catalina en lo alto de una escalera; con semejante acción había conseguido crear un pánico de primera magnitud. Posteriormente se supo, lo supo Winnie, su hermana, que otros dos muchachos de la oficina le habían calentado la cabeza con cuentos sobre la injusticia y la opresión. En esa época, se supone, ya era Stevie lector asiduo de la propaganda panfletaria de Ossipon: *F. P., El futuro del proletario*. De forma que Stevie es, en cierto sentido, un inocente al que sacrifican los apetitos desordenados de los revolucionarios que lo rodean; pero, por otro lado, es el único que parece creer en los discursos políticos que los demás predican. No es difícil advertir en su credo la huella de la versión británica del pietismo (cuáqueros, evangelistas) llevado a sus absurdas consecuencias finales. Y, en fin, el misterio que rodea a su muerte no deja de hacer valer en la conciencia del lector el grado de deliberación personal, de voluntad de suicidio, que pudiera caber en su propia muerte; de todos estos ingredientes, en proporciones variables, hay alguna muestra en la trágica explosión.

El señor Verloc, que defiende, a su manera, los ideales de

la sociedad burguesa, pero que antepone a esa defensa la de la propia familia, termina participando en un atentado terrorista, en contra de su voluntad, y causando la muerte de su propio cuñado. Esta infausta muerte hace que su mujer le clave un cuchillo en el corazón, y que, posteriormente, ella misma se suicide. A la luz de las motivaciones del resto de los activistas políticos, el señor Verloc no representaría sino una variante del individualismo de la acción política. La naturaleza puramente individual de la acción política es una constante a la que apela Conrad con valor de axioma: «Son impulsos personales disfrazados de credos los que preparan el camino incluso a las más justificables revoluciones.» Pero, previamente, ha admitido que esos impulsos individuales sólo a través de alguna clase de decepción *social* pueden adquirirse. Y la actividad revolucionaria reviste, en algunos de los más significativos personajes de Conrad (El Profesor, sobre todo), la forma del erostratismo. Pero no deja de ser individual la motivación personal de los políticos que llevan a cabo su actividad al amparo de la ley.

¿No hay una injustificada comicidad que se deriva de los necios que son los estadistas, y de lo ridículo que resultan los secretarios (honorarios) de los estadistas? La comicidad sólo puede ser efectiva si se ignora que muchos de esos estadistas no son nada necios si se les contempla de cerca, y si se ignora que muchos de esos secretarios (honorarios) son cualquier cosa menos ridículos. Y todo esto conduce a un punto al que quizá el lector ya había llegado por su cuenta; sean cuales sean las lecciones que sobre los activistas anarquistas quiera establecerse, no creo que sea difícil alcanzar el acuerdo en un aspecto concreto: todos ellos se bañan en las inconfundibles aguas de la comicidad. La galería de retratos que aparece, Karl Yundt, el camarada Ossipon, el Profesor, Michaelis, el propio Verloc, toda ella está más pensada para hacer reír (en cierto sentido) que para hacer reflexionar en la clase de actividad política a la que representan. Pero la risa oculta una idea general sobre la propia sociedad humana —una idea que había aflorado en obras como *El corazón de las tinieblas* o en *Nostromo*—, una idea que Conrad había resumido de varias formas, traerá aquí sólo dos:

«El hombre es un animal malvado. Su maldad ha de estar organizada. La sociedad es esencialmente criminal, o no existiría.» «No es que yo crea que la sociedad sea intrínsecamente perversa, es sólo cobarde y tonta.» La aparente contradicción de las observaciones arroja una luz indirecta sobre las contradicciones reales que encierra la novela: los criterios de progreso de la sociedad se fundan en el mal, en la explotación —incluso, como se proclama en la novela, en el canibalismo—; pero la sociedad se niega a reconocer esos principios sobre los que en el fondo o en la superficie actúa, aunque no lo reconozca; pero, por otro lado, el propio Conrad contempla con ojos considerablemente más benévolos a quienes genéricamente podría alinearse al lado de la ley. La naturaleza «organizada» del mal humano —de la violencia, por ejemplo— debería impedir que viviera oculta, debería ser evidente para todo el mundo esa naturaleza; pero la sociedad es «cobarde» y «tonta», y no está interesada en el análisis de su propia fundamentación moral. Y aquí sí que entra el lector plenamente en los dominios de Nietzsche:

> El odio, la alegría de hacer daño, el afán de conquistar y dominar, y todo cuanto se llama malo, entra dentro de la admirable economía de conservación de la especie. Sin duda se trata de una economía costosa, derrochadora y en gran medida insensata, pero es la que ha mantenido hasta ahora a nuestra generación[32].

Y precisamente, más adelante, preludiando de forma profética la propia novela que escribirá Conrad, añade:

> Existe ahora una doctrina fundamental errónea en el ámbito moral, que tiene mucha aceptación especialmente en Inglaterra. Según esta moral los juicios «bueno» y «malo» representan la acumulación de experiencias sobre «conveniente» e «inconveniente». Según ella lo que se llama «bueno» es lo que conserva la especie, y lo que se llama «malo», lo que daña a la especie. Pero los malos impulsos son ver-

---

[32] Friedrich Nietzsche, *El gay saber,* Madrid, Espasa Calpe, 1986, pág. 63.

daderamente convenientes conservadores de la especie e imprescindibles en grado tan alto como los buenos. Solamente su función es diversa[33].

En efecto, la novela hace todo lo posible por no dar por sentado ningún valor moral recibido como tal por la sociedad, y es singularmente apropiado hablar de «la torpe confianza con que el hábito y el egoísmo distinguen maniqueamente el bien del mal»; el *bien* y el *mal* son transformaciones de lo *conveniente* y de lo *inconveniente,* y en cuanto tales reciben su sanción no de los juicios morales, sino de los criterios de conservación de la especie, con los que es indiferente su coincidencia. Conrad, a la luz de lo que se le muestra al lector en esta novela, ha llegado a la convicción de que en efecto lo que se denomina el *mal* tiene tan legítimos títulos para acreditarse como uno de los motores del progreso como lo que se denomina *bien,* pero en contra de Nietzsche, para quien ese reconocimiento debería hacerse público, Conrad piensa que quizá no debería hacerse público, y quizá piensa también que si se hiciera público, no serviría de nada:

> Esa clase de sensibilidad es peligrosa sólo en la medida en que lo expone a uno al riesgo de convertirse en un aburrimiento, porque al mundo, en general, no le interesan los motivos de cualquier acción pública, sino sus consecuencias. El hombre puede sonreír sin parar, pero no es animal que investigue. Le encanta lo evidente. Evita las explicaciones. No obstante, continuaré con la mía.

La respuesta de Conrad a este fenómeno consiste en toda una novela; en realidad, toda su obra es un síntoma de ese deseo de explicación.

La narración podría caracterizarse como comedia, si no fuera tan macabra, y quizá no sería desacertado acuñar el término descriptivo de «comedia macabra» para obras de estas características:

---

[33] *Ibíd.,* pág. 69.

El agente secreto es comedia macabra, y quizá podría presentarse como el libro más oscuro de los de Conrad: una versión de la vida moderna y del hombre moderno a quienes no ha tocado la gracia en ninguna de sus manifestaciones, exceptuada la de legalidad británica. Un retrato, como él dice, «de una ciudad monstruosa... una cruel devoradora de la luz del mundo»; un libro sobre las pequeñas debilidades de la humanidad, y sobre la enfermedad del espíritu[34].

Quedan por considerar, para el lector interesado, ciertos aspectos de la organización textual de la novela; aspectos que refieren a los recursos diegéticos o simbólicos de los que se sirve el autor; me limitaré a señalar hacia algunas direcciones (en realidad hacia muy pocas, hay una gran abundancia de estudios sobre estos recursos) que son las que más éxito han tenido entre los críticos.

Es interesante reflexionar, por ejemplo, sobre el baile de nacionalidades que continuamente invita al lector a su forma peculiar de seducción, y que está relacionado tanto con la duplicidad como con esas pautas de «aislamiento» de los que se ha hecho mérito: Verloc ha nacido en Inglaterra, pero sabe francés, y ha pasado largas temporadas en Francia; su mujer, Winnie, es una mujer en cuya conducta hay todavía memoria de su ascendencia francesa; Vladimir, el ministro consejero de la embajada de una potencia extranjera, tiene rasgos que podrían pasar por orientales, pero puede hablar con el acento más castizo de Inglaterra; el propio Subdirector de policía tiene un innegable aspecto de extranjero. Y el grupo de terroristas se ha bautizado con unos nombres, Yundt, Ossipon, Michaelis, el propio Verloc, que suenan a cualquier cosa menos a ingleses. Todavía podría agregarse que respecto de las nacionalidades las opiniones de Conrad no se dirigen únicamente contra Rusia, representada en la persona de Vladimir, hay suficientes indicios para pensar que Alemania —el sonoro nombre del difunto barón Stott-Wartenheim, el *Chancellier d'Ambassade* Wurmt, las continuas protestas de Winnie Verloc asegurando que «no

[34] Albert J. Guérard, «A Version of Anarchy», *CB*, pág. 151.

somos esclavos alemanes»— también estaba en el punto de mira de las críticas de Conrad[35]. La insuficiencia del conocimiento, la del *unreliable narrator*, el «narrador falible» de Wayne Booth, lleva al lector a pensar que la propia naturaleza humana es engañosa, y que tras la descripción convencional del nombre o de la adscripción nacional pueden esconderse potenciales personalidades desconocidas incluso para los propios miembros de una familia. Este recurso se emplea con tal generosidad y abundancia que apenas hay personaje cuyo retrato no se concluya con algún rasgo contradictorio con los que ostensiblemente representa.

Hay dos aspectos de la construcción de la novela que también han sido objeto de interés y atención: el primero se refiere a la naturaleza animal de los personajes, no sólo Verloc es un «animal», e incluso un «cerdo»; la caza ocupa un lugar destacado en el pensamiento del Subdirector de la policía; y la conversación del Subdirector con el inefable «revolucionario» Tootles acerca de las investigaciones en curso se desliza por la pendiente metafórica de la pesca, donde los revolucionarios son «arenques», «tiburones»

---

[35] Cfr. E. M. W. Tillyard, art. cit., pág. 313: «La primera indicación de lo que va a pasar aparece durante la entrevista inicial en la embajada (¿alemana?, ¿austriaca?)» Y también véase Eloise Knapp Hay, *op. cit.*, pág. 238, n. 45: «A causa del nombre de Vladimir, generalmente se entiende que la embajada que se sirve de Verloc es rusa. Los dos miembros alemanes —en particular teniendo en cuenta que el difunto Stott-Wartenheim era un embajador volante— le hacen a uno pensar en una embajada alemana dirigida por un empleado ruso. Esto concordaría con el miedo creciente que tenía Conrad hacia la evolución del prusianismo desde los tiempos de la guerra de los Boer. Anteriormente, lo hemos advertido, él creía que Alemania podría haber sido el aliado de Gran Bretaña que ayudara a enjaular al oso ruso. Ahora, más bien contempla a Alemania como víctima de la trampa rusa. El profesor Weintraub señala, por otra parte, que muchos oficiales rusos, en esta época, tenían nombres alemanes, y, por lo tanto, puede que no haya razones legítimas para dudar de que la embajada de Vladimir sea rusa.» Es curioso señalar que Thomas Mann, en el prólogo que antepuso a la traducción al alemán a esta novela, pase por alto las inequívocas referencias de la novela hacia Alemania, y se entretenga en desarrollar los conflictos entre la desasosegada anglofilia de Conrad y la ideología política de origen ruso. Cfr. *CB*, págs. 99-112. El prólogo de Thomas Mann se publicó en 1926.

(aunque pequeños) o incluso «ballenas». La naturaleza animal del ser humano la rubrica la atención que se presta a la relación con el mundo animal, Stevie sigue a «perros y gatos», y grita desolado cuando un caballo cae al suelo, molestando así a los espectadores que se entretienen con lo que el novelista denomina «el tranquilo disfrute del espectáculo nacional»; semejante apreciación preludia el tranquilo disfrute del espectáculo en que se convierte el propio cuerpo de Stevie, cuya carne, transformada tras la explosión en la «carnicería» que destestaba el cultivado Vladimir se relaciona con la carne de esos animales explotados hasta la extenuación y la muerte.

El segundo aspecto se refiere a la vida propia, al parecer inmotivada, pero enérgica y significativa, con la que los objetos del mobiliario doméstico o urbano parecen dotados. Los objetos y elementos materiales de la vida cotidiana cobran una existencia vagamente amenazadora y, por ello, contaminada de elementos simbólicos; esta contaminación desvela un modo de vida en el que las relaciones entre el ser humano y el mundo en el que vive han alcanzado un punto de tensión, una tensión que, anunciada por el elocuente coro de los objetos, se resuelve en tragedia: «En este extraño universo, las relaciones tradicionales entre los objetos y los seres humanos ya no tiene sentido»[36]. Se resuelve en tragedia, pero es importante definir con la mayor exactitud de qué clase de tragedia se habla. La tragedia se expresa a través de la propia materialidad del ser humano, que es un objeto más entre objetos, como la demuestra esa reducción a la materia del propio cuerpo de Stevie, y del señor Verloc y su mujer; el primero se convierte en ese cerdo al que se sacrifica en una matanza; mientras que la segunda se convierte, mediante su suicidio, en ese pececillo insignificante al que aludía el revolucionario Tootles. El piano que de repente prorrumpe en ruidosa música, la campanilla rota de la puerta del comercio del señor Verloc, que suena de forma inesperada, todo ello son manifestaciones de independencia de

---

[36] C. B. Cox, *Joseph Conrad: The Modern Imagination*, Londres, J. M. Dent and Sons, 1974, pág. 85

un mundo de objetos que se ha desorganizado, que se ha independizado de sus funciones habituales, y que, como tal, se comporta como el correlato objetivo de un mundo asimismo desorganizado, irracional, impredecible.

CONRAD EN ESPAÑA

Que Conrad haya llegado a la literatura española con algún retraso no será novedad para nadie familiarizado con la historia de las letras peninsulares, es lo que le ha solido sucederle a buena parte de la literatura occidental u oriental contemporánea; lo cual ha ocasionado que a aquellos autores que en su lengua hubieran encarnado algo así como una relativa novedad en la expresión, o una revolucionaria felicidad para exponer los problemas de su momento, o un sentido de la oportunidad que los definiera mejor que otra característica, se les deparase una posmaduración en nuestra lengua, una prolongación de su periodo de vigencia, una renovación del contrato en que lo que se vivió en su momento como novedad se transformará, por virtud del tiempo transcurrido, y de las circunstancias que hacen aceptable y normal lo novedoso, en un sereno escepticismo en el que lo más radical se vuelve, paradójicamente, notablemente conservador; aparecen las novedades en nuestras letras bajo la luz inconcluyente de la sospecha de una antigüedad más que notable en la literatura inglesa, francesa o alemana; y bajo la sospecha de que las agrias críticas con que el Modernismo y las vanguardias conmovieron los cimientos de la civilización burguesa se pusieron en nuestras letras al servicio de causas bien diferentes. Creo que ya ha habido suficientes lamentaciones sobre el inevitable retraso con el que se ha leído en España a muchos autores europeos —aunque no sólo a ellos—, pero aún no se ha dicho lo suficiente sobre el carácter específico y, a decir verdad, único que ese retraso ha otorgado a nuestras letras. Un carácter, me apresura a decirlo, que no es, en modo alguno, invariablemente negativo. Las lecturas críticas de ciertos autores europeos, a destiempo, a contratiempo incluso, han

Joseph Conrad y su hijo John

sazonado con un moderado y consciente anacronismo ciertos rasgos de las letras españolas. Un anacronismo que no está compuesto exclusivamente de retraso, sino también de variaciones, condicionadas por el tiempo y las circunstancias, que dependen del uso a cuyo servicio se disponen aquellas críticas, aquellas percepciones, y de los resultados que este nuevo entramado de dependencias y reelaboraciones otorgan, en este caso, a la novela española. Y pienso que precisamente Joseph Conrad es uno de los autores en quien se cumple de manera inequívoca esta afirmación.

Me atrevo a decir, incluso, que, dejando a un lado las motivaciones literarias, para esta novela en particular, ni la más fácil ni la más popular de las que escribió su autor, si se consultan las fechas de traducción y edición, pudiera haber explicaciones extraliterarias en la sociedad española para ilustrar el interés que ha despertado en cada momento. Un interés que propician, sin duda, las peculiares manifestaciones, más o menos públicas, de la política y de la sociedad española en los últimos dos decenios. Y, de forma singular, llama la atención la oportunidad con la que las fechas de traducción ha venido a coincidir con momentos en los que había abundancia de fenómenos de duplicidad, en los que se traicionaba la callada confianza de lo cotidiano.

Forzosamente, en una introducción de esta índole, y sobre unos asuntos sobre los que todavía no se han hecho todos los estudios necesarios, estas afirmaciones deberán entenderse con una prudente reserva. La presencia de Joseph Conrad en las letras españolas es suficientemente gaseosa como para que toda generalización se entienda como lo que es, como una generalización provisional a la que deberán confirmar o desmentir los estudios particulares sobre cada autor.

No es preciso decir que en su momento, si bien se tradujo a Conrad no mucho más tarde de lo que cualquiera esperaría[37], su presencia es más bien escasa o inexistente. Una

---

[37] En 1925, Juan Estelrich, en una obra no venal de la casa Montaner y Simón, *José Conrad*, Barcelona, proclamaba que las obras del autor anglo-polaco, «ahora gracias al espíritu emprendedor de la casa Montaner y Si-

averiguación en las historias generales de la literatura más recientes permitirá revalidar esta afirmación. Por ejemplo, en la *Historia y crítica de la literatura española*, VI, cuidada por Francisco Rico, en el volumen correspondiente a los comienzos del siglo, tan sólo aparece una mención a Conrad en relación con Pío Baroja, y esta mención la trae a cuento una comparación que hace el narrador guipuzcoano respecto de cierto tipo de novelistas ingleses[38].

Pío Baroja es, quizá, entre los escritores de comienzos del siglo XX, uno de los autores que si no refleja una influencia determinante de Joseph Conrad, al menos se ocupa de dos de los grandes temas favoritos del narrador británico: la nostalgia de un mundo desaparecido —el de la navegación a vela—, y la pasión por la aventura. Le faltan al narrador español, sin embargo, el exquisito trabajo de técnica literaria del que se sirve el novelista inglés en el uso de símbolos e imágenes; y carece, asimismo, de la cuidadosa articula-

---

món empiezan a publicarse en castellano», pág. 38. Y en una noticia editorial se afirma: «La casa Montaner y Simón ha adquirido los derechos exclusivos y a perpetuidad de traducción y publicación en castellano de todas las obras de José Conrad, que irá ofreciendo al público hispanoamericano en esmeradas ediciones populares.» No me resisto a traer aquí la lectura que hace don Juan Estelrich de la novela: «*A Secret Agent* es otro prodigio de hacer mucho con nada, de crear todo un mundo casi sin documentos vividos, Conrad, aquí, deja el mar para sumergirse en las profundidades del Soho londinense», *ibíd.*, pág. 40.

[38] José Carlos Mainer, *Modernismo y 98*, Barcelona, Crítica, 1979. La referencia de Pío Baroja procede de la novela *Ya-Sin-Pao o la svástica de oro*, publicada en 1928. La referencia del autor que recoge la cita de Pío Baroja es la siguiente: J. Alberich, «Baroja y la novela de aventuras inglesas», en *Los ingleses y otros temas barojianos*, Madrid, Alfaguara, 1966. La lectura de Pío Baroja de Conrad, curiosamente, al parecer, la hizo en francés: «Sus novelistas predilectos, ingleses y rusos, los tuvo que leer en traducciones francesas», en José Alberich, «La biblioteca de Pío Baroja», recogido en Javier Martínez Lázaro, ed., *Pío Baroja*, Madrid, Taurus, 1979, pág. 265. Y, en fin, respecto de una obra como *Las inquietudes de Shanti Andía*, cercana a la sensibilidad literaria de Joseph Conrad, Julio Caro Baroja dice lo siguiente: «Sólo bastante después leyó el novelista obras como *La isla del tesoro*, de Stevenson, mucho después aún algo de Conrad, de suerte que este autor no ha podido influir para nada en la composición de *Las aventuras de Shanti Andía*.» Prólogo a la edición de *Las inquietudes de Shanti Andía*, Madrid, Cátedra, 1991, pág. 18. Recuérdese que *Las inquietudes* se publica en 1911.

ción narrativa de la temporalidad que aparece en novelas como, por ejemplo, *El agente secreto*. Dicho esto, parece que lo que une a ambos narradores es una comunidad de intereses respecto de algunos asuntos muy particulares, pero podría decirse que se apartan el uno del otro en casi todo lo demás, en casi todos los elementos que integran sus discursos narrativos; ni tan siquiera sus respectivos pesimismos parecen nacer de idénticas causas, ni parecen dirigirse a metas análogas. El pesimismo de Pío Baroja, determinado por la desconfianza en el ser humano, en el individuo y en sus posibilidades y limitaciones, en cierto sentido, convierte en inmotivadas o superfluas las aventuras «nihilistas» de sus personajes, quienes se comportan como si hubieran perdido la brújula, y su rumbo fuera, por ejemplo, cuestión de azar; el pesimismo de Joseph Conrad, que contempla la fragilidad o inconsistencia de los grandes sistemas sociales o nacionales —el propio fundamento de la civilización—, pide precisamente esas aventuras de sus personajes para confirmar o desmentir sus ideas; tal vez podría decirse de sus personajes que conservan la brújula, pero que quizá no saben vencer una indoblegable desconfianza hacia las indicaciones del instrumento de guía. Es probable que compartir un cierto número de creencias —no muy elevado—, y haber elegido el mundo de la aventura —parecidos escenarios—, sean las únicas relaciones que puedan señalarse a estos dos autores; ir más lejos implica ciertos riesgos, e implica adentrarse en zonas en las que las observaciones no podrán mostrar una fuerza probatoria concluyente. Véase, por ejemplo, esta afirmación en la que el paralelismo que se establece se diluye en afirmaciones lo suficientemente abstractas como para que puedan aplicarse, sin mayor dificultad, a otros autores que hubieran escrito sobre asuntos parecidos:

> Es curioso que J. B. Trend aluda varias veces al parecido de la novela de Conrad con la de Baroja, viendo incluso entre ambos una semejante trayectoria estilística desde un aparente descuido inicial hasta una cuidada sencillez conseguida a fuerza de eliminación de lo superfluo *(Alfonso the Sage and Other Essays,* Boston-Nueva York, 1926, pág. 101,

y sigs.). Y este parecido es sólo explicable si se tiene en cuenta que para ambos la aventura es esencialmente un hecho, algo que sucede y que está ahí, fuera de la subjetividad del escritor; algo que es, por tanto, una tentación y un desafío al espíritu humano, pero que sería vano que éste intentase revestir con sus propios deseos o interpretar según sus íntimas necesidades[39].

Sin duda, la obra tardía de Pío Baroja refleja en muchos aspectos una atenta y quizá irónica lectura de Joseph Conrad, aunque sea difícil señalar algún elemento particular o significativo de esta influencia.

En otra historia de carácter general, de la Editorial Ariel, en el volumen equivalente al anteriormente citado, hay otra única referencia que se ocupa de la relación de Joseph Conrad con Francisco Ayala:

> Aunque esta historia de sórdida brutalidad y de degradación humana se sitúa en una república hispanoamericana que recuerda por igual a *Tirano Banderas* y al *Nostromo* de Conrad, Ayala ha dicho explícitamente que su tema no es una manifestación local del mal, sino un testimonio del «desamparo en que se vive hoy»[40].

En vano buscará el lector interesado referencias a Joseph Conrad entre los novelistas españoles en el periodo central del siglo, pues es precisamente este periodo el más despoblado[41]. Hay que esperar a tiempos más recientes y recien-

---

[39] José Alberich, «Baroja y la novela de aventuras inglesas», páginas 110-111. Respecto de la forma en que Conrad entendía este mundo de aventura puede leerse el excelente ensayo de Fredric Jameson, «Romance and Reification: Plot Construction and Ideological Closure in Joseph Conrad», recogido en *The Political Unconscious. Narrative as a Socially Symbolic Art*, Ithaca, Cornell University Press, 1981.

[40] G. G. Brown, *Historia de la literatura española. 6/1. El siglo XX*, Barcelona, Ariel, págs. 232-233.

[41] En la historia de la literatura ya citada cuidada por Francisco Rico hay dos volúmenes que abarcan la parte más significativa del siglo XX: de Víctor García de la Concha, *Época contemporánea: 1914-1939*, Barcelona, Crítica, 1984, el primero de ellos; y el segundo de Domingo Ynduráin, *Época contemporánea: 1939-1980*, Barcelona, Crítica, 1981. En el primero de estos li-

temente estudiados para leer el nombre de Conrad unido al de narradores españoles. Y unido, sorprendentemente, mediante una reclamación harto singular, como la que hace Fernando Sánchez Dragó en la que el nombre del novelista le sugiere que lo que le falta a la literatura española es aquello de lo cual el novelista anglo-polaco es un buen representante: del «exotismo, el cosmopolitismo, lo inusual, lejano, fantástico, la novela de aventuras»[42]. Afirmación que, sin duda, se granjeará la desconfianza los lectores de las novelas de Joseph Conrad. Antonio Martínez-Menchén, por otro lado, señala la influencia posible de Joseph Conrad en José María Merino; y Pere Gimferrer, en una reseña que se reproduce en el libro, señala cómo Javier Marías, vaciado Conrad de su «significación moral» (?), se ha servido de sus novelas «con el mismo espíritu con el que antaño un poeta incipiente podía escribir imitaciones de Propercio o de Petrarca»[43].

Siguen siendo estas muestras, circunstanciales, sin duda, poco para hacer justicia a un nombre que ha tenido la consideración de ser uno de los narradores que más decisiva-

---

bros se menciona a Conrad como uno de los autores cuyas obras traducidas se publicaban después de la guerra civil; en el segundo ni siquiera aparece su nombre en el registro de autores. Por otro lado, en Santos Sanz Villanueva, *Historia de la literatura española.* 6/2. Literatura actual, Barcelona, Ariel, 1984, no aparece el nombre de Conrad. Y tampoco aparece en las obras más conocidas consagradas a la historia de la novela de este periodo: Eugenio García de Nora, *La novela española contemporánea,* 3 vols., Madrid, Gredos, 1973. D. Pérez Minik, *La novela extranjera en España,* Madrid, Taller de Ediciones, 1973. José María Martínez Cachero, *La novela española entre 1936 y 1980. Historia de una aventura,* Madrid, Castalia, 1985. Por otro lado, en la reciente edición de *Heart of Darkness,* de Antonio R. Celada, Salamanca, Cásicos Almar-Anglística, 1994, págs. 56-58, hallará el lector interesado una interesante, pero melancólica, valoración de la influencia de Conrad no entre los escritores, los creadores, sino en el mundo académico.

[42] *Historia y crítica de la literatura española,* 9, al cuidado de Francisco Rico; D. Villanueva y otros, *Los nuevos nombres:* 1975-1990, Barcelona, Crítica, 1992. La cita la trae el propio Darío Villanueva, pág. 287.

[43] El primer ejemplo lo menciona Antonio Martínez Menchén, «La doble orilla de José María Merino», *ibíd.,* págs. 325-326. La cita de la reseña de P. Gimferrer la reproduce J. C. Mena, «La trayectoria de Javier Marías», *ibíd.,* págs. 356-357.

mente ha influido en el curso de la novelística contemporánea. Es muy poco si se compara con la influencia de autores como James Joyce, Franz Kafka o Marcel Proust. Sin duda estas observaciones habrán provocado alguna notoria injusticia respecto de algún autor o autores cuyas obras no hayan pasado aún a los manuales de información general, pero pretender ser exhaustivo sería labor para otras páginas.

La verdad es que todas estas escasas referencias no hacen justicia al nombre de un autor que, a mi juicio, sí se ha servido de la obra de Joseph Conrad de manera significativa, y no se trata precisamente de un nombre que haya pasado inadvertido en la novelística española contemporánea. El narrador español del siglo XX en quien mejor y con más abundancia se advierten las huellas de la lectura de Joseph Conrad es, sin duda, Juan Benet.

Tan evidentes son las muestras de esta atenta lectura hecha por el novelista madrileño que no dudo en afirmar que se trata de una de las influencias que en mayor medida impregnan todos los aspectos de su creación. Lo cual no es poco decir tratándose de un autor que ha asimilado modos y artificios narrativos de una generosa nómina de autores de muy variados tiempos y países. Es engañosa la primera impresión que exige esa tarjeta de presentación casi universal de Conrad como novelista del mar y de aventuras, cuyo nombre se une de forma automática a quienes cultiven esos géneros, y que no es, desde luego, el modo fundamental de la presencia de Conrad en la narrativa de Juan Benet. Habría sido, por otra parte, imposible: pocas aventuras, y escasos mares —aunque los hay— son los que ofrece Juan Benet. Hay una influencia del novelista inglés que podría describirse tal vez como una influencia de la actitud, una forma de mirar a las cosas, a la vez minuciosa y rica en contenidos de toda índole; hay un talante análogo en la forma en la que pasa de la descripción minuciosa a la generalización aforística; hay, asimismo, una creencia compartida respecto de que la simple descripción de objetos, personas y relaciones se encuentra muy pronto con un muro impenetrable que desafía no ya la interpretación, sino los procedimientos de significación comunes al ser humano; hay una idea que informa el núcleo temático significativo de toda la saga de Región: la de que la tierra violentada concluye imponiendo sus leyes y su venganza sobre quienes se atrevan a molestarla, y que constituye la idea central —o una de las ideas centrales— de *El corazón de las tinieblas;* y hay también, en fin, y de forma determinante, una presencia manifiesta de los modos narrativos del autor británico que se sirve del uso de algunos conocidos recursos escenográficos. Ya he mencionado la apropiación que hace T. S. Eliot de aquella estremecedora comunicación de *El corazón de las tinieblas (*«*Mistah Kurtz —he dead»,* «Mistah Kurtz, él muerto»), como inscripción de su poema «The Hollow Men»; por su parte, Juan Benet, se sirve también de una comunicación análoga y de análoga manera:

> para anunciar a los dos viejos (no saben disimular su enojo ante esa inoportuna e intrascendente intromisión del chico de los recados que interrumpe su comunicación): «Lo han fusilado». No se dejaría arrastrar, no se dejó nunca y ni siquiera fue empujado por el telegrama que envió su padre a los pocos días de la revolución[44].

En efecto, sin duda, no difiere esta comunicación en lo sustancial de lo que busca el célebre pasaje de Joseph Conrad: la manifestación de una brutalidad particular, de la poco ceremoniosa e «inoportuna» intrascendencia con la que se anuncia la muerte de una persona, y las extrañas reacciones o falta de reacciones que esa comunicación crea entre quienes la oyen. Una nueva forma de inocencia o de maldad se descubre en una comunicación que se enuncia de forma aparentemente inofensiva. En pocas palabras: se solicita la atención del lector para dirigirla hacia esa escasa distancia que hay entre las formas verbales de la banalidad y la tragedia. Aunque, tal vez, no sea imposible pensar que, además, Juan Benet haya querido rendir un homenaje indirecto a una de las imágenes favoritas de la sensibilidad contemporánea.

---

[44] Juan Benet, *Saúl ante Samuel,* Madrid, Alfaguara, 1992, pág. 89.

En el cuento «De lejos» podrá hallar el lector interesado una más sutil recreación de la figura del propio Kurtz, a través del personaje Conrado Blaer; y también se hallará aquí una hermosa e inquietante contrafactura de *El corazón de las tinieblas:* una reflexión sobre la naturaleza ilusoria de los impulsos juveniles, sobre el poder, sobre el destino de las empresas humanas, y sobre la muerte. Además, desde otro punto de vista, en este mismo relato, el lector de Conrad reconocerá en la aparentemente inocua petición del narrador interpuesto —un cuarto comensal al que se describe con eficaz laconismo, al modo en que solía describir J. Conrad a su propio narrador interpuesto: Marlow—, «sí, con un poco de hielo, por favor»[45], la primera de una serie de puntuaciones de un discurso que con sus llamadas a un presente narrativo que acoge a un número de conversadores de sobremesa trae a la memoria el *Pass the bottle* con el que Marlow puntúa su propia narración en su primera aparición ante el público británico, en el relato *Youth*. Y, en fin, sin salir de esta narración, a Conrado Blaer se le llama «aventurero de *papier maché*»[46], apelativo que dirige Marlow, como sabe el lector de Conrad, a uno de los aristocráticos ayudantes del gerente en el Cuartel General de la Compañía: *papier maché Mephistopheles,* en la novela *El corazón de las tinieblas.* Y finalmente, del fugitivo contacto con el propio Conrado Blaer, el narrador, al igual que Marlow respecto de Kurtz, señala el recuerdo de la cualidad sobresaliente de su voz.

Kurtz pudiera también estar presente en el origen del propio Numa, a quien, en su primera aparición en *Volverás a Región,* describe la leyenda quizá como un «superviviente carlista», tal vez un «monje hinchado de vanidad», o incluso un «militar que todos hemos conocido»[47]; y su presencia solitaria en el bosque, que, sin duda, debe más a Frazer que

---

[45] Juan Benet, «De lejos», *Sub rosa,* Barcelona, La Gaya Ciencia, 1973, pág. 98.

[46] *Ibíd.,* pág. 100.

[47] Juan Benet, *Volverás a Región,* Madrid, Alianza 1974, págs. 232-233. El parecido sería el del negativo de los revelados: a Kurtz lo había creado todo Europa mediante cualidades positivas, las del Numa son negativas.

a Conrad, no deja de tener puntos de contacto con el personaje de Kurtz, incluida esa heterogénea mezcla de su hipotético origen en la historia o en la leyenda. Pero es sobre todo la salvaguardia de la sociedad en la que se constituyen —salvaguardia que exige a un tiempo su destierro, mientras que la propia sociedad que los expulsa no deja de solicitarlos como lejana tutela o como exutorio— lo que los hace extrañamente familiares. Véase esta descripción del Numa que, salvando las distancias, y todo lo que hubiera que salvar, podría aplicarse a Kurtz:

> Volveos tranquilos, nadie puede llegar hasta acá, que yo me cuido de eso. Ya comprendo que vuestra miseria no sería tolerable a sabiendas de que cualquiera puede llegar hasta aquí; así que esto es lo mejor para todos, ya lo comprendo. El pago... de sobra lo conocéis: nada de inquietud y sobre todo que nadie abrigue otra esperanza que la del castigo del transgresor, no digo ya del ambicioso. Una paz, por muy ruin que sea, es siempre una paz[48].

Pueden asimismo reconocerse, delicadamente recreados, elementos de *La línea de sombra*, *Lord Jim* o *Tifón*, entre otros, en «Sub rosa» —en una de las pocas narraciones marítimas de Juan Benet, en la que, claro está, quizá pueda señalarse también la presencia de W. Faulkner, H. Melville, y aun la de Von Kleist—, que aparece en el libro del mismo nombre, *Sub rosa*. Y en *Volverás a Región* puede también el lector reconocer al *snow clad Higuerota* de *Nostromo* en «el orgulloso Monje quien, con su penacho blanco, reina sobre el circo de Región»[49]. Y, en fin, lejos del empleo de recursos, temas o personajes análogos, hay una forma de entender la descripción de la realidad narrativa mediante la implicación de contrarios que es, sin duda, uno de los recursos que mejor describe las actitudes de ambos narradores. Observe el lector, por ejemplo, la descripción de la última ocasión en que Marlow ve a Lord Jim: «Era blanco de la cabeza a los pies, y permaneció visible de forma persistente ante el do-

---

[48] *Ibíd.*, pág. 233.
[49] Juan Benet, *ibíd.*, pág. 195.

minio de la noche que se extendía tras él; a sus pies, la mar; a su lado, el futuro, todavía velado»[50]. La luz que se desprende del personaje ilumina un fondo de oscuridad que prefigura su destino, destino que por la presencia amenazadora de la mar y del futuro desconocido, refuerza esa oscuridad; paradójicamente, la luz del personaje ilumina un destino cuya pesimista oscuridad es lo único claro; y se presenta sobre el fondo de esa evidente oscuridad a un personaje, cuya luz no refleja sino una íntima e inescrutable oscuridad. Léase ahora la frase con la que concluye *Volverás a Región:* «Hasta que, con las luces del día, entre dos ladridos de un perro solitario, el eco de un disparo lejano vino a restablecer el silencio habitual del lugar»[51]. ¿Cómo puede restablecerse el silencio mediante el eco de un disparo lejano? Es evidente que Juan Benet, que destruye en los párrafos precedentes toda posibilidad de que el lector sepa en qué momento del día o de la noche ocurren los acontecimientos, cierra la novela con una imagen que en cierta forma pide un tipo de interpretación análogo al que podría señalarse en el párrafo de Joseph Conrad, ¿cómo es posible que el silencio se restablezca mediante el eco de un disparo? Sin duda, el silencio, para ser entendido como tal exige el ruido, el eco del disparo, en este caso; y el disparo —que ocupa aquí una posición análoga a la que el futuro y el mar ocupan para Lord Jim— es la forma característica en que en esta obra —y por extensión en Región, en España— se subraya el silencio.

El rasgo fundamental de la influencia de la narrativa de Joseph Conrad en la obra de Benet se explica a la luz de la divergente posición de valor que cada una de ellas, de sus obras respectivas, representa en las letras y en los países en los que se publicaron. La obra de Joseph Conrad, en conjunto, señala de manera inequívoca —aunque no única— hacia el foso en el que van a acabar sepultadas las esperanzas de la burguesía victoriana, y, con ellas, el Imperio Británico. En una obra como *El corazón de las tinieblas,* el autor no se siente lo suficientemente confiado como para dejar las

---

[50] Joseph Conrad, *Lord Jim,* Londres, Penguin Books, 1986, pág. 291.
[51] *Op. cit.,* pág. 291.

riendas del argumento a personajes ingleses, y desplaza el centro de interés hacia el imperialismo belga, pensando evitarse así, quizá, críticas que su condición de polaco le habría granjeado si se hubiera atrevido a criticar a su país de adopción de manera excesivamente explícita, y paliando así el efecto que, aunque hubiera sido británico su autor, habrían tenido tan desmoralizadoras revelaciones sobre las consecuencias indeseadas del imperialismo. *El corazón de las tinieblas* comienza a publicarse por entregas en 1898, y la biografía del general Gordon, de Lytton Strachey, en la que sobre el escenario aparece sin edulcorarlo el imperialismo británico en uno de sus más lamentables episodios, la caída de Jartum, se publica en 1918, después de la Primera Guerra Mundial. La crítica de la burguesía pone el dedo en la llaga de sus limitaciones, y anuncia la definitiva cancelación de unas esperanzas que parecen alimentarse casi exclusivamente del autoengaño. Y en este sentido, si no revolucionario, su obra se erige como modelo de crítica radical de una burguesía a punto de entrar en un proceso de disolución. No es muy diferente el papel que les toca representar a los abundantes personajes extranjeros que sostienen la trama de *El agente secreto*. Sin embargo —éste es el anacronismo al que aludía anteriormente—, en la obra de Juan Benet la burguesía aparece, paradójicamente, como una esperanza de civilización frustrada y aniquilada por fuerzas que tienen su origen en oscuros repertorios de la constitución social de la Edad Media. Esta crítica tiñe a la prosa del narrador madrileño de la clase de melancolía que asalta al lector al contemplar todo el ingenio y artificio de la retórica conradiana puesta al servicio de unas ideas enteramente dispares, cuando no opuestas

> Eran liberales, habían sido lectores asiduos de «El Sol», habían saludado a la República con alborozo y cuando en 1936 un temporal les dejó sin timón, permanecieron quince años a la deriva porque sólo alrededor de 1950 volvieron a poner los ojos en las chimeneas asturianas o en la vega del Henares[52].

---

[52] «De lejos», *op. cit.,* pág. 94.

BIBLIOGRAFÍA

La obra completa de Joseph Conrad se extiende a lo largo de veintidós volúmenes: *The Uniform Edition of the Works of Joseph Conrad*, Londres, Dent, 1923-1928. La misma editorial la reimprimió entre los años 1946-1954. *The Secret Agent* se ha publicado recientemente (1983) en la colección de la Editorial Oxford, «World's Classics», con prólogo y notas de Roger Tennant, y es, quizá, la mejor edición actual; el texto utilizado es el de la primera edición en forma de libro, de la Editorial Methuen, 1907, recogido en la reimpresión de Dent, 1947. La novela había aparecido originalmente, octubre de 1906-enero de 1907, mediante entregas semanales en la revista *Ridgway's Weekly*. Joseph Conrad escribió la novela en 1906, entre los meses de febrero a septiembre. Desde 1917, Conrad se dedicó a escribir unas breves notas prologales destinadas a la futura edición de sus obras completas de la Editorial Dent; en 1920 escribió la interesante y valiosa nota destinada a *El agente secreto*.

BIBLIOGRAFÍA GENERAL SOBRE JOSEPH CONRAD

BAINES, Jocelyn, *Joseph Conrad: A Critical Biography*, Londres, Weidenfeld and Nicolson, 1960

BERTHOUD, Jacques, *Joseph Conrad: The Major Phase*, Cambridge, Cambridge University Press, 1993.

CURLE, Richard, *Joseph Conrad and His Characters: A Study of Six Novels*, Londres, Heinemann, 1957.

FORD, Ford Madox, *Joseph Conrad: A Personal Remembrance*, Londres, Duckworth, 1924.

GUÉRARD, A. J., *Conrad the Novelist*, Cambridge, Mass., Harvard University Press, 1958.

HAY, Eloise Knapp, *The Political Novels of Joseph Conrad: A Critical Study*, Chicago, Chicago University Press, 1963.

JEAN-AUBREY, G., *Joseph Conrad: Life and Letters*, 2 vols., Garden City, Double Day, 1927.

KARL, Frederick, *A Reader's Guide to Joseph Conrad*, Londres, Thames and Hudson, 1960.

LEAVIS, F. R., *The Great Tradition*, Londres, Chatto and Windus, 1948.

MEYER, Bernard C., *Joseph Conrad: A Psychoanalytic Biography*, Princeton University Press, 1967.

NAJDER, Zdzislaw, *Joseph Conrad: A Chronicle*, Cambridge, Cambridge University Press, 1983.

SHERRY, Norman, *Conrad's Western World*, Cambridge, Cambridge University Press, 1971.

BIBLIOGRAFÍA SOBRE «EL AGENTE SECRETO»

COX, C. B., *Joseph Conrad: The Modern Imagination*, Londres, J. M. Dent and Sons, 1974.

DELBAERE, Jeanne, *Notes on The Secret Agent*, Harlow, Longman, 1981.

EAGLETON, Terry, *Against the Grain: Essays 1975-1985*, Londres, Verso, 1986.

FLEISHMAN, Avrom, *Conrad's Politics: Community and Anarchy in the Fiction of Joseph Conrad*, Baltimore, The Johns Hopkins Press, 1967.

GURKO, Leo, *Joseph Conrad: Giant in Exile*, Nueva York, Collier Books, 1979.

HOWE, Irving, «Conrad: Order and Anarchy», *Politics and the Novel*, Nueva York, Horizon Press, 1957.

HILLIS MILLER, J., «The Secret Agent», *Poets of Reality*, Cambridge, Mass., Harvard University Press, 1965.

PALMER, John A., *Joseph Conrad's Fiction. A Study in Literary Growth*, Ithaca, Cornell University Press, 1968.

SCHWARZ, Daniel R., *Conrad: Almayer's Folly to Under Western Eyes*, Londres, The Macmillan Press, 1980.

SIZEMORE, Cristine W., «"The Small Cardboard Box": A symbol of the City and of Winnie Verloc in Conrad's *The Secret Agent*», *Modern Fiction Studies*, 24, 1978.

STEWART, J. I. M., *Joseph Conrad*, Londres, Longmans, Green y Co., 1976.

STINE, Peter, «Conrad's Secrets in *The Secret Agent*», *Conradiana*, XIII, 2, 1981.

TILLYARD, E. M. W., «*The Secret Agent* Reconsidered», *Essays in Criticism*, XI, 3, July, 1961.

VERLEUN, Jan y DE VRIES, Jetty, *Conrad's The Secret Agent and the Critics*, Groningen, Bouma's Boekhuis bv, 1984.

WATT, Ian (ed.), *Conrad, The Secret Agent: A Casebook*, Londres, Macmillan, 1973.

YELTON, Donald C., *Mimesis and Metaphor. An Inquiry into the Genesis and Scope of Conrad's Symbolic Imagery*, La Haya, Mouton, 1976.

TRADUCCIONES AL ESPAÑOL DE «EL AGENTE SECRETO»

El agente secreto. Una historia simple, trad. de Marco Aurelio Galindo, Barcelona, Montaner y Simón, 1935.

El agente secreto. (Una simple historia), trad. de J. de Carranza Queirós, Barcelona, Montaner y Simón, 1973.

El agente secreto, una historia simple, trad. de Ana Goldar, Barcelona, Labor, 1980.

El agente secreto, trad. de Jorge Edwards, Barcelona, Muchnik, 1980.

El agente secreto, trad. de Francisco Cusó, Barcelona, Fontamara, 1985.

El agente secreto: un relato sencillo, trad. de Alberto Martínez Adell, Madrid, Alianza Editorial, 1994.

EL AGENTE SECRETO

*Se dedica afectuosamente
este sencillo relato del siglo XIX[1]
a H. G. Wells,
cronista del amor de señor Lewisham,
biógrafo de Kipps,
historiador del futuro.*

---

[1] El subtítulo inglés, *A Simple Tale* («una historia simple», «una simple historia», «un relato sencillo»), que hay que entender de forma irónica, no se presta bien a la traducción en español; y sustituye a otro subtítulo, rechazado explícitamente por Joseph Conrad, con el que había aparecido cuando se publicó la novela por entregas: «Una novela que trata sobre los anarquistas y revolucionarios de Londres, en la que la intriga diplomática de una potencia extranjera, junto con el egoísmo humano y el traicionero anarquismo, brindan complicaciones sorprendentes.» Avrom Fleishman, *Conrad's Politics. Community and Anarchy in the Fiction of Joseph Conrad*, Baltimore, The Johns Hopkins Press, 1967, pág. 187.

NOTA DEL AUTOR

EL origen de *El agente secreto*, en cuanto a asunto, tratamiento, intenciones artísticas y cualesquier otros motivos que pudieran inducir a un autor a coger la pluma, puede situarse, creo, en un periodo de reacción mental
y emocional.

Los hechos muestran que comencé el libro siguiendo un
impulso, y que escribí sin pausa. Cuando a su debido tiempo se concluyó la novela, y se ofreció a la atención del público, me encontré con que se me reprochaba el haberla escrito. Algunos de los reproches fueron muy severos, otros
tenían cierta nota de tristeza. No los tengo ante mí, pero recuerdo perfectamente las líneas generales de los razonamientos, que eran muy sencillos; y también recuerdo mi
sorpresa. ¡Viejas historias! Sin embargo, no ha pasado tanto
tiempo. He de creer que aún conservaba mucha de mi antigua inocencia en el año 1907. Pienso hoy que incluso una
persona no muy sagaz podría haber previsto que las críticas
se fundarían sobre la base de los ambientes sórdidos, y sobre la mezquindad moral de la narración.

Son éstas, por supuesto, objeciones graves. Pero no fueron universales. En realidad, hasta parece ingratitud recordar tan escasos reproches entre los copiosos comentarios
llenos de comprensión e inteligencia; y confío en que el lector de este prólogo no se apresure a atribuirlo a la vanidad
herida, o a una inclinación natural hacia la ingratitud. Un
corazón caritativo, me atrevo a sugerir, atribuirá esta elección a mi natural humildad. Pero tampoco es exactamente

la humildad lo que me ha impulsado a elegir los reproches para ilustrar este caso. No, no es exactamente humildad. No tengo la certeza de ser humilde, pero quienes hayan leído mi obra confío en que me otorguen delicadeza suficiente, tacto, *savoir faire*, y lo que les plazca, como para impedirme cantar mis propias loas con palabras ajenas. ¡No!, no, el motivo verdadero de mi elección ha de atribuirse a un rasgo de mi carácter enteramente diferente. He tenido siempre tendencia a justificar mis actos. No a defenderlos, sino a justificarlos. No para insistir en que tenía razón, sino, sencillamente, para mostrar que no había una intención equivocada, no había un desdén oculto hacia la sensibilidad natural de la humanidad en el fondo de mis impulsos.

Esa clase de sensibilidad es peligrosa sólo en la medida en que lo expone a uno al riesgo de convertirse en un aburrimiento, porque al mundo, en general, no le interesan los motivos de cualquier acción pública, sino sus consecuencias. El hombre puede sonreír sin parar, pero no es animal que investigue. Le encanta lo evidente. Evita las explicaciones. No obstante, continuaré con la mía. Es obvio que yo no necesitaba haber escrito esta novela. Ninguna necesidad me instaba a que tratara este asunto, y me sirvo de la palabra asunto tanto en el sentido en que se refiere a la propia narración, como en el más amplio que alude a una manifestación particular de la vida de la humanidad. Lo admito sin reparos. Pero la idea de recrear la fealdad para asustar o incluso sorprender a mis lectores con un cambio de dirección nunca ha tenido cabida en mi cabeza. Espero que se me crea esta afirmación, no sólo por las pruebas que ofrece mi carácter en general, sino por otra razón, al alcance de cualquiera: que el tratamiento que hago de la narración, su inspirada indignación y su piedad y desprecio subyacentes, muestran mi distanciamiento de la miseria y sordidez que, sencillamente, se hallan entre las circunstancias externas del escenario.

El agente secreto siguió a un periodo de dos años de intensa absorción en la tarea de escribir esa novela remota, *Nostromo*, con su lejana atmósfera latinoamericana; y *El espejo del mar*, obra profundamente personal. La primera es un intenso esfuerzo creativo que nunca dejará de considerarse mi lienzo más ambicioso, el segundo es un intento sincero de desvelar durante un momento las intimidades más profundas de la mar, y las influencias formativas de casi la mitad de mi vida. Fue un periodo, además, en el que mi sentido de la verdad de las cosas se veía acompañado por una disposición emocional e intensamente imaginativa que, siendo sincera y fiel a los acontecimientos, como lo era, no obstante me hacía sentir (concluida la tarea) como si me hubiera quedado atrás, extraviado entre las cáscaras de las sensaciones, y perdido en un mundo de valores diferentes, inferiores.

Ignoro si de verdad sentía que me hacía falta alguna clase de cambio de imaginación, de visión y actitud mental. Creo más bien que ya había habido un cambio en mi sensibilidad fundamental que me había afectado de forma subrepticia. No recuerdo que hubiera sucedido nada concreto. Cuando hube concluido *El espejo del mar,* con plena conciencia de haber escrito honradamente sobre ese asunto, me entregué a un descanso no del todo desdichado. En ese momento, mientras aún me mantenía ocioso, y, a decir verdad, sin pensar en desviarme de mi camino para ir en busca de la fealdad, el asunto de *El agente secreto,* es decir, la narración, se me ofreció bajo la forma de unas palabras pronunciadas por un amigo durante una conversación fortuita sobre anarquistas o, mejor dicho, sobre actividades anarquistas; no recuerdo cómo habíamos llegado a este punto de la conversación.

Sí recuerdo, sin embargo, mi comentario sobre la inanidad delictiva de todo aquello: doctrina, acción y mentalidad; y el lado despreciable de esa propuesta política medio idiota; y el desvergonzado engaño que explotaba la amarga debilidad y la apasionada credulidad de una humanidad demasiado ávida por autodestruirse. Esto me movía a considerar que sus jactancias filosóficas eran imperdonables. Al momento, tras haber considerado algunos ejemplos particulares, recordamos aquel viejo asunto del intento de volar el Observatorio de Greenwich: un sangriento sinsentido de tan estúpido linaje que era imposible llegar a su causa original a través de medios racionales o irracionales[2]. La sinrazón contumazmente equivocada tiene sus propios procesos de pensamiento. Pero no había forma racional de explicar aquella infamia, de suerte que lo que quedaba era el hecho de que un hombre hubiera volado en pedazos a causa de algo que ni remotamente podría considerarse una idea, anarquista o de cualquier otra clase. Y en cuanto a la tapia del Observatorio, la verdad es que no sufrió ni un rasguño.

Recordé todo esto a mi amigo, quien se quedó en silencio durante un rato, y a continuación dijo, con su estilo desenfadado y omnisciente: «Ah, era un individuo medio idiota. Su hermana se suicidó al poco tiempo.» Fueron éstas las únicas palabras que cruzamos, porque me había quedado mudo por la sorpresa al escuchar esta inesperada información, y al punto comenzó a hablar de alguna otra cosa. No se me ocurrió hasta que ya era demasiado tarde el preguntarle cómo había llegado a él esa información. Estoy convencido de que, a lo largo de su vida, toda la relación que había mantenido con esa particular sociedad de delincuentes había consistido en ver la espalda de un anarquista. No obstante, se trataba de una persona que gustaba de relacionarse con toda suerte de gentes, y bien podía haberse enterado de segunda o tercera mano de esa información esclarecedora, mediante algún barrendero, algún inspector de policía retirado, alguien vagamente conocido en el club, o incluso, quizá, mediante algún secretario de Estado a quien hubiera conocido en alguna recepción pública o privada.

Pero no cabían dudas sobre el carácter esclarecedor de la información. Le hacía sentirse a uno como si acabara de salir de una selva oscura y llegase a una gran llanura: no había gran cosa que ver, pero había luz en abundancia. No, la verdad es que no había mucho que ver, y, francamente, durante un tiempo ni tan siquiera intenté ver nada. Sólo permaneció la impresión de esclarecimiento. Era una impresión satisfactoria, pero pasiva. Poco después, al cabo de una se

---

[2] El atentado con bomba contra el Observatorio de Greenwich es históricamente verídico, y se llevó a cabo en 1894, es decir, doce años antes de que Conrad escribiera la novela.

mana, cayó en mis manos un libro que, por lo que yo sé, nunca logró el favor del público, se trataba de los recuerdos notablemente resumidos de un subdirector de la policía, un hombre evidentemente capaz que había recibido el nombramiento cuando lo de los atentados con dinamita en Londres, durante el noveno decenio del siglo pasado. El libro era bastante interesante, y además era muy discreto; y hoy ya he olvidado de qué trataba. No contenía revelaciones interesantes, era de grata lectura, y eso era todo[3]. Ni tan siquiera me detendré a explicar por qué me llamó la atención un pasaje de unos siete renglones, en que el autor (creo que se llamaba Anderson) reproducía una breve conversación mantenida, tras un inesperado atentado anarquista, en los pasillos de la Cámara de los Comunes, con el Ministro de Interior. Que me parece que en aquellos momentos era Sir William Harcourt. El Ministro estaba muy irritado, y el funcionario era todo disculpas. La frase que más me llamó la atención, de las tres que cruzaron entre ellos, fue esta irritada salida de tono de Sir William Harcourt: «Todo eso está muy bien. Pero su idea de secreto parece que consiste en que el Ministro del Interior no se entere de nada.» No era gran cosa en sí misma, pero muy típica del genio de Sir William Harcourt. No obstante, debe de haber habido alguna suerte de inspiración en el entorno emocional del incidente, porque de repente me sentí estimulado. A continuación se produjo en mi mente lo que cualquier entendido en química comprende mediante la analogía que proporciona el caso de la adición de la más menuda gota de la clase apropiada con el fin de que se precipite un proceso de cristalización en un tubo de ensayo que contiene una solución incolora.

Al principio, advertí en mí un cambio mental, que perturbaba mi sedentaria imaginación, en la que extrañas for-

---

[3] El libro al que alude Conrad es, en efecto, de Sir Robert Anderson, *Sidelights on the Home Rule Movement (Luces indirectas sobre el movimiento de autonomía)*, Londres, 1907. El movimiento de autonomía hacia el que señala el título es el de Irlanda, pues las actividades terroristas de las que se ocupaba el Subdirector eran las relacionadas con Irlanda, y no con el anarquismo en general. Conrad adaptó la información del libro a las necesidades de su novela.

mas, de claros perfiles, pero imperfectamente configuradas, brotaban y reclamaban mi atención, al igual que hacen los cristales con sus formas inesperadas y grotescas. Me quedé absorto ante el fenómeno, del que brotó incluso el pasado: América del Sur, un continente de soles rudos y revoluciones brutales; el mar, las vastas extensiones de agua salada, espejo de los gestos airados y las sonrisas del cielo, el espejo de la luz del mundo; se me presentó después la visión de una enorme ciudad, de una ciudad monstruosa, más poblada que algunos continentes, con su poder humano, como si fuera indiferente a los gestos airados o a las sonrisas del cielo: una cruel devoradora de la luz del mundo. Había suficiente espacio para situar cualquier cuento en ella, había suficiente profundidad para cualquier pasión, suficiente variedad para cualquier escenario, y oscuridad suficiente para sepultar cinco millones de vidas.

De manera irresistible la ciudad se convirtió a continuación en el trasfondo de un periodo de profundas e indecisas meditaciones. Vistas inacabables se abrían ante mí en direcciones variadas. ¡Tardaría años en dar con el camino correcto! ¡Parecía que iba a tardar años...! Lentamente, la aurora de la convicción de la pasión maternal de la señora Verloc se levantó hasta convertirse en una llama que se interponía entre mí y aquel trasfondo, tiñéndolo con su secreta pasión, y recibiendo de él, a cambio, algo de su sombrío colorido.

Este libro es aquel *cuento,* reducido a proporciones manejables; todo su contenido fue sugerido por la absurda crueldad de la explosión de Greenwich Park, e investigaba sus circunstancias. Ante mí tenía una tarea que no diré que fuera ardua, sino de la más absorbente clase de dificultad. Las figuras reunidas en torno a la señora Verloc, y directa o indirectamente relacionadas con la trágica sospecha de ella respecto de que «la vida no consiente muchas investigaciones», son el fruto de esa misma necesidad. Personalmente nunca he tenido dudas de la realidad del cuento de la señora Verloc, pero había que desgajarla de su oscuridad en esa inmensa ciudad, había que conseguir que fuera creíble. Y no me refiero tanto a su alma, cuanto a lo que la rodeaba; no a su psicología, sino a su humanidad. Luchaba yo agriamente para mantener a distancia los recuerdos de los paseos nocturnos y solitarios que daba por Londres a mi llegada a esta ciudad, no fuera que se agolparan y abrumaran con su presencia todas las páginas de esta narración, pues nacían, uno tras otro, de un estado de ánimo tan serio, en cuanto a sentimiento e ideas, como cualquier otro en el que anteriormente hubiera escrito un renglón. Respecto de ello, creo que *El agente secreto* es una obra de arte auténtica. Incluso la intención puramente artística, la de aplicar un método irónico a un asunto de esta clase, se formulaba de manera deliberada, y con la creencia firme de que sólo el tratamiento irónico me permitiría decir lo que sentía que tendría que haber dicho con desdén y piedad. Una satisfacción menor de mi vida de escritor ha sido la de habérmelas arreglado para llevar a buen término y hasta su conclusión, me parece, la determinación a la que había llegado. En cuanto a los grandes personajes a quienes la necesidad imperiosa del caso —el caso de la señora Verloc— hace avanzar hasta el frente del escenario sobre el fondo de Londres, también de ellos obtuve aquellas satisfacciones menores que realmente son de gran importancia ante la abundancia de dudas oprimentes que cercan de forma incesante a quien se dedica a labores de creación. Por ejemplo, me gratificó oír sobre el propio Vladimir (quien me brindó una buena ocasión para una presentación caricaturesca) que un hombre con experiencia del mundo había dicho que «Conrad debía de haber tenido contactos con ese mundo, o bien poseía una excelente intuición de cómo eran las cosas»; porque el señor Vladimir «no sólo era verosímil en cuanto a los detalles, sino que era correcto respecto a lo fundamental». Posteriormente un visitante americano me aseguró que toda clase de refugiados anarquistas de Nueva York le había asegurado que el libro lo había escrito alguien que sabía mucho acerca de ellos. Me pareció que se trataba de un elogio muy valioso, sobre todo teniendo en cuenta que yo había visto aún menos anarquistas que el omnisciente amigo que me proporcionó la primera indicación de lo que sería la novela. Sin embargo, no digo que no haya conocido yo momentos, mientras escribía el libro, en los que hube de ser un revolucionario radical; no diré que más persuadido que ellos, pero sí que había alentado una intención más concentrada que la que hubieran conocido ellos en toda su vida. No digo esto por alardear. Me dedicaba a cumplir con mi deber. En todos mis libros he procurado cumplir con mi deber. He procurado cumplir con completa entrega. Y tampoco hago esta otra afirmación por alardear. No habría sabido hacerlo de otra manera. Me habría aburrido excesivamente fingir.

Las pautas para crear algunos de los personajes, tanto los respetuosos con la ley, como los que no la respetaban en absoluto, proceden de fuentes diversas, que quizá, aquí y allá, algún lector reconozca. No son muy recónditas. Pero no es mi cometido el de dar legitimidad a los actos de ninguno de ellos, e incluso en lo que se refiere a mi opinión general sobre las reacciones morales, como las que pueda haber entre delincuentes y policía, todo lo que me atreveré a decir es que me parecen, cuando menos, discutibles.

Los doce años que han transcurrido desde la publicación del libro no me han hecho cambiar de actitud. No lamento haberlo escrito. Recientemente, en circunstancias que ninguna relación guardan con el sentido de este prólogo, me he visto obligado a despojar a esta narración del traje literario de indignado desdén que tanto me costó cortar y coser hace años[4]. Por decirlo de alguna forma, he tenido que contemplar los huesos descarnados. Confieso que se trata de un esqueleto aterrador. Pero siempre mantendré que al relatar la historia de Winnie Verloc, hasta su anarquista conclusión en la más completa soledad, locura y desesperación, y al relatarla como lo he hecho, no he querido infligir una ofensa gratuita a los sentimientos de la humanidad.

J. C. 1920

---

[4] La ocasión para despojar a esta obra del «traje literario» la proporcionó la versión teatral que hizo el propio autor de *El agente secreto*. Conrad revisó la obra antes de su estreno; la obra revisada se publicó en 1923.

Capítulo primero

E L señor Verloc salió por la mañana dejando nominalmente la tienda a cargo de su cuñado. Podía hacerlo porque la actividad era muy escasa a cualquier hora y prácticamente nula antes del anochecer. Al señor Verloc apenas le importaba su negocio visible. Y, además, el cuñado estaba al cuidado de su esposa.

La tienda era pequeña, lo mismo que la casa. Era una de esas tiznadas construcciones de ladrillo que existían en grandes cantidades en Londres antes de que alborease la era de la reconstrucción. El local era como una caja cuadrada, con el frente formado por pequeños paneles de cristal. De día, la puerta permanecía cerrada; al anochecer quedaba discreta aunque sospechosamente entreabierta.

En el escaparate había fotos de muchachas más o menos desvestidas bailando; toda suerte de paquetes con envoltorios que parecían de medicamentos de marca; unos sobres sumamente delgados de un papel amarillento, cerrados y marcados con un dos y un seis en gruesos trazos negros[1]; números de viejas revistas pornográficas colgados de un cordel, como puestas a secar; un sucio cuenco de loza azul, un estuche de madera negra, frascos de tinta indeleble y sellos de caucho; algunos libros con títulos que sugerían cosas indecorosas; ejemplares manifiestamente atrasados de periódicos de escasa difusión, mal impresos, con cabeceras

---

[1] «Un dos y un seis», es decir, dos chelines y seis peniques.

tales como *La Antorcha* o *El Gong*[2]: títulos incitantes. Y los dos mecheros de gas en el interior estaban siempre al mínimo, fuera por economía o en beneficio de la clientela.

Dicha clientela la formaba, o bien hombres muy jóvenes, que se demoraban un rato ante el escaparate antes de deslizarse súbitamente al interior, o bien hombres más maduros, pero por lo general con aspecto de estar sin blanca. Algunos de los de esta última categoría llevaban el cuello del abrigo levantado hasta el bigote y tenían rastros de lodo en la parte inferior de los pantalones, cuyo aspecto era de haber sido muy usados y no valer gran cosa. Tampoco las piernas dentro de aquellos pantalones parecían, por regla general, muy impresionantes. Con las manos hundidas hasta el fondo de los bolsillos del abrigo, se introducían de lado, un hombro por delante, como temerosos de hacer sonar la campanilla.

Esta última, unida a la puerta por medio de un fleje en espiral, era difícil de eludir. Estaba irremediablemente rota; pero por las tardes, a la menor provocación, sonaba ruidosamente con impúdica virulencia a espaldas del cliente.

Sonaba, y a esa señal surgía apresuradamente de la sala del fondo el señor Verloc, atravesando la polvorienta puerta de cristal que había detrás del mostrador pintado. Sus ojos eran naturalmente abotagados; tenía un aire de haber estado todo el día revolcándose, enteramente vestido, en una cama sin hacer. Otro hombre habría percibido una clara desventaja en aparecer de aquel modo. En una transac-

---

[2] *La Antorcha* y *El Gong* son nombres que pueden relacionarse con la prensa anarquista de finales de siglo en Inglaterra. Sin embargo, la primera de estas revistas puede aludir a una revista de igual nombre dirigida por los sobrinos del poeta Dante Gabriel Rosetti: Olive, Helen y Arthur Rosetti, sobrinos asimismo de Ford Madox Ford, el omnisciente amigo a quien alude Conrad en la nota de 1920, e hijos del funcionario público William Michael Rosetti. La idea de que el sótano del domicilio de un funcionario público resultara ser la sede de una revista anarquista debió de resultarle llamativa al novelista; véase Norman Sherry, *op. cit.*, pág. 210 y sgs. A Conrad le impresionó (y le escandalizó) que las jóvenes Rosetti se dedicaran a una actividad que el autor consideraba poco apropiada para la formación de una joven; pocos días después del decimosexto cumpleaños de Helen Rosetti aparecía el siguiente anuncio en las páginas de *La Antorcha*: «¡Mujeres desdichadas: esterilizaos, negad vuestro vientre, abortad!», *ibíd.*, pág. 214.

ción comercial de tipo minorista, mucho depende del aspecto agradable y la simpatía del vendedor. Pero el señor Verloc sabía a qué atenerse y permanecía imperturbable ante cualquier duda de naturaleza estética respecto de su apariencia. Con firme e inconmovible descaro, que parecía contener la advertencia de alguna abominable amenaza, procedía a vender sobre el mostrador un objeto que obvia y escandalosamente no parecía valer el dinero que pasaba de un lado a otro en la transacción: por ejemplo, una cajita de cartón sin nada aparentemente en su interior, o uno de aquellos delgados sobres amarillentos cuidadosamente cerrados, o un manchado volumen con cubierta de papel y sugestivo título. De vez en cuando ocurría que una de las desvaídas bailarinas era vendida a un aficionado como si hubiera sido una joven llena de vida.

A veces era la señora Verloc quien acudía a la llamada de la rota campanilla. Winnie Verloc era una joven de busto generoso, ceñido corpiño y amplias caderas. Llevaba el cabello muy cuidado. De mirada firme como su esposo, conservaba tras la muralla del mostrador un aire de insondable indiferencia. En esos casos, el cliente de edad comparativamente tierna se veía súbitamente desconcertado por tener que tratar con una mujer, y con íntima rabia pedía bruscamente un frasco de tinta indeleble, precio de venta seis peniques (precio en lo de Verloc, un chelín y seis peniques), el cual, una vez fuera, dejaba caer disimuladamente en la alcantarilla.

Los visitantes vespertinos —aquellos hombres de cuello levantado y sombrero blando encajado hasta las cejas— hacían familiarmente una inclinación de cabeza a la señora Verloc y murmurando un saludo alzaban el extremo móvil del mostrador con objeto de pasar a la sala trasera, que daba acceso a un corredor y a una escalera empinada. La puerta de la tienda era la única vía de acceso a la casa en la que el señor Verloc llevaba su negocio de vendedor de oprobiosa mercancía, ponía en práctica su vocación de protector de la sociedad y cultivaba las virtudes hogareñas. Estas últimas eran manifiestas. Era una persona enteramente doméstica. Ni sus necesidades espirituales, ni las mentales, ni las físicas eran del tipo que requiere salir al exterior. En casa encontraba el reposo corporal y la paz de su conciencia, así como las atenciones conyugales de la señora Verloc y la deferente consideración de la madre de la señora Verloc.

La madre de Winnie era una mujer corpulenta, con una gran cara morena y que respiraba trabajosamente. Llevaba, bajo el gorro blanco, una negra peluca. La gordura de sus piernas la forzaba a la inactividad. Se consideraba de ascendencia francesa, lo cual podría ser cierto; y al cabo de bastantes años de vida matrimonial con un tabernero de la especie más vulgar, proveía a sus años de viudez alquilando cuartos amueblados a caballeros en las proximidades de Vauxhall Bridge Road, en una plaza que una vez tuvo cierto esplendor y continuaba estando incluida en el distrito de Belgravia. Este hecho topográfico le otorgaba cierta ventaja a la hora de anunciar sus habitaciones; pero los inquilinos de la digna viuda no pertenecían exactamente al tipo elegante. Su hija Winnie la ayudaba a ocuparse de ellos tal como eran. Indicios de la ascendencia francesa de que hacía gala la viuda resultaban perceptibles también en Winnie. Lo eran en el arreglo extremadamente pulcro y artístico de su lustrosa cabellera oscura. Winnie contaba además con otros encantos: su juventud, sus formas llenas y redondeadas, la tez clara, la provocación de su insondable reserva, que nunca llegaba tan lejos como para impedir la conversación, llevada adelante con animación por parte del inquilino, y con una serena afabilidad por parte de ella. Seguramente el señor Verloc era susceptible a tales elementos de fascinación. El señor Verloc era un inquilino intermitente. Venía y se iba sin ninguna razón excesivamente ostensible. Por lo general llegaba a Londres desde el Continente, como la gripe, si bien él lo hacía sin anuncio previo de la prensa, y sus inspecciones comenzaban con gran rigor. Desayunaba a diario en la cama y permanecía indolentemente en ella con expresión de sereno disfrute hasta mediodía, y a veces incluso hasta más tarde. Pero cuando salía parecía experimentar una gran dificultad en encontrar el camino de regreso a su temporario hogar en la plaza de Belgravia. Lo abandonaba tarde y retornaba temprano, esto es, como a las tres o cuatro de la madrugada. Y al despertarse, a las diez, se dirigía a Winnie —que traía la bandeja del desayuno— con juguetona y agotada cortesía, con la voz quebrada y ronca del que ha estado hablando vehementemente y de corrido durante muchas horas. Sus ojos saltones giraban amorosa y lánguidamente bajo los pesados párpados, la sábana y la manta subidas hasta el mentón y el mostacho suave y oscuro cubriéndole los gruesos labios, capaces de abundar en melosas chanzas.

En opinión de la madre de Winnie, el señor Verloc era un caballero muy fino. De su experiencia de la vida, acumulada en diversas «casas comerciales», la buena mujer se había llevado al retiro como el ideal de la caballerosidad la exhibida por los asistentes a bares privados. El señor Verloc se aproximaba a ese ideal; o mejor dicho, lo encarnaba.

«Por supuesto, nos haremos cargo de tus muebles, madre», había afirmado Winnie.

Hubo que deshacerse de la casa de pensión. Al parecer no habría sido rentable seguir con ella. Le habría dado demasiados problemas al señor Verloc. No habría sido conveniente para su otro negocio. Cuál era su negocio, no lo dijo; pero a partir de su compromiso con Winnie se tomó el trabajo de levantarse antes de mediodía y descender por las escaleras al sótano, hacerse agradable a la madre de Winnie abajo en el comedor donde se servía el desayuno y donde ella instalaba su inamovible humanidad. Acariciaba al gato, atizaba el fuego, se hacía servir allí la comida. Abandonaba aquella comodidad ligeramente sofocante con evidente desgana, pero de todos modos permanecía fuera hasta bien avanzada la noche. Nunca le ofrecía a Winnie llevarla al teatro, como habría cabido esperar de tan fino caballero. Sus noches estaban ocupadas. Su trabajo era en cierto modo político, le dijo una vez a Winnie. Le advirtió que tendría que mostrarse muy amable con sus amigos políticos. Y ella, con su mirada directa e insondable, le respondió que lo sería, naturalmente.

Cuánto más acerca de sus ocupaciones le contó él era algo que a la madre de Winnie le resultó imposible descubrir. La pareja recién casada se la llevó junto con los muebles. El paupérrimo aspecto de la tienda la sorprendió. El cambio de la plaza en Belgravia a aquella estrecha calle del Soho afectó adversamente a sus piernas, que adquirieron un tamaño enorme. Por otro lado, se vio totalmente relevada de preocupaciones materiales. La profusa afabilidad de su yerno le inspiraba una sensación de absoluta seguridad. El futuro de su hija estaba evidentemente asegurado, e incluso respecto de su hijo Stevie no tenía ella que albergar ansiedad alguna. No había podido dejar de pensar que era una carga tremenda, el pobre Stevie. Pero considerando el afecto de Winnie hacia su delicado hermano y la amable y generosa disposición anímica del señor Verloc, sentía que el pobre muchacho estaba bastante a salvo de este violento mundo. Y en el fondo de su corazón tal vez no le disgustara el que los Verloc no tuvieran hijos. Ya que tal circunstancia parecía serle al señor Verloc perfectamente indiferente, y puesto que Winnie encontraba en su hermano un objeto de afecto casi maternal, quizá el hecho no le viniera mal al pobre Stevie.

Pues no resultaba fácil ocuparse de aquel chico. Era un ser delicado y también atractivo en su fragilidad, excepto por aquel labio inferior que le colgaba sin objeto. Al amparo de nuestro excelente sistema de enseñanza obligatoria —y a pesar del aspecto desfavorable de dicho labio inferior— había aprendido a leer y a escribir. Pero como chico de los recados no había logrado un gran éxito. Olvidaba los mensajes; se desviaba fácilmente del recto sendero del deber atraído por gatos y perros vagabundos, a los que seguía por las callejuelas hasta el interior de hediondos solares; por las representaciones callejeras, que se paraba a contemplar con la boca abierta, en detrimento de los intereses de su patrón; o por los caballos que se caían, reiterado drama cuyo patetismo y violencia lo inducían a veces a soltar alaridos en medio de una multitud, a la que desagradaba que unos sonidos angustiosos vinieran a perturbar su plácido disfrute del espectáculo nacional. Cuando un circunspecto y protector agente de policía lo apartaba de allí, solía ponerse en evidencia que el pobre Stevie había olvidado su dirección, al menos momentáneamente. Una pregunta brusca lo hacía tartamudear al extremo de sofocarse. Ante cualquier cosa que le causara perplejidad se asustaba y solía bizquear de un modo espantoso. Sin embargo, nunca sufrió un ataque (lo cual era alentador); y ante los naturales estallidos de impaciencia por parte de su padre siempre pudo —en los días de su infancia— correr a protegerse tras las cortas faldas de su hermana Winnie. No obstante, podría haber sido sospechoso de un fondo de temeraria perversidad. Cuando alcanzó los catorce años un amigo de su difunto padre, representante de una compañía extranjera de leche en polvo, le dio una oportunidad como mandadero de oficina; y una tarde de niebla, en ausencia de su jefe, lo descubrieron en las escaleras ocupado en encender fuegos de artificio. Prendió en rápida sucesión una serie de tremendos petardos, furiosas ruedas catalina y ruidosos buscapiés explosivos, y el asunto pudo haber resultado muy grave. Un espantoso pánico se extendió por todo el edificio. Los empleados salieron de estampida con los ojos desorbitados y tosiendo por los corredores llenos de humo; se vieron chisteras y ancianos comerciantes bamboleándose sin asidero escaleras abajo. No pareció que Stevie obtuviese gratificación personal alguna de lo que había hecho. Sus motivos para aquel acceso de originalidad fueron difíciles de descubrir. Poco después, Winnie logró de él una brumosa y confusa confesión. Parece que otros dos mandaderos del edificio habían estado excitando gradualmente sus sentimientos con historias de injusticia y opresión, y habían acabado por conseguir que su compasión se exacerbara hasta aquel grado. Pero desde luego el amigo de su padre lo despidió sin contemplaciones ante la posibilidad de que le arruinase el negocio. Después de aquel acto de altruismo, pusieron a Stevie como ayudante a lavar platos en la cocina del sótano, y a dar betún a las botas de los caballeros que se alojaban en la mansión de Belgravia. Es obvio que semejante trabajo no ofrecía ningún futuro. Los caballeros le daban de vez en cuando un chelín de propina. El señor Verloc se reveló como el más generoso de todos los inquilinos. Pero en conjunto todo eso no sumaba mucho, ni en ganancias ni en perspectivas, de modo que cuando Winnie anunció su compromiso con el señor

Verloc su madre no pudo evitar preguntarse, con un suspiro y una mirada hacia el fregadero, qué iba a ser ahora del pobre Stevie.

Al parecer el señor Verloc estaba dispuesto a hacerse cargo de él lo mismo que de la madre de su esposa y de los muebles, que eran toda la fortuna visible de la familia. El señor Verloc lo abrazó todo como venía junto a su amplio pecho bonachón. Los muebles fueron distribuidos por la casa con el mayor provecho posible, pero la madre de la señora Verloc fue confinada a dos habitaciones traseras en la primera planta. El infortunado Stevie dormía en una de ellas. Para esa época una leve pelusa había empezado a desdibujar, como una dorada neblina, el marcado contorno de su pequeña mandíbula inferior. Ayudaba a su hermana en las tareas domésticas con un amor y una docilidad ciegos. El señor Verloc consideró que le sería provechoso tener alguna ocupación. El muchacho ocupó su tiempo libre en dibujar círculos con lápiz y compás en un trozo de papel. Se dedicaba a aquel pasatiempo con gran aplicación, doblado sobre la mesa de la cocina con los codos abiertos y la cabeza gacha. A través de la puerta abierta de la sala al fondo de la tienda, Winnie, su hermana, ejercía su maternal vigilancia echándole de tanto en tanto una mirada.

Capítulo II

Tales la casa, la familia y el negocio que el señor Verloc dejó atrás al ponerse en marcha en dirección oeste a las diez y media de la mañana. Era insólitamente temprano para él; toda su persona exhalaba el encanto de un frescor casi de rocío; llevaba el abrigo de paño azul sin abrochar: sus botas brillaban; sus mejillas, recién afeitadas, lucían una especie de pátina lustrosa; y hasta sus ojos abotagados, descansados tras una noche de pacífico sueño, emitían unas miradas relativamente vivaces. A través de las rejas del parque esas miradas contemplaban hombres y mujeres que cabalgaban en El Row[1], parejas que pasaban armoniosamente a medio galope, otras que avanzaban tranquilamente al paso, ociosos grupos de tres o cuatro, solitarios jinetes de apariencia insociable, y mujeres solitarias seguidas a buena distancia por un sirviente con un rosetón en el sombrero y un cinturón de cuero sobre la ceñida chaqueta. Pasaban carruajes rodando rápidamente, en su mayoría berlinas de dos caballos, con alguna que otra victoria forrada por dentro con la piel de algún animal salvaje y con un rostro y un sombrero femeninos emergiendo de la capota recogida. Y un peculiar sol londinense —contra el cual nada habría que alegar, excepto que parecía ensangrentado— glorificaba todo aquello bajo su fija mirada. Pendía a moderada

---

[1] *The Row* o *Rotten Row* es el nombre de la elegante pista para pasear a caballo de Hyde Park, en Londres, se extiende desde Apsley Gate a Kesington Gardens.

altura sobre el Hyde Park Corner con aspecto de respetuosa y benévola vigilancia. El propio pavimento que pisaba el señor Verloc adquiría un tono de oro viejo bajo aquella luz difusa en la que ni muros, ni árboles, ni animales ni personas proyectaban sombra. El señor Verloc marchaba hacia el oeste por una ciudad sin sombras, en una polvorienta atmósfera de oro viejo. Había reflejos de un rojo cobrizo en las techumbres de las casas, en las esquinas de los muros, en los paneles de los carruajes, en el pelaje mismo de los caballos y en la amplia espalda del abrigo del señor Verloc, donde producían el efecto de un desvaído color de herrumbre. Pero el señor Verloc no consideraba en absoluto haberse aherrumbrado. A través de las rejas del parque comprobaba con ojos de aprobación las pruebas de la opulencia y el lujo de la ciudad. Había que proteger a toda aquella gente. La protección constituye la primera de las necesidades de la opulencia y el lujo. Había que protegerlos. Sus caballos, sus carruajes, sus casas, sus sirvientes, debían ser protegidos, y la fuente de su riqueza debía ser protegida en el corazón de la ciudad y en el corazón del campo. El entero orden social favorable a su higiénica ociosidad debía ser protegido contra la superficial envidia del antihigiénico trabajo. Debía serlo. Y el señor Verloc se habría restregado las manos de satisfacción si no hubiera sido por naturaleza opuesto a todo esfuerzo superfluo. Su propia ociosidad no era higiénica, pero iba muy bien con él. En cierto modo se dedicaba a ella con una especie de inerte fanatismo, o acaso más bien con fanática inercia. Hijo de padres trabajadores y destinado a una vida dura, había adoptado la indolencia respondiendo a un impulso tan profundo, inexplicable e imperioso como el que guía la preferencia de un individuo hacia una determinada mujer entre mil. Era demasiado perezoso incluso para ser un demagogo, un orador obrero, un líder de los trabajadores. Era demasiada molestia. Él necesitaba una forma de ocio más perfecta; o puede que fuera víctima de un filosófico descreimiento en la eficacia de todo esfuerzo humano. Semejante forma de indolencia requiere —implica— un cierto grado de inteligencia. Al señor Verloc no le faltaba inteligencia, y ante la idea de un orden social amenazado quizás se hubiera hecho a sí mismo un guiño, si no hubiera exigido un esfuerzo efectuar esa señal de escepticismo. Sus grandes ojos saltones no se adaptaban bien a hacer guiños. Eran más bien del tipo que al cerrarse para dormir producen un majestuoso efecto.

Nada demostrativo y rechoncho como un cerdo cebado, el señor Verloc, sin frotarse las manos de satisfacción ni hacerse un guiño de escepticismo ante sus propios pensamientos, continuó su camino. Iba pisando fuerte el pavimento con sus botas lustrosas, y su aspecto general era el de un próspero trabajador independiente. Podría haber sido cualquier cosa, desde un fabricante de marcos para cuadros hasta un cerrajero; o un patrono de mano de obra en pequeña escala. Pero poseía asimismo un indecible aire que ningún mecánico podría haber adquirido en la práctica de su oficio, por más deshonestamente que lo ejerciera: el aire característico de los hombres que viven de los vicios, de las locuras, de los miedos más primarios de la humanidad; un aire de nihilismo moral que comparten los encargados de garitos y lenocinios; los detectives privados y los pesquisidores; los vendedores de licores y yo diría que los vendedores de cinturones eléctricos vigorizantes y los inventores de medicinas patentadas. Aunque de esto último no estoy seguro, por no haber llevado mis investigaciones tan a fondo. Hasta donde yo sé, la expresión de estos últimos puede ser perfectamente diabólica. No debería sorprenderme. Lo que quiero afirmar es que la expresión del señor Verloc no tenía nada de diabólico.

Antes de llegar a Knightsbridge, el señor Verloc dio un giro a la izquierda saliendo de la ajetreada vía principal —que bullía con el tránsito de los bamboleantes autobuses y los furgones que trotaban— para incorporarse a la casi silenciosa y ágil corriente de los cabriolés. Bajo el sombrero, levemente echado hacia atrás, mostraba el cabello cepillado cuidadosamente para lograr una respetable lisura, pues se dirigía a una embajada. Y el señor Verloc, firme como una roca —un tipo de roca blanda—, cogió seguidamente una calle que con toda propiedad podría describirse como privada. En anchura, vacuidad y extensión, poseía la majestad de la naturaleza inorgánica, de la materia imperecedera. El solo recordatorio de la mortalidad era la berlina de un médico aparcada en augusta soledad cerca del bordillo de piedra de la acera. Brillaban los bruñidos llamadores de las puertas hasta donde alcanzaba la vista, las limpias ventanas relucían con un oscuro lustre mate. Y todo estaba en silencio. Aunque lejos, al fondo, un carro de lechero cruzó rodando ruidosamente; un repartidor de carnicería, que conducía con la noble temeridad de un auriga en los Juegos Olímpicos, dio la vuelta a la esquina a gran velocidad sentado en lo alto de un par de ruedas rojas. Un gato de mirada culpable salió como de debajo de las piedras y corrió por un momento delante del señor Verloc, para luego zambullirse en otro sótano; y un grueso agente de policía, aparentemente ajeno a cualquier emoción —como si él también formara parte de la naturaleza inorgánica—, brotó de pronto del poste de un farol, sin prestar la más ligera atención al señor Verloc. Dando un giro a la izquierda, el señor Verloc continuó su camino por una calle estrecha al costado de un muro amarillo que, por alguna razón inescrutable, tenía escrito en él, en letras negras, N.º 1 Chesham Square. Chesham Square quedaba por lo menos a sesenta yardas de allí, y el señor Verloc, suficientemente cosmopolita como para no ser engañado por los misterios topográficos de Londres, prosiguió imperturbable, sin muestras de sorpresa o indignación. Por fin, con decidida perseverancia, llegó a la plaza y cruzó en diagonal hacia el número 10. Éste correspondía a una puerta de imponente aspecto ubicada en una alta y lisa pared entre dos casas, de las cuales una, con bastante lógica, lucía el número 9, y la otra estaba numerada con el 37; pero un rótulo, colocado sobre las ventanas de la primera planta por la eficiente alta autoridad encargada de la tarea de seguirle el rastro a las extraviadas casas de Londres, proclamaba el hecho de que esta última pertenecía a Porthill Street, una calle bien conocida en la vecindad. Por qué no se reclaman del Parlamento (una breve disposición legal sería suficiente) poderes para compeler a esos edificios a retornar a donde pertenecen, es uno de los misterios de la administración municipal. El señor Verloc no ocupaba su mente con esas cosas, puesto que su misión en la vida era la protección del mecanismo social, no su perfeccionamiento, y ni siquiera su crítica.

Era tan temprano que el portero de la Embajada salió rápidamente de su garita todavía luchando con la manga izquierda de la chaqueta de su librea. Su chaleco era rojo, y llevaba calzones hasta las rodillas, pero su aspecto era de aturdimiento. El señor Verloc, advertido del alboroto a su lado, lo ahuyentó simplemente con mostrar un sobre con el escudo de la Embajada, y siguió adelante. Exhibió el mismo talismán ante el lacayo que le abrió la puerta y retrocedió para permitirle entrar en el vestíbulo.

Un fuego inmaculado ardía en una alta chimenea, y un hombre de edad madura, de pie y de espaldas a ella, en traje de etiqueta y con una cadena alrededor del cuello, levantó la vista del periódico que sostenía extendido con ambas manos delante de su rostro sereno y grave. No se movió; pero otro lacayo, de pantalón marrón y casaca ribeteada con cordón amarillo, se aproximó al señor Verloc y al escuchar el nombre musitado por éste giró en silencio sobre sus talones y empezó a andar, sin mirar ni una vez para atrás. El señor Verloc, guiado de tal suerte por un pasillo de la planta baja situado a la izquierda de la gran escalera alfombrada, recibió súbitamente la indicación de introducirse en una habitación sumamente pequeña, provista de un sólido escritorio y algunas sillas. El sirviente cerró la puerta, y el señor Verloc se quedó solo. No se sentó. Con el sombrero y el bastón sostenido en una mano echó una mirada en derredor, mientras se pasaba la otra mano regordeta por la lustrosa cabellera descubierta.

Se abrió sin ruido una segunda puerta, y el señor Verloc, fijando la mirada en aquella dirección, vio al principio únicamente una vestimenta negra, la calva cúspide de una cabeza y unas colgantes patillas de un gris oscuro a cada lado de un par de manos arrugadas. La persona que había entrado sostenía delante de los ojos un puñado de folios y caminó hasta la mesa con paso más bien melindroso, mientras repasaba aquellos papeles. El Consejero Privado Wurmt, Canciller de Embajada, era bastante corto de vista. Al dejar los papeles sobre la mesa, el meritorio funcionario dejó al descubierto un rostro de tez pálida y melancólica fealdad, con abundantes cabellos —finos, largos, de color gris oscuro— y poderosamente subrayado por unas espesas y pobladas cejas. Se colocó unos quevedos de montura negra sobre la nariz roma e informe, y pareció sorprendido por la aparición del señor Verloc. Bajo las enormes cejas, sus ojos débiles parpadearon patéticamente a través de las gafas.

No hizo ningún gesto de saludo. Tampoco el señor Verloc, quien ciertamente sabía cuál era su lugar; pero un sutil cambio en el contorno general de los hombros y la espalda sugirió una leve inclinación dorsal del señor Verloc bajo la vasta superficie del abrigo. El efecto fue el de una moderada deferencia.

—Tengo aquí algunos de sus informes —dijo el burócrata en un tono inesperadamente suave y de cansancio, con la punta del índice apoyada con fuerza en los papeles. Hizo una pausa. Y el señor Verloc, que había reconocido perfectamente su propia escritura, esperó en silencio, casi sin respirar—. No estamos muy satisfechos con la actitud de la policía de aquí —continuó el otro, con todos los signos del cansancio mental.

Aunque sin verdadero movimiento, los hombros del señor Verloc insinuaron un encogimiento. Y por primera vez desde que hubo abandonado esa mañana su casa, se abrieron sus labios.

—Cada país tiene su policía —dijo filosóficamente. Pero como el funcionario de la Embajada continuaba dirigiéndole su constante parpadeo, se sintió constreñido a añadir—: Permítame señalar que no dispongo de ningún medio para influir sobre la policía local.

—Lo que se requiere —dijo el hombre de los papeles— es que ocurra algo definido que estimule en ella la vigilancia. Eso está dentro de su esfera de acción, ¿no es así?

El señor Verloc no respondió más que con un suspiro, que se le escapó sin querer, ya que al instante procuró dar a su rostro una expresión animada. El funcionario parpadeó con incertidumbre, como si la tenue luz de la habitación lo molestase. Vagamente, repitió:

—La vigilancia de la policía... y la severidad de los magistrados. La generalizada indulgencia de la justicia de aquí y la total ausencia de medidas represivas son un escándalo para Europa. Lo que se desea ahora mismo es un incremento de la inquietud, del fermento que sin duda existe...

—Sin duda, sin duda —interpuso el señor Verloc en un tono grave y respetuoso de bajo con cualidades oratorias, tan diferente en todo sentido del que había empleado antes, que su interlocutor siguió profundamente sorprendido—. Existe hasta un grado peligroso. Mis informes de los últimos doce meses lo dejan suficientemente en claro.

—Sus informes de los últimos doce meses —empezó diciendo el Consejero de Estado Wurmt en su tono manso y desapasionado— los he leído personalmente. No he logrado comprender para qué se tomó la molestia de escribirlos.

Por un momento reinó un pesado silencio. El señor Verloc parecía haberse tragado la lengua, y el otro examinaba fijamente los papeles sobre la mesa. Al final les dio un leve empujón.

—El estado de cosas que expone ahí es el que se da por sentado como primera condición para emplearlo a usted. Lo que se requiere en el momento presente no es escribir, sino el sacar a luz un hecho insoslayable, significativo: casi diría un hecho alarmante.

—No hace falta que diga que todos mis afanes estarán encaminados a ese fin —dijo el señor Verloc, con modulaciones imbuidas de convicción en su ronco tono de conversación informal. Pero la sensación de que detrás de los reflejos cegadores de aquellas gafas lo observaban parpadeando desde el otro lado de la mesa lo desconcertaba. Se detuvo súbitamente en actitud de total devoción. Aquel útil —aunque oscuro— miembro de la Embajada tenía aspecto de estar impresionado por algo que se le acababa de ocurrir.

—Es usted muy corpulento —dijo.

Esta observación, de naturaleza realmente psicológica y formulada con la vacilante modestia de un oficinista más familiarizado con la tinta y el papel que con los requerimientos de la vida activa, le chocó al señor Verloc como si fuese una descortés observación personal. Dio un paso atrás.

—¿Eh? ¿Qué ha querido usted decir? —exclamó con sequedad.

El Canciller de Embajada, a quien se había encargado conducir aquella entrevista, pareció encontrar excesiva su misión.

—Creo que será mejor que vea usted al señor Vladimir —dijo—. Sí, creo decididamente que debería ver al señor Vladimir. Tenga la bondad de aguardar aquí —añadió, y se retiró con su paso melindroso.

Simultáneamente, el señor Verloc se pasó la mano por los cabellos. Una leve transpiración había brotado en su frente. Dejó escapar el aire por entre los labios fruncidos como quien sopla la sopa caliente en la cuchara. Pero cuando el sirviente de marrón apareció silenciosamente en la puerta, el señor Verloc no se había apartado ni una pulgada del lugar en el que había permanecido durante toda la entrevista. Se había mantenido inmóvil, como si se sintiera rodeado de trampas.

Avanzó por un pasillo iluminado por la solitaria llama de una espita de gas, subió por una escalera de caracol y atravesó un alegre corredor acristalado en la primera planta. El criado abrió una puerta y se hizo a un lado. Los pies del señor Verloc percibieron una gruesa alfombra. La estancia era espaciosa, con tres ventanas. Y un joven cariancho y afeitado instalado en un amplio sillón le dijo en francés al Canciller de Embajada, que salía con los papeles en la mano:

—Tiene mucha razón, *mon cher*. Es gordo... el animal.

El señor Vladimir, Primer Secretario, tenía en los salones la reputación de ser un hombre agradable y ameno. Era en sociedad una especie de favorito. Su agudeza estribaba en descubrir jocosas relaciones entre ideas incongruentes; y cuando se expresaba en esa vena se sentaba bien adelante en el asiento, con la mano izquierda en alto, como si exhibiese sus demostraciones de ingenio entre el pulgar y el índice, mientras su redonda cara bien rasurada adquiría una expresión de divertida perplejidad.

Pero no hubo vestigio alguno de diversión o perplejidad en el modo en que miró al señor Verloc. Recostado en el mullido sillón, con los codos extendidos y una pierna echada por encima de una gruesa rodilla, poseía —con aquel semblante liso y sonrosado— el aire de un bebé anormalmente precoz que no tolerase bobadas de nadie.

—Supongo que entiende usted el francés —dijo.

El señor Verloc manifestó secamente que sí. Toda su vasta humanidad estaba inclinada hacia adelante. Se hallaba de pie sobre la alfombra en medio de la habitación, con el sombrero y el bastón aferrados en una mano; la otra le colgaba inerte a un costado. En un murmullo surgido de las profundidades de la garganta dijo algo acerca de haber hecho el servicio militar en la artillería francesa. De inmediato —con desdeñosa perversidad—, el señor Vladimir cambió de idioma y se puso a hablar en un inglés coloquial, sin la menor traza de acento extranjero.

—¡Ah! Sí. Por supuesto. Veamos. ¿Cuánto le cayó por conseguir el diseño del obturador perfeccionado de su nuevo cañón de campaña?

—Cinco años de confinamiento riguroso en una fortaleza —respondió el señor Verloc de un modo imprevisto, pero sin la menor señal de emoción.

—No fue demasiado —fue el comentario del señor Vladimir—. Y en todo caso, lo tenía merecido por dejarse coger. ¿Qué le hizo meterse en ese tipo de cosas?, ¿eh?

Se oyó la voz ronca del señor Verloc hablando coloquialmente de la juventud, de su infausto enamoramiento de una indigna...

—¡Ajá! *Cherchez la femme* —lo interrumpió en tono indulgente el señor Vladimir, relajado pero sin afabilidad; al contrario, hubo un dejo de inflexibilidad en su condescendencia—. ¿Cuánto hace que está usted al servicio de esta Embajada?

—Desde la época del difunto barón Stott-Wartenheim —respondió el señor Verloc en tono sumiso y proyectando los labios unidos en un gesto de tristeza, para señalar su pesadumbre por la desaparición del diplomático. El Primer Secretario observó atentamente aquel juego fisonómico.

—¡Ah!, desde entonces... Y bien, ¿qué tiene que decir en su favor? —preguntó, cortante.

El señor Verloc contestó algo sorprendido que no era

consciente de tener algo en particular que decir. Lo habían citado por carta... Y hundió con empeño la mano en el bolsillo lateral del abrigo; pero ante la burlona y cínica actitud de vigilancia del señor Vladimir, optó por dejarla allí.

—¡Bah! —dijo este último—. ¿Qué se propone con estar tan fuera de forma? Carece usted hasta del físico de su profesión. ¿Usted un miembro del proletariado hambriento? ¡Jamás! ¿Usted un exasperado socialista, o anarquista?, no sé...

—Anarquista —declaró el señor Verloc con voz apagada.

—Y un jamón —continuó el señor Vladimir, sin levantar la voz—. Usted sorprendió al mismo viejo Wurmt. Usted no engañaría a un idiota. Todos lo son, con el tiempo, pero usted a mí me parece sencillamente imposible. Así que inició su relación con nosotros robando los planos del cañón francés. Y le descubrieron. Eso debe de haber resultado muy desagradable para nuestro gobierno. No parece usted muy listo.

El señor Verloc intentó roncamente exculparse.

—Como he tenido oportunidad de expresar antes, mi fatal enamoramiento de una indigna...

El señor Vladimir alzó una mano grande, blanca, regordeta.

—Ah, sí. Esa infortunada relación de su juventud... Se apoderó del dinero y después lo vendió a usted a la policía, ¿no?

El doloroso cambio en la fisonomía del señor Verloc, el momentáneo derrumbamiento en toda su persona, fueron la confesión de que aquél había sido lamentablemente el caso. La mano del señor Vladimir se posó sobre el tobillo que reposaba sobre la rodilla. El calcetín era de seda, azul oscuro.

—¿Sabe?, eso no fue muy avispado de su parte. Puede que sea usted demasiado vulnerable emocionalmente.

El señor Verloc sugirió, en un velado murmullo gutural, que él ya no era joven.

—Oh, ése es un achaque que no se cura con la edad —comentó el señor Vladimir con una familiaridad siniestra—. Pero no, usted está demasiado gordo para eso. No podría haber llegado a tener ese aspecto si hubiera tenido alguna inclinación romántica. Le diré de qué se trata en mi opinión: usted es un individuo perezoso. ¿Cuánto hace que recibe una paga de esta Embajada?

—Once años —fue la respuesta que siguió a un hosco momento de vacilación—. Se me encargaron varias misiones en Londres mientras Su Excelencia el barón Stott-Wartenheim era aún embajador en París. Después, bajo instrucciones de Su Excelencia, me establecí en Londres. Yo soy inglés.

—¡Conque inglés, ¿eh?!

—Súbdito británico nativo —dijo el señor Verloc en tono flemático—. Pero mi padre era francés, de modo que...

—Déjese de explicaciones —lo interrumpió el otro—. Supongo que legalmente podría usted haber sido a un tiempo mariscal de Francia y miembro del Parlamento británico. En tal caso le hubiera sido realmente de cierta utilidad a nuestra Embajada.

Aquella imaginaria posibilidad provocó algo semejante a una débil sonrisa en el rostro del señor Verloc. El señor Vladimir conservó una imperturbable seriedad.

—Pero como he dicho antes, usted es un individuo perezoso: no hace uso de sus oportunidades. En la época del barón Stott-Wartenheim teníamos a un montón de débiles mentales al frente de esta Embajada. Fueron los que hicieron que las gentes como usted se formasen una falsa opinión de la índole del presupuesto de un servicio secreto. Mi cometido es corregir ese malentendido aclarándole lo que el servicio secreto no es: no es una institución filantrópica. Lo he hecho citar a propósito para decírselo.

El señor Vladimir observó la forzada expresión de desconcierto en el semblante de Verloc, y sonrió con ironía.

—Veo que me entiende perfectamente. Supongo que tiene usted suficiente inteligencia para su trabajo. Lo que ahora necesitamos es actividad: ¡actividad!

Al repetir esta última palabra, el señor Vladimir apoyó un largo índice blanco sobre la arista del escritorio. Todo vestigio de aspereza desapareció de la voz del señor Verloc. La gruesa nuca se le puso purpúrea por encima del cuello de pana del abrigo. Los labios le temblaron antes de quedar con la boca bien abierta.

—Si tan sólo tuviera usted la amabilidad de examinar mis informes —bramó con voz clara y oratoria de bajo—, verá que hace apenas tres meses, con ocasión de la visita del Gran Duque Romualdo a París, formulé una advertencia que fue telegrafiada desde aquí a la policía francesa, y...

—Bah, bah —espetó el señor Vladimir, con una mueca de desagrado—. A la policía francesa no le sirvió de nada su advertencia. No necesita bramar de ese modo. ¿Qué se piensa?

Con una nota de orgullosa humildad, el señor Verloc se disculpó por su pérdida de control. Su voz, famosa durante años en los mítines al aire libre y en las asambleas obreras en grandes recintos cerrados, había contribuido —dijo— a su reputación de buen camarada digno de confianza. Era, por lo tanto, parte de su utilidad. Había inspirado confianza en sus principios.

—En los momentos críticos, los dirigentes siempre me escogían a mí para hablar —declaró el señor Verloc con evidente satisfacción. Añadió que no había tumulto sobre el que no pudiera hacerse oír; y de pronto, hizo una demostración.

—Permítame —dijo. Con la frente baja, sin levantar la mirada, ágil y poderosamente, atravesó la habitación hasta una de las ventanas de dos hojas. Como cediendo a un impulso incontrolable, la abrió un poco. El señor Vladimir, saltando asombrado desde las profundidades del sillón, miró por encima de su hombro; y abajo, al otro lado del patio de la Embajada, bastante más allá de la puerta de rejas abierta, se pudo ver las anchas espaldas de un policía ocioso que observaba el suntuoso cochecillo de un bebé rico al que llevaban ostentosamente por la plaza.

—¡Guardia! —dijo el señor Verloc, sin más esfuerzo que si estuviese susurrando; y el señor Vladimir lanzó una carcajada al ver que el policía giraba en redondo como si lo hubiesen pinchado con un instrumento punzante. El señor Verloc cerró silenciosamente la ventana y retornó al centro de la habitación.

—Con una voz como ésta —dijo, recobrando la sequedad de tono—, es natural que confiaran en mí. Además, yo sabía qué decir.

El señor Vladimir se arregló la corbata, mientras lo observaba en el espejo que había encima de la repisa de la chimenea.

—Se diría que maneja usted bastante bien la jerga social revolucionaria —dijo con desdén—. *Vox et...* Ni siquiera ha estudiado latín, ¿verdad?[2].

—No —gruñó el señor Verloc—. No esperaría usted que lo supiese. Yo pertenezco a la masa. ¿Quiénes saben latín? Sólo unos cientos de imbéciles incapaces de cuidar de sí mismos.

Durante unos treinta segundos más, el señor Vladimir estudió en el espejo el perfil carnoso, la corpulencia del hombre que estaba a sus espaldas. Y con la ventaja de ver al mismo tiempo su propio rostro, afeitado y redondo, sonrosado alrededor de la papada, y con los delgados labios sensitivos formados exactamente para la emisión de aquellas delicadas muestras de ingenio que habían hecho de él un favorito en los más elevados ambientes de sociedad. Después se volvió y avanzó por la estancia con tal determinación que hasta los extremos de su curiosamente anticuada corbata de lazo parecieron encresparse con indecibles amenazas. Aquel movimiento fue tan súbito y enérgico, que el señor Verloc, lanzando una mirada de soslayo, se acobardó íntimamente.

—¡Ajá! Conque osa usted ser insolente —empezó diciendo el señor Vladimir, con una entonación ya no sólo no inglesa, sino en absoluto europea, y sorprendente incluso para la experiencia del señor Verloc con el cosmopolitismo de los barrios bajos—. Se atreve a eso. Pues bien, voy a hablarle claramente. La voz no sirve. No nos interesa su voz. No nos hace falta. Lo que queremos son hechos, hechos llamativos, maldita sea —añadió con una especie de discreción feroz, en la propia cara del señor Verloc.

---

[2] La cita latina que el señor Vladimir no completa es *Vox et praeterea nihil*, «Nada más que voz», se aplica comúnmente al ruiseñor.

—No intente avasallarme con sus modales hiperbóreos[3] —se defendió el señor Verloc ásperamente, con la mirada en la alfombra. Ante lo cual su interlocutor, sonriendo burlonamente por encima del encrespado lazo de su corbata, cambió su conversación al francés.

—Se tiene usted por un *agent provocateur*. La tarea propia de un *agent provocateur* es provocar. Hasta donde puedo juzgar por los antecedentes suyos que conservamos, en los últimos tres años no ha hecho usted nada para ganarse el dinero.

—¡Nada! —exclamó el señor Verloc, sin mover un músculo ni levantar la vista, pero con una nota de sincero sentimiento en el tono de voz—. Varias veces he impedido lo que podría haber sido...

—En este país hay un proverbio que dice que vale más prevenir que curar —le interrumpió el señor Vladimir, dejándose caer en el sillón—. En términos generales, es una estupidez. La prevención no lleva a ninguna parte. Pero resulta típico. En este país no gusta lo definitivo. No sea usted demasiado inglés. Y en este caso particular, no sea usted absurdo. El mal ya está aquí. No nos hace falta la prevención, sino la cura.

Hizo una pausa, fue hasta el escritorio y tras revisar unos papeles allí depositados habló ahora en un tono diferente, con naturalidad, sin mirar al señor Verloc.

—Está enterado, por supuesto, de la reunión del Congreso Internacional en Milán...

El señor Verloc dio a entender de forma brusca que tenía por costumbre leer los periódicos. A una pregunta ulterior,

---

[3] *Hyperborean*, «Hiperbóreo», alude al mito griego que describía a un pueblo que vivía más allá del viento del norte, que no envejecía, no conocía las penas y vivía en una perpetua primavera. Para Nietzsche, «hiperbóreo» es el «superhombre», quien vive sin someterse a las exigencias del orden común de la humanidad, civil o religioso. No falta quien opine, sin embargo, que Conrad quiso ironizar a costa de Verloc haciéndole decir «hiperbóreo», en lugar de «hiperbólico», que traería a la memoria nada menos que a Shakespeare: *hiperbolical fiend*, «demonio hiperbólico», cfr. J. Conrad, *The Secret Agent*, introducción y notas de Roger Tennant, Oxford, Oxford University Press, «The World's Classics», 1983, págs. 313-314.

su respuesta fue que, por supuesto, entendía lo que leía. A lo cual el señor Vladimir, sonriendo levemente sin dejar de mirar los documentos que estaba revisando uno tras otro, murmuró:

—Siempre que no estén escritos en latín, imagino.

—O en chino —agregó inconmovible el señor Verloc.

—Humm... Los desahogos de algunos de sus amigos revolucionarios están escritos en una *charabia*[4] tan incomprensible como si fuera chino. —El señor Vladimir dejó caer despectivamente una hoja verde escrita—. ¿Qué son todos estos folletos encabezados con las letras F. P., con un martillo, una pluma y una antorcha cruzadas? ¿Qué significa lo de F. P.? —El señor Verloc se aproximó a la imponente mesa escritorio.

—El Futuro del Proletariado. Es una sociedad —explicó gravemente, de pie junto al sillón— no anarquista en principio, sino abierta a todos los matices de opinión revolucionaria.

—¿Está usted en ella?

—Soy uno de los vicepresidentes —dijo el señor Verloc respirando pesadamente, y el Primer Secretario de la Embajada levantó la cabeza para mirarlo.

—En ese caso debería avergonzarse —dijo, incisivamente—. ¿Su sociedad no es capaz de otra cosa que de imprimir esta palabrería profética en toscos caracteres sobre un papel inmundo? ¿Eh? ¿Por qué no hacen algo? Mire usted: ahora tengo esta cuestión en mis manos, y le digo con toda claridad que el dinero tendrá que ganárselo. Se acabaron los tiempos del buen viejo Stott-Wartenheim. El que no trabaja no cobra.

El señor Verloc experimentó una extraña sensación de debilidad en sus robustas piernas. Dio un paso atrás y se sonó ruidosamente la nariz.

Estaba sorprendido y alarmado de veras. El herrumbroso brillo del sol londinense, que luchaba por librarse de la niebla, iluminaba sin entusiasmo la estancia privada del Primer

---

4 En francés en el original, «jerga incomprensible».

Secretario: y en el silencio, el señor Verloc oyó contra un panel de la ventana el leve zumbido de una mosca —la primera del año para él— anunciando mejor que cualquier cantidad de golondrinas la proximidad de la primavera. El ajetreo inútil de aquel diminuto y enérgico organismo afectó desagradablemente a aquel hombrón amenazado en su indolencia.

Durante la pausa, el señor Vladimir formuló mentalmente una serie de desdorosos comentarios acerca del semblante y la figura del señor Verloc. El sujeto resultaba insólitamente ordinario, tardo e insolentemente falto de inteligencia. Tenía curiosamente el aire de un maestro fontanero que hubiera venido a presentar la cuenta. El Primer Secretario de la Embajada se había formado, a partir de sus ocasionales incursiones en el terreno del humor americano, la idea específica de que aquel tipo de personal era la encarnación de la incompetencia y de una solapada pereza.

¡Aquél era, pues, el famoso y confiable agente secreto, tan secreto que jamás era nombrado de otro modo que con el símbolo △ en la correspondencia oficial, semioficial y confidencial del barón Stott-Wartenheim; el celebrado agente △ cuyos avisos tenían el poder de modificar los planes y fechas de los viajes de reyes, emperadores y grandes duques, y a veces dar lugar a que fuesen suprimidos por completo! ¡Aquel individuo! Y el señor Vladimir se permitió mentalmente un inmenso y despectivo acceso de risa, provocado en parte por su propio asombro, que juzgaba ingenuo, pero sobre todo a expensas del universalmente lamentado barón Stott-Wartenheim. Su Excelencia, el difunto, a quien el augusto favor de su amo imperial había nombrado embajador superando la renuencia de varios ministros de asuntos exteriores, había gozado en vida de fama por una credulidad presuntamente sabia para lo pesimista. Su Excelencia estaba obsesionado con la revolución social. Imaginábase el diplomático escogido por dispensa especial para contemplar el fin de la diplomacia —y prácticamente el fin del mundo— en un horrendo levantamiento democrático. Sus despachos, proféticos y lúgubres, habían sido durante años centro de las bromas en las Cancillerías. Se decía que en su lecho de muerte (acompañado por su amigo y amo imperial) había exclamado: «¡Desdichada Europa! ¡Perecerás por culpa de la insania moral de tus hijos!» Estaba destinado a ser víctima del primer bribón farsante que se le presentase, pensó el señor Vladimir, sonriendo vagamente en dirección al señor Verloc.

—Usted debería venerar la memoria del barón Stott-Wartenheim —exclamó súbitamente.

Los abatidos rasgos fisonómicos del señor Verloc expresaron una sombría y fatigada irritación.

—Permítame hacerle notar —dijo— que yo he venido porque me han citado por medio de una carta perentoria. En los once años precedentes he estado aquí sólo dos veces, y ciertamente nunca a las once de la mañana. No es muy razonable convocarme de esta manera. Existe la posibilidad de que alguien me vea. Cosa que no sería para mí ninguna broma.

El señor Vladimir se encogió de hombros.

—Destruiría mi utilidad —continuó el otro en tono acalorado.

—Eso es cosa suya —murmuró el señor Vladimir, con moderada rudeza—. Cuando deje usted de ser útil cesaremos de emplearlo. Sí, inmediatamente. Cortaremos con usted. Lo... —con el ceño fruncido, sin encontrar una expresión lo bastante coloquial, el señor Vladimir hizo una pausa, y acto seguido su rostro resplandeció, con una sonrisa que dejó ver su dientes hermosamente blancos—. Lo echaremos a patadas —le espetó con ferocidad.

Una vez más, el señor Verloc tuvo que reaccionar con toda la fuerza de su voluntad contra esa sensación de debilidad que le baja a uno por las piernas y que una vez inspiró a algún pobre diablo la feliz expresión de «se me cayó el alma a los pies». El señor Verloc, consciente de aquella sensación, irguió valientemente la cabeza.

El señor Vladimir soportó con absoluta serenidad el intenso interrogante en su mirada.

—Lo que necesitamos es administrar un tónico al Congreso de Milán —dijo con soltura—. Sus deliberaciones sobre una acción internacional para la supresión del crimen político no parecen conducir a ninguna parte. Inglaterra remolonea. Este país es absurdo, con su sentimental consideración por la libertad del individuo. Resulta intolerable pensar que todos sus amigos no tienen más que acercarse para...

—De esa manera los tengo a todos bajo control —interrumpió secamente el señor Verloc.

—Sería mucho más adecuado tenerlos a todos bajo siete llaves. Hay que disciplinar a Inglaterra. La imbécil burguesía de este país se hace cómplice de la propia gente cuyo objetivo es sacarla de sus casas y llevarla a morir de hambre en las cunetas. Y todavía cuenta con el poder político, que ojalá tuviera el sentido de utilizar para mantenerse donde está. Supongo que estará usted de acuerdo en que la clase media es estúpida...

El señor Verloc asintió con brusquedad.

—Lo es.

—Carece de imaginación. Le ciega una vanidad idiota. Lo que le hace falta ahora mismo es un buen sobresalto. Está en el momento psicológico para poner a sus amigos a trabajar. Si lo he hecho llamar ha sido para exponerle mi idea.

Y el señor Vladimir expuso su idea con superioridad, con desdén y condescendencia, exhibiendo al mismo tiempo un caudal de ignorancia en cuanto a los verdaderos propósitos, pensamientos y métodos revolucionarios, que llenó al señor Verloc de íntima consternación. Confundía las causas con los efectos más allá de lo excusable; a los más distinguidos propagandistas con los impulsivos portadores de bombas; imaginaba una organización allí donde por la naturaleza de las cosas no podía existir; de pronto hablaba del partido social revolucionario como de un ejército perfectamente disciplinado, en el que la palabra de los jefes era decisiva, y en otro momento como si hubiera sido la más laxa de las asociaciones de temerarios bandoleros que jamás acampara en un paso de montaña. En una ocasión, el señor Verloc abrió la boca para protestar, pero fue disuadido por una blanca mano grande y bien formada alzada ante él. Muy pronto estuvo demasiado abrumado incluso para protestar. Escuchaba con la inmovilidad del sobrecogimiento, que pasaba por la de una profunda atención.

—Una serie de atentados —continuó el señor Vladimir calmosamente— ejecutados aquí en este país. No solamente planeados aquí: eso no serviría, no les importaría. Sus amigos podrían pegar fuego a medio Continente sin mover a la opinión pública de aquí a favor de una legislación represiva universal. Aquí nadie mira fuera de su patio trasero.

El señor Verloc carraspeó, pero le falló el ánimo y no dijo nada.

—Esos atentados no tienen por qué ser cruentos —prosiguió el señor Vladimir, como si diera una conferencia científica—, pero han de ser bastante alarmantes... eficaces. Que sean contra edificios, por ejemplo. ¿Cuál es el fetiche de moda reconocido por toda la burguesía? ¿Eh, señor Verloc?

El señor Verloc mostró las manos abiertas y se encogió ligeramente de hombros.

—Es usted demasiado indolente para pensar —fue el comentario del señor Vladimir ante aquel gesto—. Preste atención a lo que le digo. El fetiche actual no es ni la realeza ni la religión. En consecuencia, palacio e iglesia deben dejarse en paz. ¿Comprende lo que le digo, señor Verloc?

La consternación y el desprecio del señor Verloc hallaron cauce en un intento de frivolidad.

—Perfectamente. Pero ¿qué hay de las embajadas? Una serie de ataques a varias embajadas —empezó diciendo; pero no pudo soportar la mirada fría y vigilante del Primer Secretario.

—Veo que puede usted ser gracioso —observó este último, sin darle importancia—. Eso está muy bien. Puede dar vivacidad a su oratoria en los congresos socialistas. Pero esta habitación no es el lugar adecuado. Sería infinitamente más seguro para usted seguir con atención lo que le estoy diciendo. Como lo que se le pide son hechos en lugar de patrañas, le conviene tratar de sacar provecho de lo que me estoy tomando el trabajo de explicarle. El fetiche sacrosanto es hoy en día la ciencia. ¿Por qué no consigue que algunos de sus amigos arremetan contra ese mascarón de proa, eh? ¿No forma parte de esas instituciones que hay que barrer para que el F. P. prospere?

El señor Verloc no dijo nada. Tenía miedo de abrir los labios por si se le escapaba un gemido.

—Eso es lo que deberían intentar. Un atentado contra una testa coronada o un presidente es bastante sensacional en cierto modo, pero no tanto como solía. Ha ingresado en la concepción general de la existencia de todos los jefes de estado. Resulta casi convencional, sobre todo dado que tantos presidentes han sido asesinados. Ahora bien: supongamos un atentado contra, digamos, una iglesia. Bastante horrible a primera vista, sin duda, y sin embargo no lo bastante eficaz como una persona de mente corriente podría pensar. Por revolucionario y anarquista que sea en principio, habría suficientes tontos como para dar a un atentado de esa naturaleza el carácter de una manifestación religiosa. Y eso en detrimento del particular significado de alarma que pretendemos darle al acto. Un intento de asesinato en un restaurante o un teatro podría igualmente sugerir una pasión no política; la exasperación de un sujeto hambriento, un acto de venganza social. Todo eso está gastado; ya no resulta instructivo, como lección objetiva, en el anarquismo revolucionario. Todo periódico cuenta con frases hechas para dar a tales manifestaciones una explicación convincente. Me dispongo a explicarle la filosofía del atentado con bomba desde mi punto de vista; desde el punto de vista al que usted pretende haber estado sirviendo los últimos once años. Intentaré hacerme entender. La sensibilidad de la clase a la que ustedes atacan se debilita pronto. La propiedad les parece una cosa indestructible. No se puede contar por mucho tiempo con sus emociones, sean de lástima o de miedo. Para que un atentado con bomba tenga actualmente cierta influencia sobre la opinión pública, debe ir más allá de la intención de venganza o de acto terrorista. Debe ser puramente destructivo. Debe ser eso, y sólo eso, ajeno a la más leve sugerencia de todo otro motivo. Ustedes los anarquistas deben dejar claro que están absolutamente resueltos a barrer por completo toda la estructura social. Pero ¿cómo lograr que esa idea abrumadoramente absurda penetre en la cabezas de la clase media de tal manera que no haya confusión posible? Ésa es la cuestión. Dirigiendo los golpes a algo ajeno a las pasiones corrientes de la humanidad: ésa es la respuesta. Está, naturalmente, el arte. Una bomba en la National Gallery provocaría cierto ruido. Pero no sería lo bastante grave. El arte no ha sido nunca para ellos una obsesión. Sería como romperle a un hombre algunas ventanas traseras de su casa, cuando para ponerlo realmente en vilo habría que intentar cuando menos volarle el techo. Por supuesto que habría un cierto escándalo, pero ¿por parte de quién? De los artistas, los críticos de arte y semejantes, gente que apenas cuenta. A nadie le importa lo que digan. En cambio, está el saber, la ciencia. Cualquier imbécil que cuente con ingresos cree en ella. Ignora por qué, pero cree que importa de algún modo. Es el fetiche sacrosanto. Todos los malditos profesores son en su fuero íntimo radicales. Hagan que se enteren de que también su gran figurón ha de irse para dejar sitio al Futuro del Proletariado. Un clamor por parte de todos esos idiotas intelectuales ayudará seguramente al progreso de los trabajos del Congreso de Milán. Escribirán a los periódicos. Su indignación estará por encima de toda sospecha, al no haber intereses materiales en juego, y el atentado hará que se agiten todos los egoísmos de la clase a la que se debe asustar. Ellos creen que, de un modo misterioso, la ciencia está en el origen de su prosperidad material. Lo creen. Y la absurda ferocidad de una demostración semejante los afectará más profundamente que el arrasamiento de una calle —o un teatro— colmada de los suyos. Ante tal cosa siempre pueden decir: «¡Oh!, se trata de simple odio de clase.» Pero ¿qué cabe decir frente a un acto de ferocidad destructiva tan absurdo que resulta incomprensible, inexplicable, punto menos que impensable, en realidad, demencial? Sólo la locura es verdaderamente aterradora, en cuanto que no se la puede aplacar con la amenaza, la persuasión, el soborno. Por otra parte, yo soy un hombre civilizado. Jamás soñaría con encomendarle la organización de una carnicería, incluso si esperase sacar el mejor partido de ello. Tampoco esperaría de una carnicería el resultado que deseo. El crimen está siempre con nosotros. Es casi una institución. La demostración debe ser contra el saber, contra la ciencia. Pero cualquier ciencia no servirá. El ataque debe poseer toda la chocante insensatez de la blasfemia gratuita. Puesto que las bombas son vuestro medio de expresión, sería realmente elocuente poder arrojarle una a la matemática pura. Pero eso es imposible. Intentando educarlo, le he expuesto la filosofía superior de su utilidad y le he sugerido algunos argumentos aprovechables. La aplicación práctica de mi enseñanza le interesa principalmente a usted. Pero desde el momento en que convine en entrevistarlo he dedicado también cierta atención al aspecto práctico del asunto. ¿Qué le parece si hace una prueba con la astronomía?

Ya hacía un rato que la inmovilidad del señor Verloc junto al sillón se parecía a la postración de un estado de coma, una especie de pasiva insensibilidad interrumpida por leves arranques convulsivos, como la que puede observarse en el perro doméstico que está sufriendo una pesadilla mientras duerme sobre la alfombrilla delante del hogar. Y fue con un inquieto gruñido perruno como repitió aquella palabra:

—Astronomía.

Todavía no se había recuperado enteramente del estado de aturdimiento suscitado por el esfuerzo de seguir la rápida e incisiva exposición del señor Vladimir. Esta última había superado su poder de asimilación. Lo había irritado. Una irritación incrementada por la incredulidad. Y súbitamente se le ocurrió que todo aquello era una estudiada broma. El señor Vladimir exhibía su blanca dentadura en una sonrisa de autosatisfacción, con hoyuelos en su redondo rostro lleno inclinado por encima del encrespado lazo de la corbata. El favorito de las señoras de sociedad inteligentes había adoptado la actitud de salón con que acompañaba el alumbramiento de sus finas agudezas. Sentado bien adelante, la blanca mano en alto, parecía sostener delicadamente entre el pulgar y el índice la sutileza de su sugerencia.

—Nada podría ser mejor. Una atrocidad como ésa combina la mayor de las consideraciones posibles por la humanidad con la más alarmante muestra de feroz imbecilidad. Desafío el ingenio de los periodistas para persuadir a su público de que un miembro cualquiera del proletariado pueda tener un agravio personal contra la astronomía.

Sería difícil traer a colación el hambre de los trabajadores, ¿eh? Y hay otras ventajas. Todo el mundo civilizado ha oído hablar de Greenwich. Hasta los limpiabotas del subsuelo de la estación de Charing Cross saben algo al respecto. ¿Se da cuenta?

Los rasgos del señor Vladimir, tan bien conocidos en la mejor sociedad por su cortés gracejo, resplandecieron con una cínica satisfacción, que hubiera asombrado a aquellas inteligentes mujeres a las que su ingenio entretenía tan exquisitamente.

—Sí —prosiguió, con una sonrisa despectiva—, la voladura del primer meridiano levantará seguramente un clamor de execración.

—Un asunto difícil —farfulló el señor Verloc, sintiendo que era el único comentario inocuo posible.

—¿Qué pasa? ¿No tiene usted a toda la banda bajo control? ¿A la flor y nata? Está aquí el viejo terrorista Yundt. Lo veo casi a diario andando por Piccadilly con su cogotera* verde. Y no me diga que no sabe dónde está Michaelis, el apóstol en libertad condicional. Porque en ese caso, yo puedo decírselo —continuó el señor Vladimir en tono amenazador—. Si se imagina que es usted el único que está en la lista del fondo secreto, se equivoca.

Esta insinuación totalmente gratuita hizo que el señor Verloc moviera levemente los pies en ademán de impaciencia.

—Y la banda completa de Lausana, ¿eh? ¿No se han estado congregando aquí ante el primer indicio del Congreso de Milán? Este país es absurdo.

—Costará dinero —dijo el señor Verloc, casi instintivamente.

—De eso nada —replicó el señor Vladimir con un acento asombrosamente inglés—. Usted tendrá su paga todos los meses y nada más hasta que ocurra algo. Y si no ocurre nada muy pronto, ni siquiera eso. ¿Cuál es su ocupación visible? ¿De qué se supone que vive?

---

* Paño para recubrir el quepis, que protege asimismo el cuello del soldado. [N. del T.]

—Tengo una tienda —respondió el señor Verloc.

—¡Una tienda! ¿Qué clase de tienda?

—Papelería, periódicos. Mi esposa...

—¿Su qué? —lo interrumpió el señor Vladimir en su gutural tono centroasiático.

—Mi esposa —el señor Verloc levantó ligeramente su ronca voz—. Estoy casado.

—¡Que me aspen! —exclamó el otro con auténtico asombro—. ¡Casado! ¡Nada menos que usted, un anarquista profesional! ¿Qué significa este disparate? Pero supongo que no es más que una manera de hablar. Los anarquistas no se casan. Es bien sabido. No pueden. Sería como apostatar.

—Mi esposa no lo es —musitó hoscamente el señor Verloc—. Además, no es cosa suya.

—Oh, sí que lo es —replicó cortante el señor Vladimir—. Estoy empezando a convencerme de que usted no es en absoluto el hombre indicado para el trabajo que tiene encomendado. Como que con ese matrimonio debe usted haberse desacreditado completamente en su propio mundo... ¿No podía haberse pasado sin él? Es su vínculo virtuoso, ¿eh? Lo que pasa es que entre vínculos de una u otra clase está usted acabando con su utilidad.

El señor Verloc hinchó de aire las mejillas, lo dejó escapar violentamente, y sanseacabó. Se había armado de paciencia y no se le podía poner a prueba por mucho más tiempo. El Primer Secretario se volvió de pronto sumamente tajante, distante, definitivo.

—Ahora puede irse —dijo—. Hay que provocar un atentado con dinamita. Le doy un mes de plazo. Las sesiones del Congreso se encuentran suspendidas. Antes de que se reanuden tiene que haber ocurrido algo aquí, o cesará su relación con nosotros.

Con perturbadora ductilidad varió el tono una vez más.

—Reflexione sobre mi filosofía, señor... señor... Verloc —dijo con una suerte de burlona condescendencia, señalando la puerta con un ademán—. Ataque ese primer meridiano. Usted no conoce a la clase media tan bien como yo. Tienen la sensibilidad estragada. El primer meridiano. Nada mejor, y nada más fácil, diría yo.

Se había puesto de pie y con los finos labios sensitivos contrayéndosele en una mueca divertida observó por el espejo de encima de la repisa de la chimenea al señor Verloc, que retrocedía torpemente de espaldas para abandonar la habitación, sombrero y bastón en mano. La puerta se cerró.

El lacayo de pantalón marrón, que apareció súbitamente en el pasillo, condujo al señor Verloc por otra salida y a través de una pequeña puerta en una esquina del patio. El portero, de pie en la entrada principal, no prestó la menor atención a su salida; y el señor Verloc rehízo el sendero de su peregrinaje matutino como sumido en un sueño: un sueño colérico. Su aislamiento del mundo material fue tan completo que, aunque la envoltura mortal del señor Verloc no se había dado una prisa indebida por las calles, aquella parte de él, a la cual sería injustamente descortés negarle la inmortalidad, se encontró de repente ante la tienda, como si hubiera sido transportada de oeste a este en alas de un gran viento. Se encaminó directamente a la parte de atrás del mostrador y se sentó en una silla de madera que allí había. Nadie se presentó a perturbar su soledad. Stevie, con un gran delantal de bayeta verde, se encontraba ahora arriba barriendo y quitando el polvo, concentrada y concienzudamente, como si aquello fuera un juego; y la señora Verloc, advertida en la cocina por el martilleo de la campanilla rota, se había limitado a acercarse a la puerta acristalada de la sala del fondo, apartar un poco la cortinilla y atisbar el interior de la tienda en penumbras. Viendo allí a su esposo sentado, sombrío y voluminoso, con el sombrero echado hacia atrás, en la parte posterior de la cabeza, había retornado inmediatamente a la cocina. Transcurrida una hora o más, le quitó a su hermano Stevie el delantal de bayeta verde y le mandó lavarse las manos y la cara, en el tono perentorio que venía empleando en tales menesteres desde hacía unos quince años, de hecho, desde que dejara de ocuparse ella personalmente de las manos y la cara del chico. Poco después apartó por un momento la vista de su tarea para inspeccionar aquella cara y aquellas manos que Stevie, aproximándose a la mesa de la cocina, le exhibía para su aprobación con un aire de seguridad que ocultaba un perpetuo residuo de temor. Antiguamente la ira del padre era la sanción máxima en estos asuntos rituales, pero la placidez del señor Verloc en la vida doméstica habría hecho que la mera mención de una reacción colérica resultase increíble, incluso para el pobre y aprensivo Stevie. Se suponía que cualquier deficiencia en materia de limpieza a la hora de las comidas habría apenado y sorprendido inexpresablemente al señor Verloc. Tras la muerte de su padre, Winnie halló considerable consuelo en sentir que ya no tenía que temblar por el pobre Stevie. No soportaba ver sufrir al chico. La sacaba de quicio. De niña, con frecuencia se había enfrentado con ojos de furia al irascible tabernero, en defensa de su hermano. Ahora, nada en el aspecto de la señora Verloc inducía a suponer que fuese capaz de expresar apasionamiento.

Terminó de servir los platos. La mesa estaba puesta en el salón. Fue hasta el pie de la escalera y gritó:

—¡Madre! —después, abriendo la puerta acristalada que conducía a la tienda—: ¡Adolf! —El señor Verloc no había cambiado de postura; al parecer había estado hora y media sin mover siquiera ligeramente un solo miembro. Se levantó pesadamente y fue a cenar con el abrigo y el sombrero puestos, sin pronunciar palabra. Su silencio en sí no tenía nada de insólito en aquella casa, oculta en las sombras de una sórdida calle, rara vez visitada por el sol, en el cuarto trasero de aquella tienda mal iluminada, con un deleznable género por mercancía. Pero aquel día el talante taciturno del señor Verloc era tan evidentemente pensativo que impresionó a las dos mujeres. Ellas mismas permanecieron calladas, con un ojo vigilante sobre el pobre Stevie, no fuera que a éste le viniese uno de sus accesos de locuacidad. Enfrentado al señor Verloc al otro lado de la mesa, el muchacho se mantuvo muy compuesto y callado, con la mirada perdida. La tarea de evitar que mereciese cualquier tipo de objeciones por parte del amo de la casa no dejaba de causar considerable ansiedad en la vida de aquellas dos mujeres. «El chico», como quedamente lo llamaban entre ellas, había sido una fuente de esa clase de ansiedad casi desde el propio día de su nacimiento. La humillación del difunto tabernero por tener por hijo a tan peculiar criatura se manifestaba por una propensión a tratarlo brutalmente; porque él era una persona delicadamente sensible, y su mortificación como hombre y como padre era perfectamente genuina. Más adelante hubo que impedir que Stevie resultara una molestia para los caballeros inquilinos que constituyen también ellos una curiosa especie y se enojan con facilidad. Y estaba siempre presente el temor por su mera existencia. Las visiones de la enfermería de un hospicio para su hijo siempre habían atormendado a la anciana en el sótano de los desayunos de la deteriorada casa de Belgravia. Solía decirle a su hija: «Si tú no hubieras dado con un esposo tan bueno, querida, no sé qué hubiera sido de ese pobre chico.»

El señor Verloc prestaba tanta atención a Stevie como la que un hombre no especialmente amante de los animales puede prestar al gato mimado de su esposa; esa atención, benevolente y superficial, era en esencia de la misma índole. Ambas mujeres admitían en su fuero íntimo que no cabía razonablemente esperar mucho más. Alcanzaba para que el señor Verloc se ganase la reverente gratitud de la anciana. Al principio, con el escepticismo propio de las tribulaciones de una vida sin amigos, ella solía preguntar ansiosamente de vez en cuando: «¿No crees, querida, que el señor Verloc se está cansando de ver a Stevie a su alrededor?» A lo cual Winnie generalmente respondía con una leve sacudida de cabeza hacia atrás. Una vez, sin embargo, replicó, con una vivacidad bastante ruda: «Primero tendrá que cansarse de mí.» A lo que siguió un largo silencio. La madre, con los pies en alto apoyados en un taburete, parecía estar tratando de llegar al fondo de aquella respuesta, cuya femenina profundidad la dejaba perpleja. Ella nunca había entendido realmente por qué Winnie se había casado con el señor Verloc. Había sido muy sensato de su parte, y evidentemente había sido para bien, pero habría sido natural que la muchacha tuviese esperanzas de encontrar a alguien de una edad más adecuada. Había habido un joven formal, hijo único del carnicero de la calle adyacente, que ayudaba a su padre en el negocio y con quien Winnie había estado saliendo con visible complacencia.

Es verdad que él dependía de su padre; pero el negocio

era bueno y las perspectivas del muchacho excelentes. Había llevado a su niña al teatro varias noches. Y entonces, precisamente cuando empezaba a temer que le dijeran que se comprometían (pues ¿qué podría haber hecho ella sola con aquella gran casa, con Stevie a su cargo?), el romance tuvo un final brusco, y Winnie anduvo aparentemente muy desanimada. Pero con la providencial aparición del señor Verloc que ocupaba el dormitorio de frente en la primera planta, la cuestión del joven carnicero se extinguió. Aquello fue claramente providencial.

Capítulo III

TODA idealización empobrece la vida. Embellecerla es quitarle su carácter de complejidad: es destruirla. Deja eso a los moralistas, muchacho. La historia la hacen los hombres, pero no en su cabeza. Las ideas que nacen en su conciencia desempeñan un papel insignificante en el desarrollo de los acontecimientos. La historia está dominada y determinada por la herramienta y la producción. El capitalismo ha creado al socialismo, y las leyes hechas por el capitalista para proteger la propiedad son el origen del anarquismo. Nadie puede decir qué forma puede tomar en el futuro la organización social. Luego, ¿a qué incurrir en fantasías proféticas? En el mejor de los casos sólo pueden interpretar la mente del profeta y no pueden tener ningún valor objetivo. Deja ese pasatiempo para los moralistas, muchacho.

Michaelis, el apóstol en libertad condicional, que estaba hablando en un tono uniforme, resollaba al hablar, con una voz como sofocada y oprimida por la capa de grasa del pecho. Había salido de una prisión sumamente higiénica redondo como un tonel, con el estómago enorme y la piel de las abotagadas mejillas pálida y semitransparente, como si durante quince años los servidores de una sociedad indignada se hubieran empeñado en engordarlo a propósito en un sótano húmedo y sin luz. Y desde entonces no había conseguido nunca bajar de peso ni siquiera una onza.

Se decía que una anciana dama muy rica lo había enviado tres temporadas seguidas a curarse en Marienbad, donde una vez estuvo a punto de compartir la atención pública con una cabeza coronada, aunque en esa ocasión la policía le ordenó que se fuese, con un plazo de doce horas. Su martirio prosiguió con la prohibición absoluta de acceder a las aguas curativas. Pero ahora estaba resignado.

Con el codo —que no presentaba la menor apariencia de ser una articulación, sino más bien el doblez del brazo de algún muñeco— puesto descuidadamente sobre el respaldo de una silla, se inclinó un poco hacia adelante para escupir en el fuego por encima de sus cortos y enormes muslos.

—¡Sí! Tuve tiempo de reflexionar un poco —añadió sin énfasis—. La sociedad me ha brindado tiempo en abundancia para meditar.

Al otro lado de la chimenea, en el sillón relleno de crin que la madre de la señora Verloc tenía generalmente el privilegio de ocupar, Karl Yundt emitió, con la leve mueca negra de una boca desdentada, una risita amarga. El terrorista, como se llamaba a sí mismo, estaba viejo y calvo, y una angosta barba de chivo, blanca como la nieve, le colgaba fláccidamente del mentón. Una extraordinaria expresión de solapada malevolencia sobrevivía en sus ojos apagados. Cuando con dificultad se puso de pie, el ademán de adelantar su vacilante mano esquelética, deformada por hinchazones gotosas, evocó el esfuerzo de un moribundo que reúne todas sus restantes fuerzas para asestar una puñalada final. Se apoyó en un grueso bastón, que tembló bajo su otra mano.

—Siempre he soñado —voceó furibundo— con un grupo de hombres absolutamente resueltos a prescindir de todo escrúpulo en la elección de los medios, lo suficientemente fuertes como para darse a sí mismos francamente el nombre de destructores, y libres de la mácula de ese resignado pesimismo que corrompe al mundo. Ninguna piedad por nada en la tierra, incluidos ellos mismos, y la muerte alistada para siempre al servicio de la humanidad: eso es lo que me habría gustado ver.

Un temblor de su pequeña cabeza calva impartió una cómica vibración a la blanca barba de chivo. Su elocución habría resultado casi totalmente ininteligible para un extranjero. Su exhausta pasión, semejante en su impotente fiereza a la exaltación de un sensualista senil, estaba pobremente servida por una garganta seca y unas encías desdentadas que parecían trabarle la punta de la lengua. El señor Verloc, acomodado en un rincón del sofá al otro extremo de la habitación, emitió dos enérgicos gruñidos de asentimiento.

El viejo terrorista hizo girar lentamente la cabeza a uno y otro lado sobre su descarnado cuello.

—Y jamás conseguí reunir ni siquiera tres hombres de esa especie. Ahí tienen usted y su putrefacto pesimismo —dijo colérico dirigiéndose a Michaelis, quien descruzó sus gruesas piernas que parecían almohadas cameras, y deslizó bruscamente los pies bajo la silla en un gesto exasperado.

¡Pesimista él! ¡Ridículo! Gritó que aquella acusación era injuriosa. Tan lejos estaba él del pesimismo, que veía ya el advenimiento del fin de la propiedad privada como algo lógico, inevitable, por simple evolución de su ínsita perversidad. Los dueños de la propiedad tenían que enfrentarse no sólo con el proletariado consciente, sino que también tenían que luchar entre ellos. Sí. La lucha, el conflicto, era la condición de existencia de la propiedad privada. Era fatal. ¡Ah!, para mantener vivas sus creencias, él no dependía de una exaltación emocional, ni de discursos, ni de la indignación, ni de visiones con ondeantes banderas rojo sangre, ni de metafóricos y deslumbrantes soles de venganza alzándose sobre el horizonte de una sociedad condenada. ¡Él no! La fría razón, se jactaba, era la base de su optimismo. Sí, optimismo...

Su trabajoso resuello se interrumpió, y luego, tras un par de jadeos, Michaelis añadió:

—¿No le parece que, si no fuera optimista como soy, en quince años podría haber encontrado el modo de cortarme la garganta? Y en último caso, siempre estaban las paredes de mi celda para romperme el cráneo contra ellas.

Lo exiguo del aliento privaba a su voz de todo el fuego, de cualquier entusiasmo; las amplias y pálidas mejillas le colgaban como sacos rellenos, inmóviles, sin un temblor; pero en sus ojos azules, entrecerrados como si escrutase el horizonte, lucía la misma mirada de confiada astucia, un tanto insensata en su persistencia, que debían mostrar mientras el indomable optimista meditaba sentado por la noche en su celda. Karl Yundt permanecía de pie ante él, con un ala de su descolorida cogotera verduzca descuidadamente echada sobre el hombro. Sentado delante de la chimenea, el camarada Ossipon, ex estudiante de medicina, principal redactor de los folletos del F. P., extendía las robustas piernas manteniendo las suelas de las botas hacia las ascuas en la rejilla. Una mata de ondulado cabello amarillo coronaba su rostro colorado y pecoso, con la nariz achatada y la boca prominente vaciada en un molde basto típicamente de negro. Sus ojos almendrados miraban lánguidamente de soslayo por encima de los altos pómulos. Vestía una camisa gris de franela, con los extremos de una desanudada corbata de seda negra colgando encima de la pechera abotonada de su chaqueta de sarga; y con la cabeza apoyada en el respaldo del asiento, la garganta completamente expuesta, se llevaba a los labios el cigarrillo metido en una larga boquilla de madera, lanzando bocanadas de humo directamente hacia el techo.

Michaelis prosiguió exponiendo su idea —la idea, en su soledad de recluso—, una línea de pensamiento gestada en el cautiverio y posibilitada por éste, desarrollada a la manera de una fe fundada en visiones reveladas. Hablaba consigo mismo, indiferente a la simpatía o la hostilidad de sus oyentes, indiferente en realidad a su presencia, debido a la costumbre adquirida de pensar en voz alta y esperanzadamente en la soledad de las cuatro paredes encaladas de su celda, en el silencio sepulcral de aquella gran mole de una sola pieza de ladrillo próxima a un río, siniestra y fea como una morgue colosal para los sofocados socialmente.

Él no servía para discutir, no porque una posible multiplicidad de argumentos fuera a conmover su fe, sino porque el mero hecho de oír otra voz lo desconcertaba dolorosamente y ponía en desorden sus ideas, aquellos pensamientos que durante tantos años —en una soledad intelectual más yerma que un desierto reseco— ninguna voz había combatido, comentado o aprobado.

Nadie lo interrumpía ahora, y volvió a hacer profesión

de su fe, que lo dominaba de un modo irresistible y total, como un acto de gracia: el secreto del destino descubierto en el aspecto material de la existencia; la situación económica mundial que explicaba el pasado y modelaba el futuro; origen de todas las ideas, guía del desarrollo mental de la humanidad y hasta de sus propios impulsos pasionales...

Una risotada del camarada Ossipon cortó en seco la perorata, con una súbita vacilación de la lengua y una azorada perplejidad en los ojos discretamente exaltados del apóstol, que los cerró lentamente por un momento, como para restaurar el orden en sus pensamientos. Se hizo un silencio; pero entre los dos mecheros a gas de la pared encima de la mesa y las ascuas resplandecientes en la chimenea, la pequeña sala trasera de la tienda del señor Verloc se había calentado en exceso. El señor Verloc, levantándose del sofá visiblemente contrariado, abrió la puerta que daba a la cocina para ventilar la habitación, con lo cual dejó al descubierto al inocente Stevie, sentado, muy juicioso y callado, a una mesa de pino, dibujando círculos y más círculos; innumerables círculos, concéntricos, excéntricos; un chispeante remolino de círculos que, por la enmarañada multiplicidad de las reiteradas curvas, la uniformidad formal y la confusión de intersecciones de las líneas, sugería una representación del caos cósmico, el simbolismo de un arte demencial que pretendiese expresar lo inconcebible. El artista no volvió en ningún momento la cabeza; y aplicado con toda el alma a su tarea, le temblaba la espalda, y su delgado cuello, hundido en una profunda oquedad en la base del cráneo, parecía a punto de quebrarse.

El señor Verloc, tras un admonitorio gruñido de sorpresa, retornó al sofá. Alexander Ossipon, a quien el techo bajo hizo parecer más alto con su raído traje azul de sarga, se puso de pie, aventó sus miembros entumecidos por una prolongada inmovilidad y se encaminó lentamente hacia la cocina (dos escalones más abajo) a mirar por encima del hombro de Stevie. Al regresar dijo, en tono magistral:

—Muy bueno. Muy característico, perfectamente típico.

—¿Qué es lo muy bueno? —gruñó inquisitivamente el señor Verloc, instalado de nuevo en el extremo del sofá. El otro se explicó como al descuido, con un toque de condescendencia e indicando la cocina con un movimiento de la cabeza:

—Típico de esa forma de degeneración... me refiero a los dibujos.

—Usted llamaría degenerado a ese muchacho, ¿verdad? —masculló el señor Verloc.

El camarada Alexander Ossipon —alias El Doctor, ex estudiante de medicina, sin título; posteriormente conferenciante ambulante en asociaciones obreras sobre los aspectos socialistas de la higiene; autor de un conocido estudio cuasi-médico (bajo la forma de un panfleto barato prontamente secuestrado por la policía) titulado «Los corrosivos vicios de las clases medias»; delegado especial (junto con Karl Yundt y Michaelis) del más o menos misterioso Comité Rojo, para la tarea de propaganda escrita— dirigió a aquel oscuro conocido de al menos dos embajadas esa insufrible mirada de suficiencia, irremediablemente densa, que únicamente el contacto habitual con la ciencia puede otorgar a la opacidad del común de los mortales.

—Así es como cabe llamarlo, científicamente. Muy buen ejemplar además, en conjunto, de ese tipo de degenerado. Vale la pena fijarse en los lóbulos de las orejas. Leyendo a Lombroso...[1].

El señor Verloc, mosqueado y arrellenado en el sofá, siguió mirándose la hilera de botones de su chaleco, pero sus mejillas se tiñeron de un leve sonrojo. De un tiempo a esta parte, hasta el más sencillo derivado de la palabra ciencia

---

[1] Cesare Lombroso (1835-1909) fue un célebre estudioso de la antropología criminal cuyas ideas tuvieron una polémica resonancia en los últimos decenios del siglo XIX y principios del XX. La tesis fundamental de sus ideas descansa sobre la concepción patológica tanto del delincuente como del genio. Sus ideas sobre el delito como fruto de una mente enferma dieron paso a la noción de que el delincuente debería ser curado, no castigado. Las ideas que más se popularizaron de sus obras, sin embargo, se refieren a la correlación entre los rasgos físicos del individuo y la inclinación a la delincuencia. Conrad, de forma irónica, aplica algunos de los rasgos de las descripciones de degenerados y delincuentes, según Lombroso, a los propios anarquistas a quienes retrata; para una discusión más detallada, véase Norman Sherry, *op. cit.*, págs. 274-277.

(un término en sí mismo inofensivo y de vago significado) tenía el extraño poder de invocar en su mente una visión decididamente desagradable del señor Vladimir como si lo tuviese enfrente, con una nitidez casi sobrenatural. Y este fenómeno, que merecería con justicia ser clasificado entre las maravillas de la ciencia, inducía en el señor Verloc un estado emocional de exasperada aprensión, que tendía a manifestarse en violentas palabrotas. Pero no dijo nada. A quien se oyó fue a Karl Yundt, implacable hasta el último aliento.

—Lombroso es un burro.

El camarada Ossipon afrontó la sorpresa de aquella blasfemia con una mirada de tremendo estupor. Y el otro, cuyos ojos apagados y sin brillo intensificaban las profundas sombras bajo la gran frente huesuda, barbotó, con la punta de la lengua trabándosele entre los labios cada dos palabras, como si la masticara con rabia:

—¿Habráse visto alguna vez un idiota semejante? Para él, el delincuente es el preso. Sencillo, ¿verdad? ¿Y qué hay de quienes lo encerraron allí, de los que lo metieronn allí por la fuerza? Exactamente: lo metieron allí por la fuerza. ¿Y qué es el delito? ¿Lo sabe él, ese imbécil que se ha abierto camino en este mundo de tontos atiborrados fijándose en las orejas y los dientes de un montón de pobres diablos desafortunados? ¿Los dientes y las orejas identifican al delincuente? ¿De veras? ¿Y qué me dicen de la ley, esa especie de instrumento de marcar ganado inventado por los sobrealimentados para protegerse de los hambrientos, que lo señala todavía mejor? El hierro al rojo aplicado sobre su despreciable piel, ¿eh? ¿No oléis y oís desde aquí arder y sisear la gruesa epidermis del pueblo? Es así como se fabrican los criminales, para que vuestros Lombrosos escriban estupideces sobre ellos.

La pasión hacía que sus piernas y la empuñadura del bastón le temblasen al unísono, en tanto que el tronco, bajo los pliegues de la cogotera, conservaba su histórica actitud desafiante. Parecía husmear el aire corrupto de la crueldad social, aguzar los oídos para percibir sus atroces sonidos. Había en su postura un extraordinario poder de sugestión.

El prácticamente moribundo veterano de las guerras de la dinamita había sido en su tiempo un gran actor —un actor en los estrados, en las asambleas secretas, en privadas entrevistas. Personalmente, el famoso terrorista no había alzado nunca ni siquiera el meñique contra el edificio social. No fue en modo alguno hombre de acción, ni tampoco un orador de elocuencia torrencial de los que arrastran consigo a las masas en el fragor de una espumosa corriente de entusiasmo. Con intención más sutil, asumió el papel de descarado y ponzoñoso instigador de los siniestros impulsos que acechan en la ciega envidia y la vanidad exasperada de la ignorancia, en el sufrimiento y la desolación de la pobreza, en todas las esperanzadas y nobles ilusiones propias de la cólera, la piedad y la rebelión justas. La sombra de su maligno don lo impregnaba aún como el olor de una droga letal en un antiguo frasco de veneno, vacío ahora, inútil, listo para ser arrojado al basurero de las cosas que han dejado de servir.

Michaelis, el apóstol en libertad condicional, sonrió vagamente con los labios pegados; su pastosa cara de luna se inclinó bajo el peso de un melancólico asentimiento. Él mismo había estado preso. Su propia piel había siseado bajo el hierro al rojo, murmuró quedamente. Pero para entonces el camarada Ossipon, apodado El Doctor, había superado la conmoción.

—Usted no entiende —empezó diciendo en tono desdeñoso, pero se interrumpió enseguida, intimidado por la opaca negrura de los ojos cavernosos en el rostro que se volvía lentamente hacia él con una mirada ausente, como guiado sólo por el sonido. Con un leve encogimiento de hombros, renunció a la discusión.

Stevie, acostumbrado a andar por la casa sin que le prestasen atención, se había levantado de la mesa de la cocina, para llevarse consigo el dibujo a la cama. Había llegado a la puerta de la salita a tiempo para recibir de lleno el impacto de las elocuentes imágenes de Karl Yundt. La hoja de papel cubierta de círculos se le soltó de entre los dedos y cayó, mientras él se quedaba mirando fijamente al viejo terrorista, como súbitamente clavado en el sitio por un horror enfermizo y el espanto al dolor físico. Stevie sabía muy bien que el hierro candente sobre la piel duele muchísimo. Sus asustados ojos fulguraron indignados: dolería terriblemente. Se quedó con la boca abierta.

Mediante el arbitrio de mirar al fuego sin pestañear, Michaelis había recuperado la sensación de aislamiento necesaria para retomar el hilo de su pensamiento. Su optimismo había empezado a fluir de sus labios. Él consideraba al capitalismo condenado desde la cuna, nacido con el veneno del principio de competencia en su sistema vital. Veía a los grandes capitalistas devorando a los pequeños, concentrando el poder y las medios de producción en grandes conglomerados, perfeccionando procesos industriales, y en el frenesí del propio agigantamiento preparando, organizando, enriqueciendo, aprontando la legítima herencia del sufriente proletariado. Michaelis pronunció la gran palabra, «Paciencia», y la mirada de sus ojos azul pálido, elevada hacia el bajo cielo raso de la sala del señor Verloc, fue una manifestación de seráfica confianza. En el umbral, Stevie, serenado, parecía sumergido en un letargo mental.

El camarada Ossipon contrajo el rostro, exasperado.

—Entonces es inútil hacer nada. Completamente inútil.

—Yo no digo eso —protestó suavemente Michaelis. Su visión de la verdad se había hecho tan intensa que el sonido de una voz extraña no consiguió esta vez desbaratarla. Continuaba mirando las ascuas incandescentes. La preparación para el futuro era necesaria, y él estaba dispuesto a admitir que el gran cambio advendría tal vez en el cataclismo de una revolución. Pero sostenía que la propaganda revolucionaria era una tarea delicada, de alto nivel de conciencia. Se trataba de la educación de los amos del mundo. Debía ser tan cuidadosa como la educación que se da a los reyes. Él preferiría que sus principios fueran promovidos con cautela, hasta tímidamente, al ignorar el efecto de lo que podría resultar, mediante determinado cambio económico, sobre la felicidad, la moral, el intelecto, la historia de la humanidad. Pues la historia se hace con herramientas, no con ideas; y los condicionamientos económicos lo cambian todo: el arte, la filosofía, el amor, la virtud: ¡incluso la verdad!

Las ascuas de la chimenea se asentaron con un leve crujido; y Michaelis, el ermitaño de visiones en el desierto de una penitenciaría, se puso impetuosamente de pie. Redondo como un globo hinchado, abrió los brazos cortos y gruesos, como en un patético intento por abrazar y estrechar contra su pecho a un autorregenerado universo. El ardor le hacía jadear.

—El futuro es tan manifiesto como el pasado: esclavitud, feudalismo, individualismo, colectivismo. Esto es el enunciado de una ley, no una profecía sin contenido.

El desdeñoso gesto en los gruesos labios del camarada Ossipon acentuó los rasgos negroides de su semblante.

—Tonterías —dijo, con bastante calma—. No existe ninguna ley ni certidumbre alguna. Al diablo con la propaganda didáctica. Lo que el pueblo sepa no importa, por preciso que llegue a ser su conocimiento. Lo único que nos importa es el estado emocional de las masas. Sin emoción, no hay acción.

Hizo una pausa y después añadió, con humilde firmeza:

—Ahora le estoy hablando científicamente... científicam... ¿eh?, ¿qué ha dicho usted, Verloc?

—Nada —gruñó desde el sofá el señor Verloc, quien, provocado por aquel término aborrecido, había sencillamente mascullado una maldición.

Se oyó entonces el ponzoñoso farfulleo del viejo terrorista desdentado.

—¿Saben ustedes cómo definiría yo la índole de la actual situación económica?: la llamaría caníbal. ¡Eso es lo que es! Están alimentando su voracidad con la carne temblorosa y la sangre tibia del pueblo, y nada más.

Stevie deglutió audiblemente aquella declaración aterradora y a continuación, como si hubiera sido un rápido veneno, se dejó caer sentado flácidamente en los escalones de la puerta de la cocina.

Michaelis no dio señales de haber oído nada. Sus labios parecían sellados para siempre; ni un temblor recorrió sus vastas mejillas. Con ojos preocupados buscó su duro sombrero redondo y se lo puso en su redonda cabeza. Su redondo y obeso cuerpo pareció flotar a baja altura entre las sillas bajo el agudo codo de Karl Yundt. El viejo terrorista alzó una mano vacilante que semejaba una garra para dar una airosa inclinación a un negro *sombrero*[2] de fieltro que ensombrecía los huecos y prominencias de su rostro consumido. Se puso lentamente en movimiento, golpeando a cada paso el suelo con su bastón. Su salida de la casa fue un asunto bastante complicado, pues cada dos por tres se detenía como a pensar, y no se dignaba volver a moverse hasta que era impelido hacia adelante por Michaelis. El amable apóstol lo cogía del brazo con fraterna solicitud; y tras ellos, con las manos en los bolsillos, bostezaba vagamente el robusto Ossipon. Una gorra azul con visera de charol bien calzada en la parte de atrás de su amarilla mata de cabello le daba el aspecto de un marino noruego aburrido del mundo al término de una borrascosa juerga. El señor Verloc acompañó a sus invitados hasta la salida, sin sombrero, con el grueso abrigo abierto, mirando al suelo.

Con violencia contenida cerró la puerta a espaldas de ellos, giró la llave, puso el cerrojo. No estaba satisfecho con sus amigos. A la luz de la filosofía lanzabombas del señor Vladimir, parecían irremediablemente inútiles. Dado que su papel en la política revolucionaria había sido el de observar, no era capaz de asumir de buenas a primeras, fuera en su casa o en asambleas mayores, la iniciativa de la acción. Tenía que ser cauteloso. Movido por la justa indignación de un hombre ya bien entrado en los cuarenta, amenazado en lo que le es más querido —su reposo y su seguridad—, se preguntó despectivamente qué otra cosa podía haberse esperado de una gente como aquélla, de gente como Karl Yundt, como Michaelis, como Ossipon.

Postergando el propósito de apagar el gas encendido en medio de la tienda, el señor Verloc descendió al abismo de las reflexiones morales. Pronunció su veredicto con la intuición de un temperamento afín. Un montón de haraganes. El tal Karl Yundt, al cuidado de una vieja de ojos legañosos, mujer que años atrás le había birlado a un amigo y de la que

---

[2] *Sombrero*, en español en el original. La palabra designa un tipo de sombrero de fieltro o paja y ala ancha común en México.

posteriormente más de una vez había intentado deshacerse arrojándola al arroyo. Suerte para él que la mujer persistiese en reaparecer una vez tras otra, pues si no, no habría habido quien lo ayudase a bajar del autobús junto a la reja de Green Park, donde todas las mañanas de buen tiempo aquel espectro se arrastraba en su paseo salutífero. Cuando aquella indomable y gruñona vieja bruja muriese, el vacilante espectro tendría que desaparecer a su vez: sería el final del fiero Karl Yundt.

También ofendía la moral del señor Verloc el optimismo de Michaelis, adoptado por la adinerada anciana, a quien últimamente le había dado por enviarlo a una casita que poseía en el campo. El ex presidiario podía pasarse los días vagabundeando por los umbríos senderos, en deliciosa y humanitaria inactividad. En cuanto a Ossipon, era cosa segura que aquel mendigo no carecería de nada mientras en el mundo existiesen jóvenes estúpidas con ahorros en el banco. El señor Verloc —temperamentalmente idéntico a sus compinches— establecía en su mente sutiles distinciones basadas en diferencias insignificantes. Lo hacía con cierta complacencia, porque la tendencia a una respetabilidad convencional —superada únicamente por la aversión a todo tipo estatuido de trabajo— era fuerte entre ellos: un defecto temperamental que él compartía con buen número de revolucionarios de determinada posición social. Pues obviamente uno no se rebela contra las ventajas y oportunidades de esa condición, sino contra el precio que hay que pagar por ella en términos de moral corriente, de autocontrol y de fatigas. Los revolucionarios son en su mayoría especialmente enemigos de la disciplina y la fatiga. Existen asimismo naturalezas para cuyo sentido de la justicia el precio exigido se presenta como algo monstruosamente enorme, odioso, opresivo, preocupante, humillante, gravoso, intolerable. Ésos son los fanáticos. La parte restante de rebeldes sociales obedece a la vanidad, madre de todas las ilusiones, nobles y viles, compañera de los poetas, los reformadores, los embaucadores, los profetas y los incendiarios.

Perdido durante un minuto entero en el abismo de la meditación, el señor Verloc no llegó a lo hondo de aquellas abstractas reflexiones. Tal vez no fuera capaz. En cualquier caso, no tuvo tiempo. Lo devolvió penosamente a la realidad el súbito recuerdo del señor Vladimir, otro de sus compinches, a quien en virtud de sutiles afinidades morales era capaz de juzgar correctamente. Lo consideraba peligroso. Una sombra de envidia se infiltró en sus pensamientos. La ociosidad estaba muy bien para aquellos tipos, que no conocían al señor Vladimir y tenían mujeres a las que recurrir; mientras que él tenía una mujer que mantener...

En este punto, una simple asociación de ideas colocó inevitablemente al señor Verloc ante la necesidad de irse a la cama en algún momento de esa noche. Así pues, ¿por qué no hacerlo ahora... de inmediato? Suspiró. La necesidad no le resultaba tan normalmente placentera como debería haberlo sido para un hombre de su edad y temperamento. Lo amedrentaba el demonio del insomnio, el cual —tenía la sensación— lo había marcado como víctima. Levantó un brazo y apagó la flameante lámpara de gas que estaba encima de su cabeza.

Una brillante franja de luz a través de la puerta de la sala iluminó la zona de la tienda detrás del mostrador. Ello permitió al señor Verloc calcular de una ojeada la cantidad de monedas de plata que había en la gaveta. No eran sino unas pocas; y por vez primera desde que abrió aquella tienda, hizo una evaluación comercial de su valor. El balance fue desfavorable. Él no se había dedicado al comercio por ningún motivo mercantil. Lo que lo había llevado a elegir aquella particular línea de actividad había sido una inclinación instintiva hacia las transacciones poco transparentes, en las que se recoge el dinero con facilidad. Además, eso no lo sacaba de su propia esfera, la que es objeto de vigilancia por la policía. Por el contrario, le otorgaba en esa esfera una posición públicamente admitida, y como el señor Verloc tenía inconfesadas relaciones que lo familiarizaban con la policía sin que ésta le preocupase, su situación le brindaba claras ventajas. Pero como medio de vida, el negocio era en sí mismo insuficiente.

Sacó del cajón la caja del dinero, y al volverse para abandonar la tienda se percató de que Stevie estaba todavía abajo.

«¿Qué demonios está haciendo ahí?», se preguntó el señor Verloc. «¿A qué vienen estas bufonadas?» Miró a su cuñado con incertidumbre, pero no le pidió una explicación. La relación del señor Verloc con Stevie se limitaba al eventual «mis botas» de alguna mañana formulado entre dientes, y aun eso era, más que una orden o petición directa, la notificación genérica de una necesidad. El señor Verloc se dio cuenta con cierta sorpresa de que no sabía realmente qué decirle a Stevie. Se quedó inmóvil en medio de la sala, mirando en silencio hacia la cocina. No sabía siquiera qué sucedería en el caso de que dijese algo. Y esto le pareció muy raro al señor Verloc considerando el hecho —que le vino súbitamente a la cabeza— de que él tenía que mantener también a aquella persona. Hasta entonces no había pensado ni por un momento en aquel aspecto de la existencia de Stevie.

No sabía positivamente cómo hablarle al muchacho. Lo observó gesticular y murmurar en la cocina. Stevie daba vueltas alrededor de la mesa como un animal excitado en su jaula. Como un «¿No convendría que te fueras ahora a la cama?», formulado tentativamente, no causó efecto alguno, el señor Verloc abandonó la absorta contemplación del comportamiento de su cuñado y cruzó fatigadamente la sala, con la caja del dinero en la mano. Puesto que la causa de la generalizada languidez experimentada mientras subía las escaleras era puramente mental, le alarmó su carácter inexplicable. Esperaba no estar enfermando. Se detuvo en el oscuro rellano a examinar sus sensaciones. Pero el leve y continuo sonido de un ronquido que invadía la oscuridad interfería en el discernimiento. El sonido venía del cuarto de su suegra. «Otra a quien mantener», pensó; y con ese pensamiento entró en el dormitorio.

La señora Verloc se había quedado dormida con el quinqué (arriba no había instalación de gas) encendido al máximo sobre la mesilla de noche. La deslumbrante luz que la pantalla arrojaba hacia abajo caía sobre la blanca almohada hundida por el peso de su cabeza, que reposaba con los ojos cerrados y el oscuro cabello recogido para la noche en varias trenzas. La despertó el sonido de su nombre en los oídos, y vio a su esposo de pie casi encima de ella.

—¡Winnie! ¡Winnie!

Al principio se quedó quieta, muy callada y mirando la caja del dinero en manos del señor Verloc. Pero cuando entendió que su hermano estaba abajo «bailoteando de un lado a otro», se sentó de golpe al borde de la cama. Mientras alzaba la cabeza para mirar el rostro de su esposo, sus pies descalzos, como asomados por la parte inferior de un saco de percal sin adornos y con mangas, firmemente abotonado en cuello y muñecas, tantearon en la alfombra buscando las pantuflas.

—Yo no sé cómo tratarlo —explicó malhumorado el señor Verloc—. No es conveniente dejarlo solo abajo con las luces.

Sin decir nada, ella se deslizó ágilmente atravesando la habitación, y la puerta se cerró tras su blanca figura.

El señor Verloc depositó la caja sobre la mesilla de noche e inició la operación de desvestirse arrojando el abrigo hacia una silla distante. Lo siguieron la chaqueta y el chaleco. Anduvo por el cuarto en calcetines, y su corpulenta figura, asiéndose con nerviosa preocupación la garganta con las manos, pasó una y otra vez de un lado al otro de la franja de espejo en la puerta del armario de su mujer. Seguidamente, tras bajarse los tirantes, enrolló con violencia la persiana y apoyó la frente contra la frialdad del vidrio de la ventana, frágil película interpuesta entre él y la enormidad de la fría, negra, húmeda, turbia, inhóspita acumulación de ladrillo, pizarra y piedra, elementos de por sí desagradables y hostiles para el hombre.

El señor Verloc sintió la latente hostilidad de todo lo exterior con una intensidad próxima a una verdadera angustia física. No existe una ocupación que frustre más completamente a un hombre que la de agente secreto de la policía. Es como si de pronto el caballo cayese muerto bajo tus piernas, en medio de una llanura deshabitada y árida. Al señor Verloc se le ocurrió la comparación porque en su momento había montado varios caballos del ejército y ahora tenía la sensación de una caída inminente. La perspectiva era tan negra como el vidrio de la ventana contra el cual tenía apoyada la frente. Y súbitamente el semblante del señor Vladimir, bien rasurado y sarcástico, apareció enmarcado en el halo resplandeciente de su tez rubicunda, como una especie de foca rosada, estampado sobre la luctuosa oscuridad.

Aquella luminosa y mutilada visión le resultó al señor Verloc físicamente tan horrible, que se apartó de la ventana, dejando caer la persiana con gran estrépito. Descompuesto y sin habla por el miedo a nuevas visiones de aquel tipo, contempló cómo su esposa volvía a entrar en la habitación y se metía en la cama con un aire sereno y una naturalidad que lo hicieron sentirse irremediablemente solo en el mundo. La señora Verloc manifestó su sorpresa al verlo todavía levantado.

—No me siento muy bien —murmuró él, pasándose la mano por la frente húmeda.

—¿Estás mareado?

—Sí. No estoy nada bien.

La señora Verloc, con toda la placidez de una esposa experta, expresó su confiada opinión acerca del motivo de aquel estado y sugirió los remedios habituales; pero su esposo, clavado en medio de la habitación, meneó tristemente la cabeza gacha.

—Te vas a resfriar ahí de pie —observó ella.

El señor Verloc hizo un esfuerzo, terminó de desvestirse y se metió en la cama. Abajo, en la estrecha calle tranquila, unos pasos acompasados se aproximaron a la casa y luego se extinguieron, firmes y sin prisa, como si el transeúnte hubiera empezado a medir con ellos la eternidad, de farol en farol, en una noche infinita; y el somnoliento tic tac del venerable reloj del rellano se volvió claramente audible en el dormitorio.

La señora Verloc, de espaldas y mirando al techo, hizo un comentario.

—Muy pocos ingresos hoy.

El señor Verloc, en la misma postura, se aclaró la garganta como para formular una declaración importante, pero simplemente inquirió:

—¿Cerraste el gas abajo?

—Sí —dijo la señora Verloc en tono ecuánime—. El pobre chico se encuentra en un estado de gran excitación esta noche —murmuró tras una pausa que abarcó tres pulsaciones del reloj.

Al señor Verloc le importaba un rábano la excitación de Stevie, pero se sentía horriblemente desvelado, y temeroso de la oscuridad y el silencio que advendrían al apagarse la lámpara. Ese temor lo llevó a hacer notar que Stevie no había hecho caso a su sugerencia de que se fuese a la cama. La señora Verloc, que cayó en la trampa, se puso a demostrarle extensamente a su esposo que no se trataba de ninguna «insolencia», sino de mera «excitación». No había en Londres un solo muchacho de su edad mejor dispuesto y más dócil que Stephen, afirmó; ninguno más cariñoso y presto a complacer, e incluso útil, siempre que la gente no le trastornase la pobre cabeza. Ansiosa de que él considerase a Stevie un miembro útil de la familia, la señora Verloc se volvió hacia su marido reclinado en la almohada, y apoyada en el codo se inclinó sobre él. El ardor de aquella compasión protectora, morbosamente exaltada en su infancia por el sufrimiento de otro niño, tiñó sus pálidas mejillas de un débil y oscuro sonrojo e hizo que sus grandes ojos destellasen bajo los sombríos párpados. La señora Verloc parecía entonces más joven: tanto como Winnie, y con mucha más animación de la que la Winnie de los días de la mansión de Belgravia se hubiera permitido mostrar nunca ante los caballeros allí hospedados. Las aprensiones habían impedido que el señor Verloc captase en absoluto el sentido de lo que su esposa había estado diciendo. Era como si la voz de ella le hablase desde el lado opuesto de una pared muy gruesa. Fue su aspecto lo que hizo que se recobrase.

Apreciaba a aquella mujer, y ese sentimiento de aprecio, estimulado por una muestra de algo semejante a la emoción, no hacía sino añadir un nuevo tormento a su agonía mental. Cuando la voz cesó, él se revolvió inquieto y dijo:

—Hace días que no me siento bien.

Puede que lo dijese como introducción a una amplia confidencia, pero la señora Verloc volvió a posar la cabeza en la almohada y, mirando hacia lo alto, continuó:

—Ese chico oye demasiado de lo que se habla en esta casa. Si hubiera sabido que venían esta noche, me hubiera ocupado de que se fuera a la cama al mismo tiempo que yo. Estaba como loco por algo que había escuchado acerca de comer carne humana y beber sangre. ¿De qué sirve hablar de esa manera?

Había en su tono una nota de indignado desprecio. El señor Verloc estaba ahora plenamente interesado.

—Pregúntaselo a Karl Yundt —gruñó con fiereza.

Con gran seguridad, la señora Verloc llamó a Karl Yundt «un viejo asqueroso». Declaró abiertamente su afecto hacia Michaelis. Del robusto Ossipon, en cuya presencia siempre se sentía incómoda tras una actitud de imperturbable reserva, no dijo nada en absoluto. Y continuando con el tema de aquel hermano que durante tantos años había sido objeto de cuidado y temores, dijo:

—No está preparado para oír lo que se dice aquí. Cree que todo es verdad. Carece de madurez. Se obsesiona con todo eso.

El señor Verloc no hizo comentario alguno.

—Cuando bajé me miró con cara seria, como si no me conociese. Le saltaba el corazón en el pecho. Él no puede evitar ser excitable. Desperté a mi madre y le pedí que se quedase con él hasta que se durmiese. No es culpa suya. Él no molesta cuando lo dejan en paz.

El señor Verloc no hizo ningún comentario.

—Ojalá nunca hubiera ido al colegio —dijo la señora Verloc, que bruscamente empezó a hablar otra vez—. Pasa el tiempo sacando del escaparate esos periódicos para leerlos. Se le enrojece el rostro de la intensidad con que los examina. No conseguimos librarnos de más de una docena de ejemplares al mes. No hacen más que ocupar lugar en el escaparate. Y todas las semanas el señor Ossipon trae una pila de esos panfletos del F. P. para vender a medio penique cada uno. Yo no daría medio penique por todos juntos. Es una lectura estúpida, eso es lo que es. No se vende. El otro día Stevie cogió uno, y venía una historia con un oficial del ejército alemán que casi le arrancaba una oreja a un recluta sin que le pasara nada por ello. ¡El muy bestia! Esa tarde Stevie estuvo imposible. Es que esa historia era como para hacerle hervir la sangre también a uno. Pero ¿qué sentido tiene publicar cosas como ésa? Aquí no somos esclavos alemanes, gracias a Dios. No es asunto nuestro, ¿no es cierto?

El señor Verloc no replicó.

—Tuve que quitarle al chico el cuchillo de trinchar —continuó la señora Verloc, ahora un poco somnolienta—. Gritaba y pateaba, sollozando. No soporta la idea de cualquier acto cruel. Si en ese momento hubiera tenido delante al oficial alemán, lo habría acuchillado como a un cerdo. ¡Con razón, además! Hay gente que no merece mucha compasión. —La voz de la señora Verloc cesó, y la expresión de sus ojos inmóviles se fue haciendo cada vez más contemplativa durante la larga pausa que siguió—. ¿Estás cómodo, querido? —preguntó en tono débil y distante—. ¿Quieres que apague ya la luz?

La temida convicción de que no habría sueño para él mantenía al señor Verloc mudo y desesperanzadamente inerte en su miedo a la oscuridad. Hizo un gran esfuerzo para responder.

—Sí. Apágala —dijo finalmente sin convicción.

Capítulo IV

LA mayoría de la treintena de mesitas, cubiertas con manteles rojos con un dibujo blanco, estaban colocadas en ángulo recto contra el oscuro friso de madera marrón del sótano. Unos candelabros de bronce con numerosos globos pendían del techo bajo, ligeramente abovedado, y las pinturas al fresco, vulgares, que cubrían por completo las paredes sin ventanas, representaban escenas de montería y de diversión al aire libre con trajes medievales. Unos lacayos de jubón verde blandían cuchillos de caza y alzaban jarras de espumosa cerveza.

—Si no me equivoco, usted es quien podría conocer los entresijos de este condenado asunto —dijo el robusto Ossipon inclinado hacia adelante, con los codos bien separados sobre la mesa y los pies totalmente metidos debajo de la silla. Sus ojos miraban fijamente con una ansiedad salvaje.

Un piano vertical de media cola, situado cerca de la puerta entre dos tiestos con palmeras, ejecutó de pronto, él solo y con ostentoso virtuosismo, una melodía de vals. Producía un estruendo ensordecedor. Cuando terminó —tan bruscamente como había empezado—, el desastrado hombrecillo de gafas que estaba enfrente de Ossipon, detrás de una gran jarra de cerveza, emitió con calma lo que sonó como una proposición general.

—En principio, lo que uno de nosotros pueda o no saber acerca de un hecho determinado cualquiera no ha de ser preguntado por los otros.

—Claro que no —convino el camarada Ossipon en voz baja y tono de sobrentendido—. En principio.

Con el gran rostro encarnado sostenido entre las manos, mantuvo fija la mirada mientras el desastrado hombrecillo de gafas bebía calmosamente un trago de cerveza y volvía a depositar la jarra de vidrio en la mesa. Las grandes orejas planas del otro se apartaban ampliamente del cráneo, que parecía tan frágil como para que Ossipon se lo triturase entre el índice y el pulgar; la bóveda frontal parecía apoyada en los aros de las gafas; la epidermis grasienta y enfermiza de las aplastadas mejillas era meramente ensuciada por la lastimosa pobreza de una barba rala y oscura. Lo que en definitiva tornaba grotesca la lamentable inferioridad física del individuo era su talante de insuperable seguridad en sí mismo. Hablaba de forma cortante y tenía un modo de permanecer en silencio que impresionaba especialmente.

Ossipon volvió a hablar en un murmullo por entre las manos.

—¿Ha estado hoy mucho tiempo fuera de su casa?

—No. Me quedé toda la mañana en la cama —respondió el otro—. ¿Por qué?

—¡Oh!, por nada —dijo Ossipon, mirando intensamente y temblando en su interior por el deseo de descubrir algo, aunque evidentemente intimidado por el abrumador aire de desinterés del hombrecillo. Cuando hablaba con aquel camarada —lo que no ocurría sino rara vez—, el voluminoso Ossipon padecía una sensación de insignificancia moral e incluso física. Ello no obstante, aventuró otra pregunta—. ¿Ha venido andando?

—No, en autobús —respondió el hombrecillo con presteza. Vivía lejos, en Islington, en una casita de una calle de mala muerte repleta de basura y papeles sucios, en la que fuera de las horas de clase multitud de chiquillos de todo tipo corrían y se peleaban produciendo un clamor estridente, pendenciero, penoso. Su habitación individual al fondo, notable por poseer un armario extremadamente grande, se la alquilaba a dos solteronas maduras, modistas sin pretensiones con una clientela formada fundamentalmente por chicas de servicio. Tenía un gran candado puesto en el armario, pero por lo demás era un inquilino modelo, que no ocasionaba ningún problema y no requería prácticamente ninguna atención. Su rareza consistía en la insistencia en estar presente cuando le barrían el cuarto, y en que cuando salía cerraba la puerta con llave y se la llevaba consigo. Ossipon tuvo una visión del centelleo de aquellas gafas redondas de negra montura desplazándose por las calles en lo alto de un autobús, de los reflejos de autoconfianza brillando aquí y allí sobre las paredes de las casas o descendiendo para posarse en las cabezas de la inconsciente caravana de personas en las aceras. La sombra de una sonrisa alteró de un modo repelente la forma de los gruesos labios de Ossipon al pensar éste en aquellas paredes inclinándose hacia adelante, en la gente corriendo por su vida a la vista de aquellas gafas. ¡Si hubieran sabido! ¡Menudo pánico! En un murmullo, preguntó:

—¿Lleva mucho rato aquí?

—Una hora, por lo menos —contestó el otro sin mostrar interés, y bebió un sorbo de la oscura cerveza. La firmeza y la precisa seguridad de todos sus movimientos: el modo de coger el jarro, la acción de beber, la forma de depositar el pesado jarro sobre la mesa y de cruzarse de brazos, hacían que el corpulento y fornido Ossipon, inclinado hacia adelante con los ojos muy abiertos y los labios protuberantes, fuera la viva imagen de la indecisión y la ansiedad.

—Una hora —dijo—. Entonces puede que todavía no se haya enterado de la noticia que yo acabo de oír en la calle. ¿Es así?

El hombrecillo negó con un ínfimo movimiento de la cabeza. Y como no manifestase la menor curiosidad, Ossipon se aventuró a agregar que la había escuchado prácticamente en la puerta del local. Un niño vendedor de periódicos había voceado la noticia en sus propias narices, y como él no había estado preparado para una cosa así, se sintió muy sorprendido y desasosegado. Con la boca seca, tuvo que entrar en el local.

—No se me ocurrió que fuera a encontrarlo a usted aquí —añadió en un murmullo controlado, con los codos plantados sobre la mesa.

[142]

—Vengo de vez en cuando —dijo el otro, conservando su provocadora actitud de frialdad.

—Es extraordinario que usted, nada menos, no se haya enterado —continuó el corpulento Ossipon. Un rápido y enérgico parpadeo nervioso ocultó fugazmente su mirada brillante—. Nada menos que usted —repitió, de forma tentativa. Esta visible contención ponía de manifiesto una increíble e inexplicable timidez por parte del individuo corpulento ante el imperturbable hombrecillo, quien de nuevo levantó la jarra de vidrio, bebió y la dejó sobre la mesa con movimientos bruscos y seguros. Y el asunto quedó así. Ossipon, después de esperar alguna palabra o algún gesto —que no llegó—, hizo un esfuerzo para asumir una actitud semejante a la indiferencia.

Bajando todavía más la voz, preguntó:

—¿Le proporciona usted su mercancía a cualquiera que se presente a pedírsela?

—Mi regla invariable es no negársela nunca a nadie... siempre que me quede con un pellizco para mí —respondió resueltamente el otro.

—¿Es una norma? —dijo Ossipon a modo de comentario.

—Una norma.

—¿Y le parece adecuada?

Las grandes gafas redondas que proporcionaban a aquel rostro demacrado un aire de confiada expectación, confrontaron a Ossipon como imperturbables órbitas insomnes que emitiesen un gélido fuego.

—Perfectamente. Siempre. En cualquier circunstancia. ¿Qué podría impedírmelo? ¿Por qué habría de parecérmelo? ¿Por qué habría de volver a pensarlo?

Ossipon jadeaba, por así decir, discretamente.

—¿Quiere decir que si viniera a pedírsela un policía de paisano, se la daría?

El otro esbozó una sonrisa.

—Deje que vengan a intentarlo y verá —dijo—. Ellos me conocen, pero yo a mi vez conozco a cada uno de ellos. No se me acercarán, seguro.

Apretó con fuerza sus finos labios lívidos.

—Pero podrían enviar a alguien, tenderle una trampa.

¿No se da cuenta? Lograr así que les diese la mercancía y entonces apresarlo con la prueba en las manos.

—¿La prueba de qué? De comerciar con explosivos sin tener licencia, quizá. —Esto fue dicho a modo de burla desdeñosa, aunque el semblante delgado y enfermizo del hombre permaneció inalterable, y su tono indiferente—. No creo que haya ni uno sólo de ellos que esté ansioso por efectuar ese arresto. No creo que pudieran conseguir que alguno solicitase una orden. Me refiero a alguno de los mejores. Ninguno.

—¿Por qué? —preguntó Ossipon.

—Porque saben muy bien que yo me cuido de no separarme del último puñado de mi mercancía. Lo llevo siempre conmigo. —Se tocó ligeramente la pechera de la chaqueta—. En un grueso frasco de vidrio —añadió.

—Eso me han dicho —declaró Ossipon, con una sombra de admiración en la voz—, pero no sabía si...

—Ellos lo saben —lo interrumpió cortante el hombrecillo, reclinado contra el respaldo recto de la silla, que llegaba más arriba que su frágil cabeza—. Jamás me apresarán. No le vale la pena a ninguno de esos policías. Vérselas con un hombre como yo exige un heroísmo puro, despojado, ajeno a la gloria.

Sus labios volvieron a cerrarse con decidida firmeza. Ossipon reprimió un movimiento de impaciencia.

—O temeridad... o simplemente ignorancia —replicó vivamente—. Sólo necesitan conseguir a alguien que no sepa que usted lleva en el bolsillo suficiente explosivo como para volar en pedazos junto con todo lo que haya en sesenta yardas a la redonda.

—Nunca he afirmado que no pudieran eliminarme —contestó el otro—. Pero eso no sería apresarme. Además, no es tan fácil como parece.

—¡Bah! —lo contradijo Ossipon—. No esté tan seguro. ¿Qué puede impedir que en plena calle media docena de ellos salten por detrás sobre usted? Con los brazos inmovilizados a los costados no podría usted hacer nada, ¿o sí?

—Sí, podría. Yo rara vez ando por la calle después del anochecer —dijo impasible el hombrecillo—, y jamás muy tarde. Camino siempre con la mano derecha cerrada sobre la bola de goma que llevo en el bolsillo del pantalón. La presión sobre esa bola acciona un detonador en el interior del frasco que llevo en el bolsillo. Es el principio del obturador neumático instantáneo del objetivo de una cámara fotográfica. El tubo conduce...

Con rápido ademán permitió que Ossipon viera fugazmente un tubo de goma, semejante a una fina lombriz de color pardo, que pasaba por el agujero de la manga del chaleco y se hundía en el bolsillo interior de la pechera de la chaqueta. Sus ropas, indescriptible mezcolanza de tonos parduzcos, estaban raídas y llenas de manchas, con polvo en los dobleces y los ojales deshilachados.

—El detonador es en parte mecánico y en parte químico —explicó, con no deliberada condescendencia.

—Es instantáneo, ¿no es así? —murmuró Ossipon, con un ligero estremecimiento.

—Nada de eso —confesó el otro, con una desgana que pareció retorcerle dolorosamente la boca—. Han de pasar veinte segundos completos desde el momento en que aprieto la bola hasta que se produce la explosión.

—¡Huy..! —silbó Ossipon, absolutamente espantado—. ¿Veinte segundos? ¡Qué horror! ¿Quiere decir que es usted capaz de afrontar eso? Yo me volvería loco...

—Eso no tendría importancia. Claro que es el punto débil de este sistema especial, que es únicamente para mi uso personal. Lo peor es que el método de explosión es siempre nuestro punto débil. Estoy tratando de inventar un detonador que se adapte a todas las circunstancias de la acción. Un mecanismo variable y, no obstante, perfectamente preciso. Un detonador verdaderamente inteligente.

—Veinte segundos —murmuró otra vez Ossipon—. ¡Huy! Y entonces...

Con un leve giro de su cabeza, pareció que el reflejo de las gafas calibrara el tamaño del salón de la cervecería situada en el sótano del renombrado restaurante «Silenus»[1].

---

[1] *Silenus,* es decir, Sileno, era una divinidad campesina, a quien se representa comúnmente como un ser grotesco, pero lleno de vivacidad e inge-

—Nadie en este recinto tendría esperanza de escapar —fue el veredicto de aquel examen—. Ni siquiera esa pareja que ahora sube las escaleras.

Al pie de las escaleras, el piano ejecutaba una mazurca con impetuoso estruendo metálico, como si un fantasma insolente y vulgar estuviera alardeando. Las teclas se hundían y se alzaban misteriosamente. Entonces todo quedó en suspenso. Por un momento, Ossipon imaginó que aquel lugar plenamente iluminado se transformaba en un pavoroso agujero negro que exhalaba una horrible humareda, atestado de espantosos desechos formados por fragmentos de ladrillo y de cadáveres mutilados. Su percepción de ruina y muerte fue tan intensa, que volvió a estremecerse. El otro, con aire de tranquila suficiencia, observó:

—Nuestra seguridad depende en última instancia de nuestra propia personalidad. Hay pocas personas en el mundo cuya personalidad esté tan bien afianzada como la mía.

—Me pregunto cómo lo ha logrado —gruñó Ossipon.

—Fuerza de carácter —dijo el otro sin alzar la voz; y viniendo de boca de aquel organismo evidentemente mísero, la afirmación forzó al robusto Ossipon a morderse el labio inferior—. La fuerza de carácter —repitió con ostensible calma.

—Dispongo del medio que me convierte en letal, pero eso en sí, se comprende, no es nada en absoluto como forma de protección. Lo eficaz es la creencia que esa gente tiene en mi voluntad de emplear el medio. Ésa es su impresión. Absolutamente. En consecuencia, soy letal.

—Entre esa gente hay también individuos con carácter —murmuró ominosamente Ossipon.

—Es posible. Pero se trata, obviamente, de una cuestión de grados, pues, por ejemplo, ellos a mí no me impresionan. Por lo tanto, están en inferioridad. No pueden ser de

---

nio, lo cual lo hacía indispensable en las fiestas de los dioses; su relación con el dios Baco lo asocia inevitablemente al vino; y su aparición en la Égloga VI de Virgilio, como recitador de poesía, es una de sus más notables apariciones literarias.

otra manera. Su personalidad descansa en la moral convencional. Se asienta en el orden social. La mía está libre de
todo lo que sea artificio. Ellos están ligados a toda clase de
convenciones. Dependen de la vida, la cual, en este contex-
to, es un hecho histórico rodeado de toda suerte de restricciones y consideraciones, un hecho complejo y organizado
sujeto a ataques en todo momento; en tanto que yo depen-
do de la muerte, que no reconoce restricción alguna y no
puede ser atacada. Mi superioridad es evidente.

—Eso es expresarlo de un modo trascendental —dijo
Ossipon, observando el frío centelleo en las gafas redondas—. No hace mucho he escuchado a Karl Yundt diciendo
lo mismo.

—Karl Yundt —masculló el otro despectivamente—, el
delegado del Comité Rojo Internacional, se ha pasado la
vida posando. Son tres delegados, ¿no es así? —continuó—. No voy a describir a los otros dos, puesto que usted
es uno de ellos. Pero lo que ustedes dicen no significa nada.
Ustedes son los dignos delegados para la propaganda revolucionaria, pero el problema no es sólo que sean tan incapaces de pensar con independencia como cualquier respetable tendero o periodista, sino el que carezcan en absoluto
de personalidad.

Ossipon no pudo disimular un impulso de indignación.

—Pero ¿qué reclama usted de nosotros? —exclamó en
tono apagado—. ¿Qué es lo que busca usted mismo?

—Un detonador perfecto —fue la perentoria respuesta—. ¿Por qué hace esa mueca? Ya lo ve, ni siquiera puede
soportar la mención de algo definitivo.

—Yo no hago ninguna mueca —gruñó ásperamente el
irritado Ossipon.

—Ustedes los revolucionarios —continuó el otro con
displicente autoconfianza— son esclavos de la convención
social, que los teme a su vez; tan esclavos de ella como la
propia policía que se alza en defensa de esa convención.
Está claro que lo son, puesto que quieren revolucionarla. Es
la que gobierna su pensamiento, por supuesto, y también
su acción, con lo que ni uno ni otra pueden ser definitivos.
—Hizo una pausa, tranquilo, con aquel aire de cerrada y

permanente reserva, para proseguir casi inmediatamente—: Ustedes no son en lo más mínimo mejores que las fuerzas con las que se los enfrenta, por ejemplo, la policía. El otro día me crucé de pronto con el Inspector Jefe Heat en la esquina de Tottenham Court Road. Él me miró muy detenidamente. Pero yo no lo miré a él. ¿Por qué le iba a dedicar algo más que una ojeada? Él iba pensando en muchas cosas, en sus superiores, en su reputación, en los tribunales de justicia, en su salario, en los periódicos, en un centenar de cosas. Pero yo pensaba únicamente en mi detonador perfecto. Él para mí no significaba nada. Era tan insignificante como... no se me ocurre nada lo bastante insignificante como para compararlo con él, como no sea, quizás, con Karl Yundt. Tal para cual. El terrorista y el policía provienen de una misma cesta. Revolución, legalidad: movimientos opuestos de un mismo juego, formas de inutilidad en el fondo idénticas. Él practica su pequeño juego y lo mismo hacen ustedes, los propagandistas. Pero yo no juego: yo trabajo catorce horas al día y a veces paso hambre. Mis experimentos cuestan dinero de cuando en cuando, y entonces tengo que pasarme un día o dos sin comer. Usted mira mi cerveza. Sí. Ya me he bebido dos jarras y enseguida pediré otra. Se trata de un pequeño asueto, y lo celebro a solas. ¿Por qué no? Tengo las agallas de trabajar solo, completamente solo, absolutamente solo. He trabajado solo durante años.

El semblante de Ossipon se había vuelto cárdeno.

—En el detonador perfecto, ¿eh? —dijo por lo bajo, en tono de mofa.

—Sí —replicó el otro—. Es una buena definición. No podría usted encontrar ninguna otra ni la mitad de precisa que ésa acerca de la naturaleza de su actividad, con todos sus comités y delegaciones. El verdadero propagandista resulto ser yo.

—No vamos a discutir ese punto —dijo Ossipon, con aire de quien se eleva por encima de las consideraciones personales—. Pero me temo que tendré que echarle a perder la celebración. Un hombre ha volado en pedazos esta mañana en Greenwich Park.

—¿Cómo lo sabe?

—Llevan voceando la noticia en las calles desde las dos de la tarde. Compré el periódico y entré aquí corriendo. Entonces lo vi a usted sentado a esta mesa. Lo tengo en el bolsillo.

Sacó el periódico y pasó con rapidez las páginas. Era una publicación de buen tamaño, y el papel rosáceo, como si el calor de sus propias convicciones, que eran optimistas, lo hubiera hecho enrojecer.

—¡Ah!, aquí está: bomba en Greenwich Park. Todavía no se sabe mucho. Las once y media. Mañana brumosa. Efectos de la explosión que llegan incluso hasta Romney Road y Park Place. Enorme agujero en la tierra, al pie de un árbol, lleno de raíces destrozadas y ramas rotas. Alrededor, fragmentos del cuerpo de un hombre que ha volado en pedazos. Eso es todo. Lo demás es mero chismorreo periodístico. Sin duda un malvado intento de volar el Observatorio, dicen. Humm... eso no es muy creíble.

Continuó un rato mirando el periódico en silencio y después se lo pasó al otro, quien, tras contemplar distraídamente la letra impresa lo dejó sin hacer comentarios.

El primero en hablar fue Ossipon, todavía resentido.

—Los fragmentos de *un solo* hombre, fíjese. Ergo: se voló *a sí mismo*. Eso le estropea a usted el día de asueto, ¿verdad? ¿Esperaba una acción de ese tipo? Yo no tenía la menor idea... ni la más ligera noción de que se planeara algo por el estilo aquí, en este país. En las circunstancias actuales, es poco menos que un crimen.

El hombrecillo alzó las delgadas cejas negras con indiferente desdén.

—¡Criminal! ¿Eso qué significa? ¿Qué *es* un crimen? ¿Qué sentido puede tener una afirmación como ésa?

—¿Cómo habré de expresarme? Hay que utilizar las palabras corrientes —dijo Ossipon en tono de impaciencia—. El sentido de esa afirmación es que este asunto puede afectar negativamente nuestra posición en este país. ¿A usted no le parece suficiente crimen? Estoy convencido de que últimamente usted ha estado haciendo entregas de mercancía.

Ossipon miraba con dureza. El otro, sin inmutarse, movió la cabeza lentamente de abajo arriba.

—¡Conque es así! —estalló el editor de los panfletos del F. P. en un intenso susurro—. No me diga que realmente la está entregando así como así, con sólo pedírsela, al primer necio que se le presente...

—¡Precisamente! El condenado orden social no se ha edificado con tinta y papel, y piensen ustedes lo que piensen, no me parece que una combinación de papel y tinta vaya a ponerle fin nunca. Sí señor: le daría el material con las dos manos a cualquier hombre, mujer o necio que guste presentarse. Sé lo que está pensando. Pero yo no recibo instrucciones del Comité Rojo. Los vería a todos ustedes ahuyentados de aquí, o detenidos, o incluso decapitados, si vamos al caso, sin que se me moviera un pelo. Lo que nos suceda como individuos no tiene la menor importancia.

Hablaba como al descuido, sin acalorarse, casi sin sentimiento, y Ossipon, muy afectado en su interior, intentó copiar aquel distanciamiento.

—Si los policías de aquí fueran eficaces lo llenarían de agujeros con sus revólveres, o intentarían asaltarlo por la espalda en pleno día.

El hombrecillo pareció haber considerado ya ese punto, a su modo desapasionado, pleno de confianza.

—Sí —asintió con la mayor prontitud—. Pero para eso tendrían que enfrentarse con sus propias instituciones. ¿No lo ve? Eso requiere un coraje fuera de lo corriente. Una clase especial de coraje.

Ossipon parpadeó.

—Imagino que eso sería exactamente lo que le ocurriría si fuera a instalar su laboratorio en los Estados Unidos. Allí no se andan con vueltas con sus instituciones.

—No es probable que vaya a comprobarlo. Aparte de eso, su observación es exacta —admitió el otro—. Allí tienen más personalidad y su personalidad es esencialmente anarquista. Son un terreno fértil para nosotros, los Estados Unidos: muy buen terreno. La gran República tiene la esencia de la materia destructiva enraizada en sí misma. El temperamento colectivo es contrario a toda ley. Excelente. Puede que nos liquiden a balazos, pero...

—Usted es demasiado profundo para mí —gruñó Ossipon, deprimido y preocupado.

—Soy lógico —protestó el otro—. Existen varias clases de lógica. Ésta es del tipo esclarecedor. América está muy bien. Este país es el peligroso, con su concepción idealista de la legalidad. El espíritu social de este pueblo está envuelto en escrupulosos prejuicios, y eso es fatal para nuestra tarea. ¡Usted habla de Inglaterra como nuestro único refugio! Tanto peor. ¡Capua![2]. ¿Qué falta nos hacen los refugios? Aquí ustedes hablan, editan, conspiran, y no hacen nada. Muy conveniente para los Karl Yundt, diría yo.

Se encogió ligeramente de hombros y luego añadió, con la misma despreocupada seguridad:

—Nuestro objetivo debería ser destruir la superstición de la legalidad y el culto a la misma. Nada me complacería más que ver al inspector Heat y sus colegas dedicados a dispararnos en pleno día con la aprobación del público. Entonces tendríamos media batalla ganada: la desintegración de la vieja moralidad se habría instalado en su mismísimo templo. A eso es a lo que ustedes deberían apuntar. Pero los revolucionarios como ustedes jamás lo entenderán. Ustedes planifican el futuro, se pierden en ensoñaciones acerca de sistemas económicos derivados del que existe; en tanto que lo que hace falta es barrer con todo y arrancar de cero hacia un nuevo concepto de la vida. Un futuro de esa clase cuidará de sí mismo siempre que ustedes le abran paso. De modo que yo apilaría a paladas mi material en las esquinas si tuviera lo suficiente para eso; y como no lo tengo, me esfuerzo perfeccionando un detonador realmente confiable.

Ossipon, que mentalmente había estado nadando en aguas demasiado profundas, se aferró al último sustantivo como a una tabla de salvación.

---

[2] Aníbal invernó con su ejército en Capua, ciudad italiana, cuyo lujo e inactividad fueron las delicias que resultaron ser funestas para los intereses de Cartago.

—Sí. Sus detonadores. No me sorprendería que el que barrió al hombre del parque fuese uno de sus detonadores.

Un sombra de enfado oscureció el rostro pálido y decidido frente a Ossipon.

—Mi problema consiste precisamente en experimentar en la práctica con diversos tipos. Después de todo, es necesario probarlos. Además...

Ossipon lo interrumpió.

—¿Quién pudo ser ese individuo? Le aseguro que nosotros en Londres no teníamos conocimiento... ¿No podría describir a la persona a quien le entregó el material?

El otro dirigió las gafas hacia Ossipon como si hubieran sido un par de reflectores.

—Describirlo —repitió lentamente—. No creo que pueda caber ahora la menor objeción. Se lo describiré con una palabra: Verloc.

Ossipon, a quien la curiosidad había levantado unas pulgadas en el asiento, cayó hacia atrás, como si hubiese recibido una bofetada.

—¡Verloc! Imposible.

El hombrecillo seguro de sí asintió levemente con la cabeza una sola vez.

—Sí. Se trata de él. No puede usted decir que en este caso yo le estuviera dando mi mercancía al primer estúpido que pasara. Tengo entendido que era un miembro prominente del grupo.

—Sí —dijo Ossipon—. Prominente. No, no exactamente. Centralizaba la información y generalmente recibía a los camaradas que venían por aquí. Más útil que importante. Un hombre sin ideas. Hace unos años solía hablar en las reuniones, en Francia, creo. Aunque no muy bien. Tenía la confianza de hombres tales como Latorre, Moser, y toda la vieja camada. El único talento que realmente demostró fue la habilidad para eludir no se sabe cómo las atenciones de la policía. Aquí, por ejemplo, no parecía que lo vigilasen muy de cerca. Estaba casado legalmente, sabe usted. Supongo que fue con el dinero de ella con lo que abrió esa tienda. Por cierto que parecía rendirle beneficios.

Ossipon hizo bruscamente una pausa, murmuró para sí

«Me pregunto qué hará ahora esa mujer», y se quedó pensando.

El otro aguardó con una indiferencia ostensible. Su origen era incierto, y generalmente se le conocía por el apodo de «El Profesor». Su derecho a ese título consistía en haber sido una vez ayudante de Química en un instituto técnico. Se peleó con las autoridades por un asunto de tratamiento discriminatorio. Más adelante obtuvo un puesto en el laboratorio de una fábrica de tinturas. También allí fue tratado con indignante injusticia. Las luchas, las privaciones, el trabajo duro para elevarse en la escala social lo habían henchido de tal exagerada convicción en sus méritos, que al mundo le resultaba extremadamente difícil tratarlo con justicia, dado que el concepto depende tanto de la paciencia del individuo. El Profesor poseía el genio, pero carecía de la gran virtud social de la resignación.

—Una nulidad intelectual —manifestó Ossipon en voz alta, abandonando súbitamente la contemplación interior de la afligida persona de la señora Verloc y su negocio—. Una personalidad completamente vulgar. Comete usted un error en no estar más en contacto con los camaradas, Profesor —añadió en tono reprobatorio—. ¿Le dijo a usted algo? ¿Le proporcionó alguna idea sobre sus intenciones? Yo hace un mes que no lo veo. Parece imposible que nos haya dejado.

—Me dijo que iba a ser una manifestación contra un edificio —dijo El Profesor—. Era algo que yo tenía que saber para preparar el proyectil. Le señalé que no tenía la cantidad suficiente para un resultado destructivo completo, pero él me instó muy encarecidamente a hacer todo lo que pudiese. Como quería algo que pudiera llevarse abiertamente en la mano, le propuse utilizar una vieja lata de medio galón de barniz de copal que casualmente yo tenía. A él le gustó la idea. Me dio un poco de trabajo, pues tuve que quitarle el fondo primero y volver a soldárselo después. Cuando estuvo lista para usar, la lata contenía un tarro de vidrio grueso y boca ancha bien taponada rodeado de arcilla húmeda y con dieciséis onzas de pólvora verde X2 en su interior. El detonador estaba conectado con el tapón de rosca de la lata. Era ingenioso: una combinación de tiempo e impacto. Le expliqué el sistema. Era un delgado tubo de latón que envolvía...

Ossipon pensaba en otra cosa.

—¿Qué cree usted que ha ocurrido? —interrumpió.

—No sé decirle. Puede que enroscara fuertemente la tapa, lo cual estableció la conexión, y después olvidase el tiempo. Estaba programado para veinte minutos. Por otra parte, con el contacto temporal en marcha, un golpe fuerte causaría la explosión de inmediato. O calculó el tiempo demasiado justo, o simplemente el artefacto se le cayó. El contacto, en cualquier caso, se hizo bien: al menos eso lo tengo claro. El sistema funcionó perfectamente. Y sin embargo, uno pensaría que, con apremio de tiempo, lo que un bobalicón cualquiera olvidaría por completo sería hacer el contacto. Lo que más me había preocupado era ese tipo de fallo. Pero hay más clases de tontos que las previsibles. No puede esperarse que un detonador sea absolutamente a prueba de tontos.

Le hizo señas a un camarero. Ossipon estaba rígido, con la mirada abstraída de una mente ocupada. Una vez que el hombre se alejó con el dinero, él se levantó, con un aire de profunda insatisfacción.

—Es algo sumamente desagradable para mí —musitó—. Karl lleva una semana en cama con bronquitis. Hay una considerable probabilidad de que no vuelva a levantarse. Michaelis lo está pasando en grande en algún sitio, en el campo. Un editor en boga le ha ofrecido quinientas libras por un libro. Va a ser un fracaso espantoso. Es que en la prisión perdió la aptitud para discurrir fluidamente.

El Profesor, que ahora de pie se abotonaba la chaqueta, miró a su alrededor con absoluta indiferencia.

—¿Usted qué va a hacer? —preguntó Ossipon en tono cansado. Lo angustiaba la posible responsabilidad del Comité Central Rojo, un órgano sin domicilio permanente y de cuya integración no estaba informado con exactitud. Si de este asunto se derivaba la supresión del modesto subsidio asignado a la publicación de los panfletos del F. P., entonces sí que tendría que lamentar la inexplicable locura de Verloc.

—La solidaridad con la forma más extrema de acción es una cosa; pero la temeridad estúpida es otra distinta —dijo, con una especie de brutal pesadumbre—. Ignoro qué le dio a Verloc. Ahí hay algún misterio. De todas formas, nos ha dejado. Usted puede tomarlo como quiera, pero dadas las circunstancias, la única política para el grupo revolucionario militante es negar cualquier relación con ese condenado lunático. Lo que me preocupa es cómo hacer que esa negación resulte lo bastante creíble.

El hombrecillo, de pie, abotonado y listo para partir, no era más alto que Ossipon sentado. Situó las gafas directamente a la altura del rostro de este último.

—Podrían pedirle a la policía un certificado de buena conducta. Ellos saben dónde durmió anoche cada uno de ustedes. Tal vez aceptasen publicar algún tipo de declaración oficial, si se lo pidieran.

—Sin duda saben perfectamente que no hemos tenido nada que ver con ese asunto —murmuró Ossipon con acritud—. Otra cosa es lo que dirán. —Se quedó pensativo, sin prestar atención a la raída figura de búho que se hallaba de pie a su lado—. Tengo que dar enseguida con Michaelis y hacer que hable con el corazón en una de nuestras reuniones. El público experimenta una especie de aprecio sentimental por ese individuo. Su nombre es conocido. Y yo estoy relacionado con algunos cronistas de la gran prensa. Lo que diga será pura bazofia, pero él posee una labia que hace que igual se lo traguen.

—Como un jarabe —interrumpió El Profesor por lo bajo, conservando su expresión impasible.

El perplejo Ossipon prosiguió con su a medias audible comunicación consigo mismo, a la manera de quien medita en completa soledad.

—¡Maldito idiota! Mira que endilgarme a mí una imbecilidad semejante. Y ni siquiera sé si...

Tomó asiento con los labios apretados. La idea de ir directamente a la tienda en busca de noticias carecía de atractivo. Pensaba que la tienda de Verloc podría ya haberse convertido en una trampa policial. Se verán obligados a efectuar algunas detenciones, pensó, con algo semejante a una virtuosa indignación, pues, sin que él tuviese la menor culpa, el tenor apacible de su vida revolucionaria estaba en peligro.

Y no obstante, a menos que fuese allí corría el riesgo de permanecer ignorante de lo que acaso fuera de suma importancia que supiese. Entonces reflexionó que, si había quedado tan hecho pedazos como decían los periódicos vespertinos, el hombre del parque no podía haber sido identificado. Y en tal caso, la policía no podía tener ninguna razón especial para vigilar la tienda de Verloc más estrechamente que cualquier otro sitio notoriamente frecuentado por anarquistas conocidos: en realidad no más razón que para vigilar las puertas del «Silenus». Habría un montón de vigilancia por todas partes, no importa adónde fuera. Aun así...

—Me pregunto qué sería mejor que hiciese ahora —murmuró, buscando aconsejarse a sí mismo.

Junto a su hombro, una voz ronca dijo, con sosegado desdén:

—No se aparte ni a sol ni a sombra de la mujer.

Tras pronunciar esas palabras, El Profesor inició su alejamiento de la mesa. Ossipon, a quien aquella manifestación de clarividencia había cogido de sorpresa, amagó apenas ponerse en movimiento y se quedó quieto, con la desolación en la mirada, como clavado al asiento de la silla. El solitario piano, sin siquiera un taburete a su servicio, tocó valientemente algunas notas y, dando comienzo a una selección de aires nacionales, lo despidió finalmente con la melodía de «The Blue Bells of Scotland». Las notas dolorosamente aisladas se fueron debilitando a sus espaldas mientras él subía lentamente las escaleras, atravesaba el vestíbulo y salía a la calle.

Delante de la gran puerta de entrada, una deprimente hilera de vendedores de periódicos se mantenía apartada de la acera y ofrecía su mercancía desde el borde de la calzada. Era un día desapacible y triste de comienzos de primavera; y el cielo empañado, el lodo en la calle, los harapos de aquellos individuos desastrados, encajaban perfectamente con la erupción de las hojas de papel húmedas y ripiosas, manchadas de tinta de imprenta. Los cartelones de anuncio, mancillados de inmundicia, guarnecían como un tapiz la curvatura del bordillo. La venta de periódicos vespertinos estaba en su apogeo, pero en contraste con la marcha rápida y uniforme de los peatones, impresionaba como una distribución indiferente y rutinaria. Ossipon se apresuró a mirar en ambas direcciones antes de lanzarse al flujo de las opuestas corrientes, pero El Profesor ya se había perdido de vista.

Capítulo V

E L Profesor había girado hacia la izquierda por una calle, y caminaba, con la cabeza desafiante, entre una multitud en la que prácticamente cada individuo sobrepasaba su exigua estatura. En vano fingía desdeñar la decepción que experimentaba. Pero eso era simplemente un sentimiento; ni aquel ni ningún otro fracaso podían perturbar el estoicismo de su pensamiento. La próxima vez, o la vez siguiente a la próxima, el golpe asestado sería eficaz —una verdadera conmoción—, el idóneo para abrir la primera grieta en la imponente fachada del gran edificio de conceptos legales que daba amparo a la atroz injusticia de la sociedad. De origen humilde, y con un aspecto tan insignificante que en verdad era un obstáculo para el libre desarrollo de sus considerables dotes naturales, su imaginación había sido tempranamente encendida por las historias de hombres que se elevaban desde las simas de la pobreza hasta posiciones de autoridad y fortuna. Su extremada —casi ascética— pureza de pensamiento, combinada con una asombrosa ignorancia de las estipulaciones mundanas, habían colocado ante él una meta de poder y prestigio que debía alcanzar sin el auxilio del arte, las concesiones, el tacto, la riqueza: por el puro y único peso del merecimiento. Desde tal óptica, se consideraba indiscutiblemente acreedor al éxito. Su padre, un humilde y frágil fanático de frente augusta había sido un vehemente predicador itinerante de alguna oscura pero inflexible secta cristiana, poseído de una confianza suprema en los privilegios de su rectitud. En el hijo, individualista por temperamento, esa actitud moral se tradujo —una vez que la ciencia de los colegios hubo reemplazado completamente a la fe sectaria— en un frenético puritanismo de la ambición, que él cultivó como algo secularmente sagrado. El hecho de verlo frustrado abrió sus ojos a la verdadera naturaleza del mundo, cuya moral era artificial, corrupta y blasfema. Son impulsos personales disfrazados de credos los que preparan el camino incluso a las más justificables revoluciones. La indignación de El Profesor halló en sí misma una causa final que lo absolvía del pecado de apelar a la destrucción como agente de su ambición. Destruir la fe pública en la legalidad era la fórmula imperfecta de su pedante fanatismo; pero la convicción subconsciente de que el marco de un orden social establecido no puede ser eficazmente sacudido excepto por alguna forma de violencia individual o colectiva era exacta y correcta. Él era un agente moral: eso lo tenía metido en la cabeza. Al ejercer su intermediación con desafío temerario, se procuraba a sí mismo una impresión de poder y prestigio personal. Para su vengativa amargura, eso era innegable. Mitigaba su desasosiego; y a su manera, quizás los más ardientes revolucionarios no estén haciendo sino buscar la paz al igual que el resto de los mortales: la paz de la vanidad apaciguada, de los apetitos satisfechos, o tal vez de la conciencia aplacada.

Perdido en aquella muchedumbre, miserable y raquítico, meditaba confiado en su poder, conservando la mano en el bolsillo izquierdo del pantalón, presionando apenas la bola de goma, suprema garantía de su siniestra libertad: pero al cabo de un rato se sintió desagradablemente impresionado viendo la calzada colmada de vehículos y la acera repleta de hombres y mujeres. Estaba en una calle larga y recta, poblada por una mera fracción de una multitud inmensa, pero percibía a su alrededor, interminable, incluso hasta los límites del horizonte oculto por las enormes acumulaciones de ladrillos, la masa de una humanidad numéricamente abrumadora. Las gentes pululaban, abundantes como langostas, industriosas como hormigas, inconscientes como una fuerza de la naturaleza, avanzando ciega y ordenadamente, absorta, impermeable al sentimiento, a la lógica, acaso también al terror.

Aquélla era la forma de duda que más temía. ¡Inaccesible al miedo! Con frecuencia, mientras paseaba, cuando se le ocurría mostrarse, lo acometían tales momentos de terrible y saludable desconfianza en la humanidad. ¿Y si no se conmovieran por nada? Momentos como ése les sobrevienen a todos aquellos cuya ambición apunta a una comprensión directa de la humanidad: artistas, políticos, pensadores, reformadores o santos. Despreciable estado emocional este, contra el cual un espíritu superior se fortalece en la soledad; y con austero regocijo, El Profesor pensó en el refugio de su cuarto con el armario cerrado con candado, perdido en una selva de casas pobres, la ermita del anarquista perfecto. Con el fin de alcanzar antes el punto donde poder coger el autobús, giró bruscamente para salir de la populosa calle e internarse en una estrecha y sombría callejuela adoquinada. De un lado, las casas bajas de ladrillo tenían con sus ventanas polvorientas un aspecto de ciegas, moribundas en incurable decadencia: armazones vacíos a la espera de la demolición. Del otro lado, la vida no se había retirado todavía por completo. Dando cara a la única farola de gas bostezaba la cueva de un mercader de muebles de segunda mano, en la que, sepultada en las tinieblas de una suerte de angosta avenida que discurría sinuosamente por entre una curiosa floresta de armarios roperos, con una intrincada espesura de patas de mesa, un espejo alto de cuerpo entero destellaba como un estanque de agua en el bosque. Un desdichado diván sin hogar, en compañía de dos sillas de distintos juegos, yacía a la intemperie. El único ser humano que estaba haciendo uso de la callejuela además de El Profesor, un sujeto enhiesto y fornido que venía desde la dirección opuesta, refrenó de súbito su dinámico andar.

—¡Hola! —dijo, y se situó un poco a un lado, como si observase.

El Profesor ya se había detenido, con una ágil media vuelta que dejó sus hombros muy cerca de la otra pared. Su mano derecha se posó ligeramente sobre el respaldo del desechado diván; la mano izquierda permaneció intencionalmente metida en el fondo del bolsillo del pantalón, y la redondez de las gafas de gruesa montura dio un cierto aire de búho a su semblante taciturno e imperturbable.

Pareció un encuentro en un pasillo lateral de una animada mansión. El hombre fornido estaba enfundado en un
abrigo oscuro y llevaba un paraguas. Su sombrero, echado
hacia atrás, dejaba al descubierto buena parte de la frente,
que aparecía muy blanca en la escasa luz. En los oscuros
parches de las órbitas, los globos oculares destellaban de
forma penetrante. Unos largos mostachos caídos, del color
del trigo maduro, enmarcaban con sus puntas el bloque rec-
tangular de su afeitado mentón.

—No le estoy buscando a usted —dijo, cortante.

El Profesor no se movió una pulgada. La mezcolanza de
ruidos de la gigantesca ciudad se redujo convirtiéndose en
un tenue murmullo inarticulado. El Inspector Jefe Heat, de
la Brigada Especial, cambió de tono.

—¿No tiene prisa por llegar a su casa? —preguntó, con
burlona sencillez.

El pequeño agente moral de la destrucción, con su aspecto enfermizo, se regodeaba silenciosamente en la posesión
de prestigio personal, en mantener a raya al hombre provisto del mandato defensivo de una sociedad amenazada. Más
afortunado que Calígula, que anhelaba que el Senado ro-
mano tuviera una sola cabeza para satisfacer mejor sus crueles apetitos, El Profesor encarnaba en aquel solo hombre todas las fuerzas que él se había propuesto desafiar: las fuerzas
de la ley, la propiedad, la opresión y la injusticia. Reparaba
en todos sus enemigos y les hacía frente a todos temeraria-
mente, para suprema satisfacción de su vanidad. Ellos quedaban perplejos ante él, como si se hallaran ante un terrible
portento. Se regocijó íntimamente por la oportunidad de
este encuentro para ratificar su superioridad sobre una humanidad multitudinaria.

En realidad se trataba de un encuentro casual. El Inspector Jefe Heat había tenido un día desagradablemente ocupado a partir del momento en que su departamento hubo recibido el primer telegrama desde Greenwich, poco antes de
las once de la mañana. En primer lugar, resultaba bastante
enojoso el hecho de que el atentado se hubiera cometido
menos de una semana después de que él hubiera asegurado
a un alto funcionario que no había que temer brote alguno

de actividad anarquista. Si alguna vez se había sentido seguro al formular una afirmación, había sido aquélla. Lo había hecho con infinita satisfacción, porque era evidente que el alto funcionario deseaba profundamente oír precisamente eso. Había afirmado que ellos no podían pensar siquiera en algo por el estilo sin que el departamento se enterase antes de veinticuatro horas; y lo había hecho consciente de ser el gran experto del departamento. Había llegado incluso a pronunciar palabras que una natural sensatez le habría impedido pronunciar. Pero el Inspector Jefe Heat no era muy sensato, al menos no verdaderamente. La verdadera sensatez —que no tiene certeza de nada en este mundo de contradicciones— le habría impedido acceder a su actual cargo. Habría alarmado a sus superiores, y liquidado sus posibilidades de promoción. Su ascenso había sido muy rápido.

«No hay ni uno solo de ellos, señor, al que no podamos echar mano a cualquier hora del día o de la noche. Sabemos lo que cada cual está haciendo en todo momento», había declarado. Y el alto jerarca se había dignado a sonreír. Aquello era tan obviamente lo apropiado en boca de un oficial de la reputación del Inspector Jefe Heat, que le causaba un completo deleite. El jerarca dio crédito a la declaración, que armonizaba con su noción de lo adecuado. Su sabiduría era del tipo oficial, pues en caso contrario puede que hubiera reflexionado sobre una cuestión no teórica, sino de experiencia: que en el intrincado tejido de las relaciones entre conspirador y policía se producen inesperadas soluciones de continuidad, súbitos agujeros en el espacio y en el tiempo. Un determinado anarquista puede ser vigilado pulgada a pulgada y minuto a minuto, pero siempre llega un momento en que sin saberse cómo se pierde por unas horas todo contacto con él, horas durante las cuales sucede algo más o menos deplorable (por lo general una explosión). Pero el alto funcionario, llevado de su sentido de lo adecuado, había sonreído, y ahora el recuerdo de aquella sonrisa le resultaba sumamente enojoso al Inspector Jefe Heat, principal experto en... operaciones anarquistas.

No era ésa la única circunstancia cuya evocación rebajaba la habitual serenidad del eminente especialista. Había otra que databa apenas de esa misma mañana. La noción de que cuando había sido urgentemente convocado al despacho privado de su Subdirector había sido incapaz de disimular su perplejidad, era claramente mortificante. Su instinto de hombre de éxito le había enseñado hacía tiempo que, por regla general, una reputación se funda tanto en las actitudes como en los logros. Y él sentía que su actitud cuando le pusieron delante el telegrama no había causado la mejor impresión. Con los ojos muy abiertos había exclamado, «¡Imposible!», exponiéndose de ese modo a la réplica incontestable de la punta de un dedo fuertemente apoyado en el telegrama que el Subdirector, después de leerlo en voz alta, había arrojado sobre el escritorio. Ser aplastado, por así decir, bajo la punta de un dedo índice, era una desagradable experiencia. ¡Muy perjudicial, además! Y encima, el Inspector Jefe Heat era consciente de no haber enmendado las cosas permitiéndose expresar con convicción: «Una cosa puedo decirle ya: ninguno de los que están a mi cargo ha tenido nada que ver en esto.»

Confiaba en su integridad de buen detective, pero ahora veía que su reputación habría salido ganando de haber mantenido él una reserva impenetrablemente atenta con respecto a aquel incidente. Por otra parte, admitió para sí que era difícil preservar la propia reputación si personas completamente ajenas iban a meter baza en el asunto. Los extraños son la ruina en la policía, lo mismo que en otras profesiones. El tono de las observaciones del Subdirector había sido lo suficientemente acre como para darle dentera.

Y después del desayuno, el Inspector Jefe Heat no había tenido ocasión de comer nada.

Habiendo partido de inmediato a iniciar sus investigaciones en el lugar del hecho, lo que había ingerido era una buena cantidad de niebla cruda y malsana en el parque. Después había ido andando hasta el hospital; y cuando la investigación en Greenwich estuvo por fin concluida, había perdido las ganas de comer. No acostumbrado como los médicos a examinar de cerca los restos mutilados de seres humanos, el espectáculo expuesto ante su vista cuando en cierto recinto del hospital levantaron la sábana impermeable que cubría una mesa, lo había dejado impresionado.

Había otra sábana impermeable extendida en la mesa a modo de mantel, con las esquinas dobladas hacia arriba sobre una especie de montículo, un montón de harapos, chamuscados y manchados de sangre, que ocultaban a medias lo que podría haber sido una acumulación de materia prima para una fiesta de caníbales. Era menester un considerable equilibrio mental para no retroceder ante aquella visión. El Inspector Jefe Heat, eficiente funcionario de su departamento, se mantuvo firme, pero durante un minuto entero permaneció sin acercarse. Un policía uniformado local lo miró de reojo y dijo, con estólida sencillez:

—Todo él está ahí. Cada pedacito. Ha sido una buena tarea.

Había sido el primer hombre en llegar al lugar del hecho tras la explosión. Volvió a mencionar el hecho. Había visto algo así como un poderoso relámpago en la niebla. En aquel momento se encontraba en la puerta de la garita de King William Street, hablando con el vigilante. La sacudida lo estremeció de pies a cabeza. Corrió por entre los árboles en dirección al Observatorio. «Todo lo que me permitían las piernas», repitió por dos veces.

El Inspector Jefe Heat, inclinado sobre la mesa con cauteloso horror, lo dejó correr. El camillero del hospital y otro hombre bajaron las esquinas de la sábana, y se apartaron. Los ojos del Inspector Jefe Heat se fijaron cuidadosamente en la minucia horripilante de aquel amontonamiento de cosas entremezcladas, que parecían haber sido recogidas en mataderos y traperías.

—Utilizaron una pala —comentó, al observar un poco de gravilla menuda, diminutos fragmentos de corteza y unas partículas de madera astillada finas como agujas.

—Fue necesario en algunos lugares —dijo el flemático policía uniformado—. Mandé a un vigilante a buscar una pala. Cuando me oyó raspar el suelo con ella apoyó la cabeza en un árbol y echó hasta las tripas.

El Inspector Jefe, inclinado con precaución sobre la mesa, luchó por suprimir una desagradable sensación en la garganta. La perturbadora violencia destructiva que había convertido a aquel cuerpo en un montón de fragmentos irreconocibles producía en su espíritu una sensación de crueldad inhumana, por más que la razón le dijera que el efecto debió de tener la rapidez del relámpago. El hombre, fuera quien fuese, había muerto de forma instantánea; y no obstante, parecía imposible creer que un cuerpo humano pudiera haber llegado a aquel estado de desintegración sin pasar por el sufrimiento de una inconcebible agonía. Ni un fisiólogo, y menos aún un metafísico, el Inspector Jefe Heat se alzaba —por la fuerza de la compasión, que es una manifestación del miedo— por encima del concepto vulgar de tiempo. ¡Instantáneo! Recordó todo lo que había leído en publicaciones divulgativas acerca de los prolongados y terribles sueños del instante previo al despertar; de la entera existencia revivida con espantosa intensidad por un hombre que se ahoga, mientras su cabeza sentenciada asoma gritando por última vez. Los inexplicables misterios de la existencia consciente acosaron al Inspector Jefe Heat hasta infundir en él la horrible idea de que entre dos parpadeos sucesivos podían caber siglos de dolor atroz y tortura mental. Y entre tanto, el Inspector Jefe continuaba escudriñando la mesa con rostro sereno y con la atención vagamente ansiosa de un cliente pobre que se inclinase sobre lo que podríamos llamar los subproductos de una carnicería, con vistas a una cena dominguera barata. En todo momento, sus entrenadas facultades de excelente investigador que no desdeña ninguna oportunidad de informarse, le permitían seguir la locuacidad inconexa y autosatisfecha del policía uniformado.

—Un sujeto rubio —observó este último en tono plácido, e hizo una pausa—. La vieja que habló con el sargento se fijó en un tipo rubio que salía de la estación de Maze Hill. Vio a dos hombres saliendo después de la partida del tren de ida —continuó lentamente—. No supo decir si estaban juntos. No se fijó especialmente en el grande, pero el otro era un individuo rubio y de complexión delicada que llevaba un tarro de barniz en la mano.

—¿Conoce a la mujer? —dijo en un murmullo el Inspector Jefe, con los ojos clavados en la mesa y una vaga noción en su mente sobre la investigación que habría que realizar seguidamente acerca de una persona probablemente destinada a permanecer por siempre sin identificar.

—Sí. Es limpiadora en casa de un tabernero retirado y a veces acude a la capilla de Park Place —manifestó gravemente el policía uniformado, e hizo una pausa, con otra mirada de reojo a la mesa. Y luego, repentinamente—: Bueno, ahí lo tiene... todo lo que pude encontrar de él. Rubio. Endeble... ciertamente endeble. Fíjese en ese pie. Primero recogí las piernas, una después de otra. Estaba tan diseminado que no sabía por dónde empezar.

El policía hizo una pausa; un fugaz destello de inocente sonrisa, laudatoria consigo mismo, confirió a su cara redonda una expresión infantil.

—Tropezó —informó con seguridad—. Yo mismo tropecé una vez, y hasta me caí de cabeza mientras iba corriendo. Hay raíces que sobresalen por todas partes. Él tropezó con la raíz de un árbol y cayó, y eso que llevaba debe haberle estallado bajo el pecho, supongo.

El eco de las palabras «personas desconocidas», que resonaba en el fondo de su conciencia mortificaba considerablemente al Inspector Jefe. Le habría gustado, para su propia información, llegar hasta el origen de este asunto. Por curiosidad profesional. Le habría gustado reivindicar ante el público la eficacia de su departamento estableciendo la identidad de aquel hombre.

Era un funcionario leal. Pero aquello parecía imposible. La primera premisa del problema era indescifrable: no sugería nada, excepto una crueldad atroz.

Sobreponiéndose a la repugnancia física, y para salvar su conciencia, el Jefe Inspector Heat estiró sin entusiasmo una mano para coger el menos pringado de los harapos. Era una angosta tira de pana, con un pieza triangular más grande, de color azul oscuro, colgando de ella. La levantó a la altura de los ojos, y el policía uniformado dijo:

—Un cuello de pana. Es curioso que la vieja se haya fijado en el cuello de pana. Un abrigo azul oscuro con el cuello de pana, nos dijo. Era el tipo que ella vio, sin ninguna duda. Y aquí está todo él, con cuello de pana y todo. No creo que se me haya pasado por alto un solo fragmento mayor que un sello de correos.

En aquel momento las adiestrados facultades del Inspector Jefe le hicieron dejar de oír la voz del policía uniformado. Buscando mejor luz, se arrimó a una de las ventanas. Mientras de espaldas a la habitación examinaba minuciosamente el trozo triangular de tela, su rostro expresó un sorprendido e intenso interés. De un súbito tirón arrancó un fragmento, y cuando se lo hubo metido en el bolsillo giró hacia la habitación y arrojó el cuello de pana nuevamente sobre la mesa.

—Cúbranlo —ordenó secamente a los ayudantes sin volver a mirar, y, saludado por el policía uniformado, se retiró apresuradamente con su botín.

Un oportuno tren lo llevó con rapidez al centro, solo y sumergido en meditaciones, en un compartimiento de tercera. Aquel chamuscado fragmento de tela tenía un valor increíble, y él no podía evitar maravillarse acerca del modo casual en que había caído en su manos. Era como si el Destino le hubiera confiado aquel indicio. Y como ocurre con el hombre corriente, cuya ambición es determinar los acontecimientos, empezó a desconfiar de un hecho tan gratuito y accidental, simplemente porque parecía que lo forzaban a aceptarlo. El valor práctico del éxito depende en buena medida de cómo se lo mire. El Destino, empero, no mira nada. Carece de discreción. Él ya no consideraba sumamente deseable en todo sentido establecer públicamente la identidad del hombre que esa mañana se había volado a sí mismo de una forma tan completa y horrible. Pero no estaba seguro del punto de vista que adoptaría su departamento. Para aquellos a quienes emplea, un departamento es una personalidad compleja, con ideas e incluso caprichos propios. Depende de la leal dedicación de sus servidores, y la leal dedicación de los servidores de confianza está acompañada por una cierta dosis de afectuosa contumacia, que la endulza, por así decir. Por benévola disposición de la Naturaleza, ningún hombre es un héroe para su ayuda de cámara, pues si no, los héroes tendrían que cepillarse la ropa personalmente. Del mismo modo, ningún departamento le parece absolutamente infalible a quienes trabajan en él. Un departamento no sabe tanto como algunos de sus servidores. Como es un organismo desapasionado, jamás puede estar perfectamente informado. Saber demasiado no sería bueno para su eficiencia. El Inspector Jefe Heat salió del tren en un estado pensativo sin mácula de deslealtad, aunque no absolutamente libre de esa celosa desconfianza que tan a menudo brota en la base de la devoción más absoluta, sea hacia una mujer o a una institución.

Fue en esa disposición mental, y físicamente muy vacío, pero todavía con la náusea por lo que había visto, cuando tropezó con El Profesor. En esas condiciones, propicias a la irascibilidad en un individuo sano y normal, aquel encuentro le resultó al Inspector Jefe Heat especialmente inoportuno. No había estado pensando en El Profesor; no había estado pensando en ningún anarquista en particular. En cierto modo, el aspecto de aquel caso le había impuesto la idea general del absurdo de las cosas humanas, lo que en abstracto es suficientemente irritante para un temperamento filosófico, y en instancias concretas se vuelve insoportable hasta la exasperación. A comienzos de su carrera, el Inspector Jefe Heat había estado dedicado a las formas más activas del latrocinio. Había forjado su reputación en ese ámbito, y como es natural había conservado hacia él —tras ser promovido a otro departamento— un sentimiento no enteramente ajeno al afecto. El robo no era algo puramente absurdo. Era una forma de laboriosidad humana, ciertamente perversa, pero en todo caso una labor ejercida en un mundo laborioso; era un trabajo emprendido por la misma razón que el trabajo en las alfarerías, en las minas de carbón, en los campos, en las talleres de afilar. Era un trabajo, cuya diferencia práctica con las otras formas de trabajo residía en su tipo de riesgo, que consistía no en anquilosis, o envenenamiento por plomo, o grisú, o polvo de sílice, sino en lo que podría ser sucintamente definido —en su propia fraseología específica— como «siete años de forzados». El Inspector Jefe Heat no era desde luego insensible a la gravedad de las diferencias morales. Pero tampoco lo eran los ladrones tras de los que había andado. Ellos se sometían con cierta resignación al severo castigo de una moral reconocida por el Inspector Jefe Heat. Eran conciudadanos suyos extraviados por culpa de una educación imperfecta, pensaba; pero aparte de esa diferencia, era capaz de comprender el pensamiento y los instintos de un ladrón porque, en realidad, la mente y los instintos de un ladrón son del mismo tipo que los de un policía. Ambos aceptan las mismas convenciones y poseen un conocimiento práctico de los métodos y de la rutina de sus respectivas ocupaciones. Se comprenden mutuamente, lo que es ventajoso para ambos e introduce una suerte de afabilidad en sus relaciones. Productos de una misma máquina, el uno calificado de útil y el otro de nocivo, creen en la máquina de manera diferente, pero con una seriedad esencialmente idéntica. La mente del Inspector Jefe Heat era inaccesible a la noción de una revuelta. Pero los ladrones no eran rebeldes. El vigor físico, el talante sereno e inflexible, el valor y la imparcialidad del Inspector Jefe Heat le habían ganado mucho respeto y algo de adulación en el ámbito de sus primeros éxitos. Se había sentido respetado y admirado. Y ahora, a seis pasos de distancia del anarquista apodado El Profesor, pensó fugazmente con nostalgia en aquel mundo de los ladrones, sano, sin ideales enfermizos, que actuaba de acuerdo a una rutina, respetuoso de la autoridad constituida, libre de toda sombra de odio y desesperación.

Después de pagar ese tributo a lo que es normal en el sistema social establecido (pues intuitivamente el acto de robar le parecía tan normal como la noción de propiedad), el Inspector Jefe Heat se sintió muy irritado consigo mismo por haberse detenido, por haber hablado, por el hecho mismo de haber tomado aquel camino, porque era un atajo entre la estación y el cuartel general. Y habló otra vez con vozarrón autoritario, que, al ser contenido, tenía un carácter amenazador.

—Le digo que no se le busca —reiteró.

El anarquista no hizo el menor movimiento. Una burlona risa interior puso al descubierto no sólo sus dientes, sino también las encías e hizo que se sacudiese de arriba abajo, sin emitir el menor sonido. El Inspector Jefe Heat dijo en un impulso, contra toda prudencia.

—Por el momento. Cuando lo quiera a usted, sabré dónde buscarlo.

Fueron unas palabras perfectamente apropiadas, dentro de la tradición, y adecuadas a su condición de oficial de policía que se dirige a alguien de su elegido rebaño. Pero la recepción que tuvieron se apartó de la tradición y de lo apropiado. Fue insultante. El raquítico y enclenque personaje que tenía delante habló por fin.

—No tengo ninguna duda de que los periódicos le dedicarían en ese caso una nota necrológica. Usted mejor que nadie sabe de qué le serviría. Creo que puede imaginarse fácilmente el tipo de cosa que escribirían. Pero puede usted exponerse a la desazón de ser enterrado junto a mí, aunque supongo que sus camaradas se esforzarían por separarnos todo lo posible.

A pesar de su saludable desprecio por el espíritu que dictaba semejantes discursos, las atroces implicaciones de aquellas palabras surtieron su efecto sobre el Inspector Heat. Era demasiado perceptivo, y disponía asimismo de demasiada información precisa, como para desecharla por necia. La penumbra de la estrecha callejuela adquiría un matiz siniestro debido a aquella pequeña figura sombría y frágil, de espaldas a la pared, que hablaba con voz débil y tono petulante. Para la enérgica y tenaz vitalidad del Inspector Jefe, la endeblez física de aquel ser, tan visiblemente indigno de vivir, resultaba ominosa; pues le parecía que si él hubiera tenido la desgracia de ser un objeto tan miserable, no le habría importado morir cuanto antes. La vida ejercía en él un influjo tal que una nueva oleada de náusea brotó en su frente en forma de leve sudor. El murmullo de la vida ciudadana, el mitigado ruido de ruedas en las dos calles invisibles, a izquierda y derecha, que llegaban a sus oídos por la curva de la sórdida callejuela eran para él entrañablemente familiares y dulcemente seductores. El Inspector Jefe Heat era sensible. Pero era también un hombre, y no podía dejar pasar unas palabras como aquéllas.

—Todo eso sirve para asustar a los niños —dijo—. Ya le echaré yo el guante.

Lo dijo impecablemente, sin desprecio, con una serenidad casi austera.

—Sin duda —fue la respuesta—; pero no hay momento como el presente, créame. Para un hombre de verdaderas convicciones, ésta es una hermosa oportunidad de sacrificarse. Puede que no encuentre otra tan favorable, tan clemente. No hay ni siquiera un gato cerca de nosotros, y estas condenadas casas viejas harían una buena montaña de ladrillos ahí donde está usted. Jamás me tendrá a tan bajo costo en vidas y propiedades, por cuya protección se le paga.

—Usted no sabe con quién está hablando —dijo con firmeza el Inspector Jefe Heat—. Si fuera a ponerle las manos encima ahora, no sería mejor que usted.

—¡Ah! ¡El juego!

—Puede estar seguro de que al final triunfará nuestro bando. Puede que todavía haga falta convencer a la gente de que a algunos de ustedes habría que dispararles a primera vista como a perros rabiosos. Entonces el juego será ése. Pero que me aspen si sé cuál es el de ustedes. No creo que ustedes mismos lo sepan. Nunca conseguirán nada con él.

—Entre tanto, usted es el que consigue algo con él, por el momento. Y además, con facilidad. No voy a hablar de su salario, pero ¿no se ha hecho usted un nombre simplemente con no comprender qué perseguimos?

—¿Y qué persiguen, pues? —preguntó el Inspector Jefe Heat con desdeñosa precipitación, como quien está de prisa y se da cuenta de que está perdiendo el tiempo.

El anarquista perfecto contestó con una sonrisa que no le hizo separar los delgados labios incoloros; y el celebrado Inspector Jefe experimentó una sensación de superioridad que lo indujo a levantar un dedo en señal de advertencia.

—Desistan... de lo que quiera que sea —dijo en tono admonitorio, pero no tan afable como si estuviera condescendiendo en darle un buen consejo a un reputado caco—. Déjenlo. Van a encontrarse con que somos demasiados para ustedes.

La sonrisa inmóvil en labios de El Profesor vaciló, como si el espíritu burlón en su interior hubiera perdido la confianza. El Inspector Jefe Heat continuó:

—No me cree, ¿eh? Bueno, no tiene más que mirar a su alrededor. Lo somos. Y de todas formas, ustedes no lo están haciendo bien. Siempre están metiendo la pata. Vaya, si los ladrones no supieran hacer su trabajo mejor que ustedes, se morirían de hambre.

La mera sugerencia de que detrás de aquel hombre había una invencible multitud provocó una sombría indignación en el pecho de El Profesor. Abandonó su enigmática y burlona sonrisa. La inapelable fuerza de los números, la inatacable estolidez de una gran multitud, eran el obsesivo temor de su siniestra soledad. Los labios le temblaron durante cierto tiempo antes de que consiguiese decir con voz estrangulada:

—Yo estoy haciendo mi tarea mejor que usted la suya.

—Basta ya —lo interrumpió el Inspector Jefe Heat con impaciencia; y El Profesor se carcajeó esta vez audiblemente. Todavía riéndose se puso en marcha; pero no rió por mucho tiempo. Fue un hombrecillo cariacontecido y miserable el que emergió del estrecho pasaje hacia el bullicio de la ancha avenida. Caminaba con el flojo andar del vagabundo que avanza y avanza, indiferente a la lluvia o al sol, con una siniestra indiferencia por el aspecto del cielo y de la tierra. El Inspector Jefe Heat, por su parte, tras observarlo durante un rato, salió con el paso resuelto y enérgico del hombre que ciertamente no hace caso de las inclemencias del tiempo, pero es consciente de tener una misión legítima en esta tierra y de contar con el apoyo moral de sus iguales. Todos los habitantes de la inmensa ciudad, la entera población del país, e incluso los incontables millones que se afanaban sobre el planeta, estaban con él, sin descontar a los mismos ladrones y mendigos. Sí, era seguro que los propios ladrones estaban con él en su tarea actual. La conciencia de un universal respaldo a su actividad en general lo animaba a lidiar con el problema particular.

El problema particular que el Inspector Jefe Heat tenía inmediatamente por delante era el de tratar con el Subdirector de su departamento, su superior directo. Es éste el eterno problema de los servidores leales y de confianza: el anarquismo le confería simplemente un tinte particular. A decir verdad, el Inspector Jefe Heat apenas pensaba en el anarquismo. No le atribuía demasiada importancia, y nunca pudo decidirse a pensar seriamente en ello. Temía más el carácter de una conducta alborotadora; alborotadora sin la humana excusa de la ebriedad, que en todo caso implica sentirse bien y una amable inclinación por las celebraciones. Como delincuentes, los anarquistas no constituían visiblemente una categoría, ninguna en absoluto. Y recordando a El Profesor, el Inspector Jefe Heat murmuró para sí, sin modificar su dinámico paso:

—Chiflado.

Atrapar ladrones era algo completamente distinto. Tenía el atributo de seriedad que corresponde a toda forma de deporte abierto, en el que se impone el mejor bajo unas reglas perfectamente comprensibles. No existían reglas para tratar con los anarquistas. Y eso era desagradable para el Inspector Jefe. Era todo una idiotez, pero esa idiotez excitaba la atención pública, afectaba a personas de alto rango y alteraba las relaciones internacionales. Un desprecio intenso y despiadado endureció los rasgos del Inspector Jefe mientras iba andando. Su mente repasó a todos los anarquistas de su rebaño. Ninguno de ellos poseía ni la mitad del empuje de este o aquel ladrón que él había conocido. Ni la mitad. Ni la décima parte.

Una vez en el cuartel general, el Inspector Jefe fue recibido inmediatamente en el despacho privado del Subdirector. Lo encontró con la pluma en la mano, inclinado sobre una gran mesa cubierta de papeles, como prosternado ante un enorme tintero doble de bronce y cristal. Unos tubos acústicos semejantes a víboras estaban sujetos por la cabeza al respaldo del sillón de madera del Subdirector, y sus abiertas fauces parecían dispuestas a morderle los codos. Y en esa actitud alzó únicamente los ojos, cuyos párpados eran más oscuros que su rostro y mostraban numerosas arrugas. Los informes habían llegado: se habían verificado los movimientos de todos y cada uno de los anarquistas.

Después de decir aquello bajó los ojos, firmó con rapidez dos hojas separadas de papel, y sólo entonces dejó la pluma y se echó atrás en el asiento, dirigiendo una mirada inquisitiva a su famoso subordinado. El Inspector Jefe la soportó bien, en actitud deferente pero inescrutable.

—Me parece que estaba usted en lo cierto al decirme de entrada que los anarquistas de Londres no tenían nada que ver con esto —dijo el Subdirector—. Aprecio muy bien la excelente vigilancia que sus hombres han mantenido sobre ellos. Por otra parte, esto, para el público, no pasa de ser una confesión de ignorancia.

Su pensamiento parecía detenerse en equilibrio sobre una palabra antes de pasar a la siguiente, como si ellas fueran piedras en las que su intelecto hiciera pie para conseguir atravesar el cauce del error.

—A menos que usted haya traído algo útil de Greenwich añadió.

El Inspector Jefe inició inmediatamente el relato de su investigación, de un modo claro y profesional. Su superior, girando un poco el sillón, cruzó las delgadas piernas y se inclinó apoyado en un codo, haciéndose visera con la mano. Su actitud de escucha tenía una suerte de gracia angulosa y angustiada. Unos destellos de plata extremadamente pulida juguetearon en los flancos de su cabeza de ébano cuando al final la inclinó lentamente.

El Inspector Jefe Heat aguardaba con aspecto de darle vueltas en su mente a todo lo que acababa de decir, pero, en realidad, sopesando la pertinencia de decir algo más. El Subdirector abrevió su vacilación.

—¿Cree usted que hubo dos hombres? —preguntó, sin dejar al descubierto los ojos.

Al Inspector Jefe le parecía más que probable. En su opinión, los dos hombres se habían separado a menos de cien yardas de los muros del Observatorio. Explicó asimismo cómo el otro hombre pudo salir velozmente del parque sin ser observado. La niebla, aunque no era muy densa, estaba a su favor. Al parecer había escoltado al otro hasta el lugar, y luego lo había dejado allí para que hiciera el trabajo sin ayuda. Considerando la hora a la que la anciana los vio salir a ambos de la estación de Maze Hill, y la hora a la que se oyó la explosión, el Inspector Jefe pensaba que el segundo hombre podría haber estado efectivamente en la estación de Greenwich Park, dispuesto a coger el siguiente tren hacia afuera, en el momento en que su camarada volaba en pedacitos.

—En pedacitos, ¿eh? —murmuró el Subdirector desde la sombra de la mano.

El Inspector Jefe describió en pocos y vigorosos términos el aspecto de los restos.

—Un regalo para el juez de guardia —añadió torvamente.

El Subdirector se descubrió los ojos.

—No tendremos nada que decirles —comentó sin entusiasmo.

Levantó la vista y estuvo un rato observando la actitud notoriamente reservada de su Inspector Jefe. No tenía propensión a hacerse fácilmente ilusiones. Sabía que un departamento está a merced de sus oficiales subordinados, que poseen su propio concepto de la lealtad. Había comenzado su carrera en una colonia tropical. Le había gustado su trabajo allí. Era labor de policía. Había tenido mucho éxito siguiéndoles la pista y desbaratando ciertas nefandas sociedades secretas de los nativos. Después cogió un prolongado permiso, y contrajo matrimonio bastante impulsivamente. Formaban una buena pareja desde un punto de vista mundano, pero su esposa, de oídas, se formó una opinión desfavorable del clima colonial. Por otra parte, ella tenía influyentes conexiones. Una excelente alianza. Pero a él no le gustaba el trabajo que tenía que hacer ahora. Se sentía dependiente de demasiados subordinados y demasiados jerarcas. La cercana presencia de ese extraño fenómeno emocional llamado opinión pública pesaba en su espíritu, y lo alarmaba por su naturaleza irracional. No cabe duda de que por ignorancia exageraba ante sí mismo el poder de aquélla, para bien y para mal: especialmente para mal; los rudos vientos del este de la primavera inglesa (que agradaban a su esposa) aumentaban su desconfianza genérica hacia los motivos de los hombres, y en la eficiencia de la organización de éstos. La futilidad del trabajo burocrático lo abrumaba especialmente en esos días tan molestos para su sensible hígado.

Se puso de pie, estirándose cuan alto era, y con paso llamativamente pesado para un hombre de su complexión atravesó la sala en dirección a la ventana. La lluvia chorreaba en los cristales y la porción de calle que tenía bajo sus pies estaba mojada y vacía, como si hubiera sido súbitamente barrida por una gran inundación. Era un día exasperante, envuelto para empezar en una desapacible niebla, y ahora ahogado en una lluvia fría. Las borrosas llamas fluctuantes de las farolas parecían estar disolviéndose en una atmósfera acuosa. Y las arrogantes pretensiones de una humanidad oprimida por las miserables indignidades del tiempo se presentaban como una colosal e incurable vanidad, merecedora de escarnio, asombro y compasión.

«¡Horrible, horrible!», pensó el Subdirector, con el rostro próximo al cristal de la ventana. «Llevamos ya diez días de esto... No, una quincena, una quincena entera.» Transcurrió un momento en que dejó completamente de pensar. Esa suspensión total en su cerebro duró alrededor de tres segundos. Después dijo, en tono rutinario:

—¿Ha dispuesto la investigación a lo largo de la línea para dar con ese otro individuo?

Él no tenía dudas de que se había hecho todo lo necesario. El Inspector Jefe conocía perfectamente, desde luego, el oficio de cazar hombres. Y además, se trataba de las primeras medidas que cualquier principiante tomaría como mera cuestión de rutina. Algunas averiguaciones entre el personal de las dos pequeñas estaciones de tren proporcionaría detalles adicionales en cuanto al aspecto de los dos hombres; la inspección de los billetes recogidos revelaría enseguida de dónde habían venido esa mañana. Era algo elemental y no podía haber sido obviado. Por lo tanto, el Inspector Jefe Heat respondió que aquello había sido llevado a cabo tan pronto como la anciana se presentó con su declaración. Y mencionó el nombre de una estación.

—De ahí es de donde venían, señor —continuó—. El receptor que recogió los billetes en Maze Hill recuerda el pasaje de dos individuos que responden a la descripción dada. Le parecieron dos respetables trabajadores especializados: pintores de carteles o empapeladores de interiores. El mayor salió de un compartimento trasero de tercera clase, con un brillante tarro de hojalata en la mano. En el andén se lo entregó al joven rubio que lo seguía. Todo esto coincide exactamente con lo que la anciana le dijo al sargento en Greenwich.

El Subdirector, todavía con el rostro vuelto hacia la ventana, expresó sus dudas de que aquellos dos hombres hubieran tenido que ver con el atentado. Aquella teoría descansaba por entero en las manifestaciones de una vieja limpiadora a la que un hombre en su prisa casi se había llevado por delante. No se trataba en verdad de una autoridad muy convincente, como no hubiera actuado por influencia divina, cosa difícilmente sostenible.

—Dígame, francamente: ¿de veras podría ella haber estado bajo influencia divina? —inquirió con irónica seriedad, siempre de espaldas, como embelesado en la contemplación de las colosales formas de la ciudad medio perdidas en la noche. Ni giró siquiera cuando oyó murmurar la palabra «providencial» en labios del principal subordinado de su departamento, cuyo nombre, impreso a veces en los periódicos, era conocido del gran público como el de uno de sus celosos y dedicados protectores.

El Inspector Jefe Heat levantó un poco la voz:

—Yo vi perfectamente unas tiras y fragmentos brillantes de hojalata —dijo—. Eso es una confirmación bastante buena.

—Y esos hombres venían de esa pequeña estación rural —musitó meditabundo el Subdirector, pensando en voz alta.

La respuesta fue que tal era el nombre en dos de los tres billetes entregados a la salida de aquel tren en Maze Hill. La tercera persona que salió fue un buhonero de Gravesend, conocido perfectamente por los funcionarios.

El Inspector Jefe dio esta información en tono concluyente y no exento de un leve toque de mal humor, como cabe a un fiel funcionario consciente de su fidelidad y con

sentido del valor de sus leales esfuerzos. Y aun así el Subdirector no apartó el rostro de la oscuridad exterior, vasta
como un mar.

—Dos anarquistas extranjeros venidos de ese lugar —dijo,
aparentemente dirigiéndose al cristal de la ventana—. Resulta bastante inexplicable.

—Sí, señor. Pero sería aún más inexplicable si el tal Michaelis no estuviese alojado en una cabaña de los alrededores.

Al sonido de aquel nombre, que caía inesperadamente
en aquel enojoso asunto, el Subdirector descartó bruscamente el vago recuerdo de su diaria partida de whist en el
club. Era el hábito más reconfortante de su vida, una exhibición generalmente de gran éxito de su habilidad sin la
ayuda de ningún subordinado. Se metía en el club de cinco
a siete, antes de ir a cenar a su casa, y durante esas dos horas olvidaba cualquier aspecto desagradable de su existencia, como si el juego fuese una medicina beneficiosa para
aliviar los accesos de disconformidad moral. Sus compañeros de partidas eran el director de una celebrada revista, po-
seedor de un humor lúgubre; un taciturno abogado de
edad madura y ojillos maliciosos; y un viejo coronel, sumamente marcial y simplote, de nerviosas manos bronceadas.
Eran meramente conocidos del club. Él jamás se reunía con
ellos en ninguna otra parte que no fuera la mesa de juego.
Pero todos parecían tomarse las partidas con un espíritu de
compañeros de sufrimiento, como si realmente fuera una
medicina contra los secretos males de la existencia; y cada
día, mientras el sol declinaba sobre los incontables techos
de la ciudad, una mórbida, placentera impaciencia —que se
parecía al impulso de una segura y profunda amistad—,
contribuía a aliviarlos de sus respectivas labores profesionales. Y ahora esa placentera sensación lo abandonaba con
algo parecido a una conmoción física, reemplazada por una
suerte de especial interés en su trabajo de protección social:
un tipo impropio de interés, mejor definido como una súbita y consciente desconfianza en el arma a su disposición.

Capítulo VI

L A dama que amparaba a Michaelis, el apóstol de las esperanzas humanitarias en libertad condicional, era
una de las más influyentes y distinguidas relaciones
de la esposa del Subdirector, a quien dicha dama llamaba
Annie y seguía tratando como a una joven más bien poco
sensata y por entero inexperta. Había consentido, empero,
en aceptarlo a él en términos de amistad, lo cual no era en
modo alguno el caso con todas las influyentes relaciones de
su esposa. Casada joven y espléndidamente en un pasado
remoto, había tenido durante un tiempo una cercana visión
de trascendentes asuntos, e incluso de algunos grandes
hombres. Ella misma era una gran dama. Vieja ahora, con
muchos años, poseía esa especie de temperamento excepcional que desafía al tiempo con desdeñosa despreocupa-
ción, como si se tratase de una convención más bien vulgar
a la que se somete la masa inferior de la humanidad. Muchas otras convenciones —más fáciles, ¡ay!, de dejar de
lado— eran asimismo desacatadas por ella por motivos
temperamentales: porque la aburrían, o por interponerse en
el camino de sus desprecios y simpatías. La admiración era
un sentimiento desconocido para ella (uno de los secretos
motivos de pesar de su muy noble esposo), primero, por estar siempre más o menos teñida de mediocridad, y luego,
por ser en cierto sentido una forma de admitir la inferioridad. Cosas ambas decididamente inconcebibles para su naturaleza. Le resultaba fácil expresar sus opiniones sin temor,
dado que emitía sus juicios exclusivamente desde la pers-

pectiva de su posición social. Era igualmente desinhibida para actuar; y como su tacto era producto de una genuina benevolencia, su vigor físico se conservaba notablemente y su superioridad era serena y cordial; tres generaciones la habían admirado infinitamente y la última, que probablemente iba a ver, la había declarado una mujer maravillosa. Entre tanto ella, inteligente, con algo así como una altanera sencillez, y sinceramente curiosa —aunque no, como muchas mujeres, simplemente adepta al cotilleo social—, solazaba su etapa vital atrayendo a su círculo, mediante el poder de su gran y casi histórico prestigio social, a todo aquel que se elevara sobre la mediocridad de la generalidad, legítima o ilegítimamente, por su postura, ingenio, audacia, fortuna o infortunio. Altezas reales, artistas, hombres de ciencia, jóvenes estadistas y charlatanes de toda edad y condición que, insustanciales y sin peso, flotando como corchos, caracterizaban mejor la dirección de las corrientes en la superficie, habían sido bienvenidos en aquella casa, escuchados, indagados, comprendidos, evaluados, para edificación de la anfitriona. Como ella misma decía, le gustaba observar hacia dónde iba el mundo. Y como tenía una mente práctica, sus juicios sobre los hombres y las cosas, aunque basados en particulares prejuicios, rara vez eran totalmente erróneos, y en todo caso casi nunca persistía en ellos. Su salón era probablemente el único lugar en el ancho mundo donde un Subdirector de Policía pudiera reunirse con un ex convicto en libertad condicional por motivos que no fueran profesionales y oficiales. El Subdirector no recordaba muy bien quién había llevado allí una tarde a Michaelis. Tenía idea de que debió de haber sido cierto parlamentario de ilustre abolengo y simpatías no convencionales que constituían el chiste obligado de las publicaciones humorísticas. Los personajes notables e incluso los simplemente notorios del momento se invitaban libremente entre sí para acudir a aquel templo de la nada innoble curiosidad de una anciana. Nunca podía uno adivinar con quién era posible que se encontrase al ser recibido de manera semiprivada tras el biombo de pálida seda azul y marco dorado que formaba un rincón íntimo para un diván y algunos sillones en el gran salón, con el murmullo de voces y los grupos de personas sentadas o de pie iluminadas por seis altas ventanas.

Michaelis se había granjeado el afecto de la sensibilidad popular, precisamente la sensibilidad que años atrás había aplaudido la ferocidad de la sentencia a cadena perpetua dictada contra él por complicidad en un intento más bien absurdo de rescatar a unos presos de un vehículo de la policía. El plan de los conspiradores había sido derribar a tiros a los caballos y dominar a la escolta. Desgraciadamente, también resultó muerto uno de los policías. Dejó esposa y tres hijos pequeños, y la muerte de aquel hombre suscitó —a lo largo y a lo ancho de un reino por cuya defensa, bienestar y gloria mueren diariamente hombres en cumplimiento del deber—, un estallido de furiosa indignación, de rabiosa e implacable piedad por la víctima. Tres cabecillas fueron ahorcados. Michaelis, joven y delgado, cerrajero de profesión y asiduo concurrente a escuelas nocturnas, cuyo papel era el de, en unión con otros, forzar la puerta trasera del vehículo especial, ni siquiera se enteró de que hubiera muerto alguien. Cuando lo detuvieron tenía un manojo de llaves maestras en un bolsillo, un pesado formón en el otro, y una corta palanca en la mano; ni más ni menos que lo que lleva un ladrón. Pero ningún ladrón habría recibido una sentencia tan grave. La muerte del policía lo había apesadumbrado sinceramente, pero también el fracaso del plan. No ocultó ninguno de tales sentimientos a sus compatriotas del jurado, y una compunción de esas características le pareció a la sala repleta del tribunal ofensivamente incompleta. Al dictar sentencia, el juez formuló sentidos comentarios sobre la depravación e insensibilidad del joven prisionero.

Aquello dio lugar a la injustificada fama de su condena; la de su liberación fue fabricada a su respecto no menos injustificadamente por unas personas que deseaban sacar provecho del aspecto sentimental de su encarcelamiento, sea en beneficio propio o sin ningún propósito inteligible. Con el corazón inocente y la mente ingenua, él las dejó hacer. Nada de lo que le sucediese a él individualmente tenía importancia alguna. Era como esos hombres santos cuya personalidad se pierde en la contemplación de su fe. Sus ideas no poseían el carácter de convicciones. Eran inasibles para el razonamiento. Con todas sus contradicciones y oscuridades, constituían un credo invencible y humanitario, en el que profesaba, y el que, en cierta medida, predicaba, con una dulce obstinación, una sonrisa de pacífica certeza en los labios, y bajando los inocentes ojos azules porque el mirar otros rostros perturbaba su inspiración, desarrollada en la soledad. Fue en esa actitud característica —patético en su grotesca e incurable obesidad, que tendría que arrastrar como la bola de hierro de un galeote hasta el fin de sus días— como el Subdirector contempló al apóstol en libertad condicional ocupando de lleno un privilegiado sillón tras el biombo. Allí estaba, sentado junto a la cabecera del diván de la vieja dama, hablando en tono suave y apacible, menos inhibido que un niño muy pequeño y con algo de encanto pueril, de la atractiva seducción de la fiabilidad. Con confianza en el futuro, cuyos secretos designios le habían sido revelados dentro de las cuatro paredes de una conocida penitenciaría, no tenía razón alguna para mirar a nadie con desconfianza. Si bien no había podido proporcionar a la gran dama curiosa una idea muy clara de hacia dónde se encaminaba el mundo, había logrado sin esfuerzo impresionarla con su fe carente de amargura y lo genuino de su optimismo.

En ambos extremos de la escala social, las almas serenas tienen en común una cierta ingenuidad intelectual. La gran dama lo era a su modo. Las opiniones y las creencias de él no contenían nada que pudiera chocarle o sobresaltarla, puesto que las juzgaba desde el punto de vista de su elevada posición. De hecho, sus simpatías resultaban fácilmente accesibles para un hombre de su clase. Ella misma no era una explotadora capitalista; estaba, digamos, por encima del juego de los factores económicos. Y poseía una gran capacidad de compasión ante las formas más evidentes de las miserias humanas corrientes, precisamente porque le eran tan extrañas que tenía que traducir su formulación a términos de sufrimiento mental antes de captar la idea de su crueldad. El Subdirector recordaba muy bien la conversación entre aquellos dos. Él había escuchado en silencio. Fue algo tan excitante, en cierto modo —y hasta conmovedor en su previsible futilidad—, como los esfuerzos de comunicación moral entre habitantes de planetas remotos. Pero aquella grotesca encarnación de la pasión filantrópica tenía cierto atractivo para la imaginación. Al final, Michaelis se puso de pie, cogió la mano extendida de la gran dama, la estrechó, la retuvo un momento en la vasta palma de su mano rechoncha con desenvuelta familiaridad, y dio la espalda robusta y cuadrada —como distendida bajo la corta chaqueta de tweed— al semiprivado rincón del salón. Mirando en derredor con serena benevolencia, fue andando como un ánade hasta la distante puerta entre los grupos de los demás visitantes. El murmullo de las conversaciones cesaba a su paso. Él le sonrió inocentemente a una muchacha alta y llamativa, cuyos ojos se encontraron accidentalmente con los suyos, y continuó andando sin prestar atención a las miradas que lo siguieron de un extremo al otro del salón. La primera aparición de Michaelis en el mundo fue un éxito, un éxito de estima que ni un solo murmullo burlón echó a perder. Las conversaciones interrumpidas se reanudaron en el tono apropiado, grave o ligero. Únicamente un fornido cuarentón de largas extremidades y apariencia activa, que hablaba con dos damas cerca de una ventana, comentó en voz alta, con inesperada vehemencia:

—Doscientas cincuenta libras, diría yo, y poco más de cinco pies de altura. ¡Pobre hombre! Es terrible... ¡terrible!

La anfitriona, que miraba abstraídamente al Subdirector —quien había quedado solo con ella en el lado reservado del biombo—, parecía estar recomponiendo sus impresiones mentales tras la pensativa inmovilidad de la agraciada senectud de su rostro. Rodeando el biombo se fueron acercando unos hombres de mostacho gris y semblante lleno, saludable, vagamente sonriente; dos mujeres maduras con un aire afable de matronas, un bien rasurado individuo de mejillas hundidas, que llevaba colgando de una ancha cinta negra un monóculo con montura de oro, con un resultado de dandismo de otra época. Un silencio deferente, aunque lleno de reserva, reinó por un momento, y luego la gran dama exclamó, no con resentimiento, sino como una especie de indignada protesta:

—¡Y oficialmente se supone que un revolucionario sea eso! Valiente disparate. —Miró fijamente al Subdirector, quien murmuró, en tono de disculpa:

—Puede que no sea uno de los peligrosos.

—Peligroso... seguramente que no. Es un simple creyente. Tiene el temperamento de un santo —declaró con firmeza la gran dama—. Y lo han tenido veinte años encerrado. Una se estremece ante tal estupidez. Y ahora que lo han dejado salir, todas sus relaciones se han ido a otra parte o han muerto. Sus padres están muertos; la muchacha con la que iba a casarse murió mientras él estaba en la cárcel; ha perdido la práctica necesaria para desempeñar su oficio manual. Todo esto me lo ha dicho él mismo con la más enternecedora ecuanimidad; claro que, dice, ha tenido tiempo de sobra para considerar cuidadosamente las cosas por sí mismo. ¡Bonita compensación! Si ésa es la madera de que están hechos los revolucionarios, es posible que algunos de nosotros acudamos de rodillas a ellos —continuó en tono levemente zumbón, mientras las banales sonrisas mundanas se helaban en los rostros vueltos hacia ella con convencional deferencia—. Es evidente que esa pobre criatura ya no está en situación de cuidar de sí misma. Alguien tendrá que ocuparse un poco de él.

—Habría que aconsejarle que siguiera algún tratamiento —se oyó desde lejos la voz marcial del hombre de aspecto enérgico, que parecía muy saludable para su edad. Incluso la textura de su larga levita tenía una cualidad de elástica firmeza, como la de un tejido vivo—. Ese hombre es virtualmente un lisiado —agregó con inequívoca vehemencia.

Otras voces, como satisfechas de la oportunidad, se apresuraron a murmurar compasivamente: «Bastante sobrecogedor», «Monstruoso», «Sumamente penoso de ver». El delgaducho del monóculo con la cinta ancha pronunció afectadamente la palabra «grotesco», cuya justeza fue apreciada por quienes estaban próximos a él. Hubo sonrisas mutuas.

El Subdirector no había expresado opinión alguna, ni entonces ni después, pues su cargo le imposibilitaba ventilar cualquier punto de vista independiente acerca de un convicto en libertad condicional. Pero, en verdad, compartía el de la amiga y protectora de su esposa de que Michaelis era un sentimental humanitario, un poco chalado, pero en definitiva incapaz de hacer daño a una mosca intencionadamente. De modo que cuando aquel nombre saltó súbitamente en el perturbador asunto de la bomba, se dio cuenta de todo el peligro que implicaba para el apóstol en libertad condicional, y su pensamiento recayó enseguida en la arraigada debilidad de la anciana dama hacia él. Su arbitraria benevolencia no toleraría sumisamente que se pusiera cualquier obstáculo a la libertad de Michaelis. Era la suya una debilidad profunda, serena, convencida. No sólo había presentido que era inofensivo, sino que lo había dicho, cosa que —por un trastorno de su mente absolutista— se convertía en una suerte de prueba incontrovertible. Era como si la monstruosidad de aquel individuo, con sus cándidos ojos infantiles y su adiposa sonrisa angélica, la hubiera fascinado. Como no repugnaba a sus prejuicios, casi había llegado a creer en la teoría del futuro expuesta por él. Le desagradaba la plutocracia como nuevo elemento en el complejo social, y el industrialismo como método de desarrollo humano se le aparecía singularmente repulsivo por su carácter mecánico y falto de sentimientos. Las aspiraciones humanitarias del apacible Michaelis no apuntaban a una destrucción total del sistema, sino sencillamente a su completa ruina económica. Y ella no veía realmente dónde estaba el daño moral de esto último. Eliminaría a la multitud de advenedizos nuevos ricos que le disgustaban, y de quienes desconfiaba, no porque hubiesen llegado a alguna parte (cosa que negaba), sino por su profundo desconocimiento del mundo, causa primordial de la crudeza de sus percepciones y de la aridez de sus corazones. Con la aniquilación del capital desaparecerían también ellos; pero la ruina universal (siempre que fuera universal, como le había sido revelado a Michaelis) dejaría intocados los valores sociales. La desaparición de la última moneda no podía afectar a la gente de posición. Ella no podía concebir cómo podría afectar, por ejemplo, la suya propia. Le había expuesto estos descubrimientos al Subdirector con todo el sereno arrojo de una anciana que ha escapado al azote de la indiferencia. Él había adoptado por norma recibir aquel tipo de cosas con un silencio que, por política y por inclinación, se cuidaba de que no resultase ofensivo. Le tenía afecto a la anciana discípula de Michaelis, un complejo sentimiento que dependía un poco del prestigio y la personalidad de ella, pero, sobre todo, de un impulso de halagado reconocimiento agradecido. Se sentía realmente apreciado en aquella casa. Ella era la bondad personificada. Y era también prudente en la práctica, como lo son las mujeres experimentadas. Por ella, su vida de casado fue mucho más fácil de lo que hubiera sido sin su pleno reconocimiento de los derechos de él como marido de Annie. Su influencia sobre la esposa —una mujer consumida por toda clase de pequeños egoísmos, envidias, celos— era muy buena. Desgraciadamente, tanto su bondad como su prudencia eran de naturaleza irracional, netamente femeninas, era difícil entenderse con ellas. Llevaba toda una vida siendo una mujer perfecta, sin haberse convertido —como les ocurre a algunas— en una especie de chancletudo y apestoso anciano con faldas. Y como mujer la consideraba él; una selecta encarnación de lo femenino, origen del tierno, honesto y vehemente respaldo con que cuentan todos los hombres, de la clase que sean, capaces de hablar bajo el influjo de una emoción, verdadera o fraudulenta: predicadores, visionarios, profetas o reformadores.

Su estima hacia la distinguida y buena amiga de su esposa —y, por extensión, suya— hizo que el Subdirector se sintiera alarmado ante el posible destino del convicto Michaelis. Una vez detenido bajo sospecha de ser —de algún modo, aunque fuera remoto— cómplice de aquel atentado, difícilmente podría escapar de que lo mandasen de nuevo a la cárcel, cuando menos a cumplir su sentencia. Y eso lo mataría; no volvería a salir vivo de allí. El Subdirector hizo una reflexión sumamente impropia de su cargo oficial, sin que fuera realmente atribuible a su buena índole.

«Si al fulano lo prenden otra vez», pensó, «ella nunca me lo perdonará.»

La franqueza de un pensamiento semejante proclamado en secreto no podía pasar sin un sarcasmo autocrítico. Ningún hombre que desempeñe un trabajo que no le gusta puede mantener muchas ilusiones redentoras sobre sí mismo. El disgusto, la ausencia de atractivo, se extienden de la ocupación a la personalidad. Únicamente cuando las actividades que tenemos asignadas parecen —por un afortunado azar— obedecer a la particular tendencia de nuestro temperamento, podemos degustar el consuelo del completo autoengaño. Al Subdirector no le gustaba su trabajo en la metrópolis. La tarea policial que se le había encomendado en un punto distante del globo tenía el carácter redentor de una especie de guerra irregular, o al menos el riesgo y la excitación del deporte al aire libre. Sus verdaderas capacidades, que eran principalmente de naturaleza administrativa, se mezclaban con una disposición aventurera. Atado a un escritorio en la selva de cuatro millones de personas, se consideraba víctima de un irónico destino —el mismo, sin duda, que había originado su matrimonio con una mujer excepcionalmente sensible en lo relativo al clima colonial, amén de otras limitaciones que testificaban lo frágil de su naturaleza, y de sus gustos. Aunque juzgara su alarma sarcásticamente, no descartó de su mente el pensamiento impropio. El instinto de conservación era fuerte en él. Por el contrario, lo repitió mentalmente con énfasis profano y con una precisión más acabada: «¡Maldita sea! Si este diabólico Heat se sale con la suya, el fulano morirá en prisión asfixiado por su propia gordura, y ella nunca me lo perdonará.»

Su negra y delgada figura, con la franja blanca del cuello por debajo de los reflejos plateados del cabello cortado muy corto en la parte de atrás de la cabeza, permaneció inmóvil. El silencio había durado un rato tan largo, que el Inspector Jefe Heat se aventuró a carraspear. El sonido produjo su efecto. Su superior, cuya espalda se mantenía imperturbablemente vuelta hacia él, preguntó al entusiasta e inteligente oficial:

—¿Relaciona usted a Michaelis con este asunto?

El Inspector Jefe fue muy claro, aunque cauteloso.

—Bueno, señor —dijo—, tenemos bastante para proceder. De todas formas, un hombre como ése no tiene por qué andar suelto.

—Necesitará alguna prueba concluyente. —La observación llegó al otro en un murmullo.

El Inspector Jefe Heat enarcó las cejas en dirección a la negra figura delgada, que permanecía obstinadamente de espaldas a su inteligencia y su entusiasmo.

—No habrá ninguna dificultad en reunir pruebas suficientes contra él —dijo con virtuosa complacencia—. Para eso puede usted confiar en mí, señor —le hizo añadir, sin que hiciera ninguna falta, su corazón henchido; porque le parecía una gran cosa tener a mano a aquel hombre, para arrojárselo al público en caso de que a éste le diese por rugir con particular indignación en este caso. Era imposible todavía decir si habría de rugir o no. En última instancia, ello dependía, por supuesto, de la prensa diaria. Pero de todas formas el Inspector Jefe Heat, de profesión proveedor de las cárceles y hombre de instinto legal, creía lógicamente que el encarcelamiento era el destino adecuado para todo enemigo declarado de la ley. La fuerza de esa convicción lo llevó a cometer una falta de tacto. Se permitió una risita vanidosa y repitió:

—Confíe usted en mí en cuanto a eso, señor.

Aquello fue demasiado para la forzada calma bajo la cual el Subdirector había ocultado por más de dieciocho meses su irritación con el sistema y los subordinados de su repartición. Completamente fuera de lugar en su puesto, había sentido como un diario ultraje esa vieja y engrasada rutina de lo establecido, en la cual un hombre de otras características hubiera encajado, con voluptuosa aquiescencia, tras encogerse de hombros un par de veces. Lo que más lo mortificaba era precisamente la necesidad de aceptar tantas cosas sin cuestionarlas. Ante la risita del Inspector Jefe Heat, giró velozmente sobre sus talones, como despedido vertiginosamente de la ventana por una corriente eléctrica. Captó en el rostro del otro, no sólo la complacencia propia de la ocasión acechando bajo el mostacho, sino vestigios de una experimentada alerta en los ojos redondos, que sin duda habían estado prendidos de su espalda y que ahora se encontraron por un segundo con los suyos antes de que el carácter intencionado de su mirada tuviera tiempo de transformarse en una apariencia de mera sorpresa.

El Subdirector de Policía poseía realmente algunas cualificaciones para su cargo. De pronto se despertaron sus sospechas. Aunque justo es decir que despertar sus sospechas sobre los métodos policiacos (a menos que se tratase de un cuerpo de policía semimilitar organizado por él mismo) no era difícil. Si alguna vez se adormilaban por simple cansancio, era apenas ligeramente: y su estima por el celo y la capacidad del Inspector Jefe Heat, de por sí moderada, excluía toda noción de confianza moral. «Está tramando algo», exclamó mentalmente, e inmediatamente se enfadó. Precipitándose a grandes pasos hasta el escritorio, se sentó con violencia. «Heme aquí atascado en un maremágnun de papeles», reflexionó con un resentimiento irracional, «se supone que con todos los hilos en mi mano, y, sin embargo, apenas si puedo tener los que me ponen en la mano, y nada más. Y ellos pueden atar el otro extremo de los hilos allí donde les plazca.»

Levantó la cabeza y volvió hacia su subordinado un rostro alargado y enjuto, con los rasgos acentuados de un enérgico Don Quijote.

—Veamos, ¿qué es lo que esconde usted en la manga?

El otro se quedó mirándolo. Lo miraba fijamente sin parpadear, con los ojos redondos en perfecta inmovilidad, como estaba acostumbrado a mirar a los diversos miembros de la clase delictiva cuando, ya debidamente aleccionados, formulaban sus declaraciones en tono de ofendida inocencia, o falsa sencillez, o malhumorada resignación. Pero detrás de aquella inflexible fijeza profesional había también cierta sorpresa, pues el Inspector Jefe Heat, mano derecha del departamento, no estaba habituado a que le hablasen en aquel tono, en el que se mezclaban sutilmente el desdén y la impaciencia. Como quien ha sido tomado de improviso por una experiencia nueva e inesperada, habló con un manifiesto matiz de duda.

—¿Quiere usted decir que qué tengo contra el tal Michaelis, señor? El Subdirector observó la cabeza ahusada, las puntas de aquellos bigotes de pirata escandinavo, que caían por debajo de la línea de la sólida barbilla; el conjunto de su fisonomía llena y pálida, cuyo aspecto de determinación resultaba estropeado por el exceso de tejido orgánico; los radiados surcos de astucia que partían de las comisuras exteriores de los ojos; y de esa expresa contemplación del valioso y confiable oficial extrajo una convicción tan repentina que lo sacudió como un golpe de inspiración.

—Tengo motivos para creer que cuando entró en esta habitación —dijo en tono mesurado— no era a Michaelis a quien tenía usted en mente. No en primer término... Puede que en absoluto.

—¿Que tiene usted motivos, señor? —murmuró el Inspector Jefe Heat mostrando todas las señales de una perplejidad total, hasta cierto punto bastante auténtica. Había descubierto en aquel asunto un aspecto delicado y confuso que lo obligaba a un cierto grado de doblez, la clase de insinceridad que, bajo el nombre de habilidad, prudencia o discreción, aparece antes o después en la mayoría de los asuntos humanos. En aquel momento se sintió como podría sentirse un artista funámbulo si de pronto, en mitad de la función, el gerente del circo abandonara sus tareas específicas para venir a sacudirle la cuerda. La indignación, la sensación de incertidumbre moral engendrada por semejante comportamiento traicionero, unida al inmediato temor a romperse el cuello, lo dejaría, como suele decirse, hecho un flan. Estaría además la preocupación por el ultraje a su arte, puesto que un hombre ha de identificarse con algo más tangible que su propia personalidad y enraizar su orgullo en alguna parte, sea en su posición social, o en la calidad del trabajo que está obligado a realizar, o simplemente en la superioridad del ocio del que puede que le quepa la fortuna de disfrutar.

—Sí —dijo el Subdirector—, los tengo. No quiero decir que no haya usted pensado para nada en Michaelis. Pero le está dando al hecho que ha mencionado una importancia que se me antoja no del todo inocente, Inspector Heat. Si se trata realmente de la pista que hay que seguir, ¿por qué no se ha puesto tras ella de inmediato, sea personalmente, o enviando a uno de sus hombres a esa aldea?

—¿Cree usted, señor, que en ese punto no he cumplido con mi deber? —preguntó el Inspector Jefe, en un tono que procuró que fuera sencillamente reflexivo. Obligado inesperadamente a concentrar sus facultades en la tarea de conservar el equilibrio, se había aferrado a ese punto, exponiéndose a una réplica; pues el Subdirector, frunciendo ligeramente el ceño, le observó que aquél era un comentario muy inadecuado.

—Pero puesto que lo ha hecho —continuó fríamente— le diré que no es eso lo que quiero decir.

Hizo una pausa, con una mirada directa de sus ojos hundidos que equivalía plenamente a la conclusión no expresada de su frase: «Y usted lo sabe.» El director de la llamada Brigada Especial, impedido por su cargo de salir personalmente en busca de los secretos encerrados en pechos culpables, tenía propensión a ejercitar sus notables dotes para la detección de acusadoras verdades sobre sus propios subordinados. Tan peculiar instinto difícilmente podría considerarse una debilidad. Era natural. Él era un detective nato. El instinto había determinado inconscientemente en él la elección de una carrera, y si alguna vez en la vida le había fallado, tal vez fuera en la excepcional circunstancia de su matrimonio, cosa también natural. Como no podía salir de correrías, se alimentaba del material humano que le llevaban a su lugar oficial de reclusión. Nunca podemos dejar de ser nosotros mismos.

Con un codo sobre el escritorio, las delgadas piernas cruzadas, y la mejilla apoyada en la palma de su mano magra, el Subdirector a cargo de la Brigada Especial se estaba interiorizando del caso con creciente interés. Aunque no fuera un digno rival para sus cualidades perceptivas, su Inspector Jefe era en cualquier caso el más digno de todos los que tenía a su disposición. La desconfianza en las reputaciones afianzadas estaba estrictamente en consonancia con la capacidad del Subdirector como detector. Evocó el recuerdo de un cierto viejo, gordo y rico jefe nativo en la remota colonia, en quien era una tradición que los sucesivos gobernadores coloniales confiaran y a quien mucho elogiaban como un amigo firme y partidario del orden y la legalidad establecidas por el hombre blanco; siendo así que, bajo escrutinio escéptico, reveló ser fundamentalmente buen amigo de sí mismo y de nadie más. No precisamente un traidor, pero de todas formas hombre de una fidelidad que albergaba muchas y peligrosas reservas, debidas a un legítimo interés en su propio provecho, comodidad y seguridad. Un sujeto relativamente inocente en su ingenua duplicidad, pero, no obstante, peligroso. No fue fácil descubrirlo. Él también era físicamente voluminoso, y (aparte de la diferencia de color, por supuesto) fue el aspecto del Inspector Jefe Heat lo que lo trajo a la memoria de su superior. No eran los ojos, ni tampoco exactamente los labios. Era curioso. Pero ¿no relata Alfred Wallace —en su famoso libro sobre el archipiélago malayo— cómo entre los habitantes de las Islas Aru descubrió en un viejo y desnudo salvaje de piel ennegrecida un peculiar parecido con un querido amigo suyo de la metrópolis?[1].

Por primera vez desde que ocupaba su cargo, el Subdirector tuvo la sensación de que iba realmente a hacer algún trabajo por su salario. Y fue una sensación placentera. «Lo volveré del revés como a un guante viejo», pensó, con los ojos puestos pensativamente en el Inspector Jefe Heat.

—No, no era eso lo que pensaba —comenzó de nuevo—. No cabe duda sobre su conocimiento del oficio... En absoluto; y precisamente por eso... —Se detuvo en seco, y cambió de tono—: ¿Qué elemento categórico podría usted presentar contra Michaelis? Quiero decir, aparte del hecho de que los dos sospechosos (usted asegura que eran dos) fueron los últimos en salir de una estación ferroviaria que se encuentra a menos de tres millas de la aldea en la que Michaelis está viviendo.

---

[1] Alfred Russel Wallace (1823-1913) fue un naturalista, amigo de Darwin, con quien comparte el mérito de haber descubierto, por medios independientes, la idea de que la selección natural de las especies era la consecuencia de la teoría de la evolución. El libro, *Malay Archipelago,* apareció en 1869. Buena parte de la actividad como marino de Conrad se desarrolló en el archipiélago malayo.

—Eso por sí solo es suficiente para que actuemos, señor, tratándose de esa clase de hombre —dijo el Inspector Jefe, que recobraba la compostura. El leve movimiento aprobatorio de la cabeza del Subdirector bastó para apaciguar el resentido asombro del famoso funcionario. Pues el Inspector Jefe Heat era un hombre bondadoso, excelente marido y padre devoto; y la confianza pública y del departamento de que gozaba, actuando favorablemente sobre una naturaleza amable, lo había inclinado a sentirse amigable hacia los sucesivos Subdirectores que había visto pasar por aquel mismo despacho. En el tiempo que llevaba de servicio habían sido tres. Al primero, un individuo marcial, brusco, de cara colorada, con cejas blancas y un temperamento explosivo, se lo podía manejar con rienda de seda. Se fue al alcanzar la edad de retiro. El segundo, un perfecto caballero, que sabía con absoluta precisión cuál era su lugar y el de todos los demás, fue condecorado —al renunciar para hacerse cargo de un puesto de mayor rango fuera de Inglaterra— por sus servicios (en realidad, del Inspector Heat). Trabajar con él había sido un orgullo y un placer. El tercero, con algo de «tapado» desde el comienzo, seguía siendo una especie de enigma para el departamento al cabo de dieciocho meses. En términos generales, el Inspector Jefe Heat lo consideraba inofensivo: raro, pero inofensivo. Ahora estaba hablando, y el Inspector Jefe escuchaba con ostensible deferencia (lo que no significa nada, al tratarse de una cuestión del deber) e interiormente con benévola tolerancia.

—¿Se presentó Michaelis antes de abandonar Londres para irse al campo?

—Sí, señor, lo hizo.

—¿Y qué puede estar haciendo allí? —continuó el Subdirector, que estaba perfectamente informado en ese aspecto.

Encajado con penosa justeza en un viejo sillón de madera delante de una apolillada mesa de roble en un cuarto de la planta superior de una casita de cuatro habitaciones con techo de tejas cubiertas de moho, Michaelis estaba escribiendo noche y día, con letra torpe e inclinada, aquella *Autobiografía de un preso* que iba a ser como un Apocalipsis en la historia de la humanidad. Las condiciones —espacio reducido, aislamiento y soledad en una pequeña casita campestre de cuatro habitaciones— favorecían la inspiración. Era como estar en prisión, excepto porque jamás lo molestaban con el odioso propósito de hacer ejercicio físico según las tiránicas normas de su antiguo hogar en la penitenciaría. Ignoraba si el sol brillaba o no todavía sobre la tierra. El sudor del esfuerzo literario goteaba de su frente. Un fascinante entusiasmo lo empujaba. Era la liberación de su vida interior, el desbordamiento de su alma hacia el ancho mundo. Y el fervor de su cándida vanidad (despertada primero por las quinientas libras ofertadas por un editor) parecía algo predestinado y sagrado.

—Desde luego, sería sumamente deseable estar informado con exactitud —insistió el Subdirector, sin candidez alguna.

Consciente de una renovada irritación ante aquella muestra de escrupulosidad, el Inspector Jefe Heat dijo que la policía del condado había sido avisada desde el mismo momento de la llegada de Michaelis y que en cuestión de horas se podía conseguir un informe completo. Un telegrama al superintendente...

Hablaba con cierta lentitud, al tiempo que parecía estar ya pesando mentalmente las consecuencias. Un leve fruncimiento del entrecejo era el signo externo que lo indicaba. Pero una pregunta lo interrumpió.

—¿Ha enviado ya ese telegrama?

—No, señor —respondió, como sorprendido.

El Subdirector descruzó súbitamente las piernas. La energía del movimiento contrastó con el modo casual en que lanzó la siguiente sugerencia.

—¿Cree usted, por ejemplo, que Michaelis tuvo algo que ver con la preparación de esa bomba?

El Inspector Jefe adoptó un aire reflexivo.

—Yo no lo afirmaría. De momento no hay necesidad de afirmar nada. Él se vincula con gente clasificada como peligrosa. Lo hicieron delegado del Comité Rojo menos de un año después de salir en libertad condicional. Una especie de recompensa, supongo.

Y el Inspector Jefe se rió con algo de irritación y otro

poco de desprecio. Con un hombre de aquella clase la escrupulosidad era un sentimiento descolocado, e incluso ilegal. La celebridad otorgada a Michaelis hacía dos años —a propósito de su puesta en libertad— por parte de algunos periodistas sensibleros en busca de una edición especial, anidaba desde entonces en su pecho. Era perfectamente legal detener a aquel hombre ante la más leve sospecha. Parecía legal y conveniente. Sus dos jefes anteriores lo habrían comprendido enseguida; mientras que éste de ahora, sin decir ni sí ni no, se quedaba allí sentado, como sumido en divagaciones. Por lo demás, amén de ser legal y adecuada, la detención de Michaelis solucionaba una pequeña dificultad personal que en cierta forma preocupaba al Inspector Jefe Heat. Esta dificultad afectaba a su reputación, a su comodidad, e incluso al eficaz desempeño de sus deberes. Pues, si bien indudablemente Michaelis sabía algo acerca de aquel atentado, el Inspector Jefe estaba bastante seguro de que no sabía demasiado. Era una suerte. El Inspector estaba seguro de que sabía mucho menos que ciertos individuos en los que él estaba pensando, pero cuya detención no le parecía pertinente, además de ser un asunto más complicado, según las reglas de juego. Las reglas de juego no protegían tanto a Michaelis, que era un ex convicto. Sería una estupidez no aprovecharse de las facilidades legales, y los periodistas que lo habían ensalzado con efusión de sentimiento estarían dispuestos a denigrarlo con emotiva indignación.

Esta perspectiva, que contemplaba con confianza, poseía para el Inspector Jefe Heat el atractivo de un triunfo personal. Y en lo recóndito de su probo corazón de ciudadano casado corriente no dejaba de influir el desagrado —casi inconsciente pero de todos modos fuerte— de que los acontecimientos lo forzaran a verse mezclado con la ferocidad desesperada de El Profesor. El encuentro casual en la callejuela había fortalecido ese rechazo. El encuentro no le dejó al Inspector Jefe Heat esa reconfortante sensación de superioridad que los miembros de la fuerza policial obtienen del aspecto no oficial, sino privado, de su relación con las clases delictivas, mediante el cual se satisface la vanidad de poder, y se halaga en su justa medida el vulgar anhelo de dominio sobre nuestros semejantes.

El perfecto anarquista no era tenido por un semejante por el Inspector Jefe Heat. Era insoportable: un perro rabioso al que había que aislar. No es que el Inspector Jefe le tuviese miedo; por el contrario, se proponía pescarlo algún día. Pero todavía no: tenía intención de cogerlo cuando quisiera, de un modo adecuado y eficaz, acorde con las reglas del juego. El actual no era el momento adecuado, por muchas razones, personales y de servicio público. Siendo éste su sentimiento dominante, al Inspector Heat le pareció necesario y correcto desviar aquel asunto de su oscura e inconveniente vía, que conducía Dios sabe dónde, hacia un discreto (y respetuoso de la ley) punto llamado Michaelis. Y como si estuviese reconsiderando concienzudamente la sugerencia, repitió:

—La bomba. No, yo no diría eso precisamente. Puede que nunca lo averigüemos. Pero sí está clara su relación con este hecho, y podemos descubrirlo sin mucha dificultad.

Su semblante tenía ese aspecto de grave, contenida neutralidad tan bien conocida y muy temida en su momento por los ladrones de mayor clase. El Inspector Jefe Heat, aunque fuera un hombre, no era un ser sonriente. Pero su estado íntimo fue de satisfacción ante la actitud pasivamente receptiva del Subdirector, quien murmuró con suavidad:

—¿Y piensa usted realmente que la investigación debe seguir ese curso?

—Lo creo, señor.

—¿Está completamente convencido?

—Sí, señor. Ésa es la verdadera dirección que debemos tomar.

El Subdirector quitó a su cabeza el apoyo de la mano con una brusquedad que, considerando su lánguida actitud, pareció amenazar con el desplome a su entera persona. Pero, por el contrario, se irguió, extremadamente alerta, detrás del gran escritorio sobre el que su mano había caído con el ruido de un golpe seco.

—Lo que quiero saber es por qué no se le había ocurrido hasta ahora.

—Por qué no se me había ocurrido... —repitió muy lentamente el Inspector Jefe.

—Sí. Vamos, hasta que fue usted citado a este despacho.

El inspector Jefe se sintió como si entre su ropa y la epidermis el aire se hubiera vuelto desagradablemente cálido. Era la sensación de una experiencia increíble y sin precedentes.

—Claro que —dijo, exagerando la lentitud de su elocución al máximo posible— si existe una razón, de la que nada sé, para no interferir con el convicto Michaelis, tal vez sea una suerte que no haya puesto a la policía del condado tras él.

Le llevó tanto tiempo decir esto que la imperturbable atención del Subdirector pareció una maravillosa hazaña de paciencia. Su réplica vino sin demora.

—Ninguna razón en absoluto, que yo sepa. Venga, Inspector Jefe, esas sutilezas resultan conmigo sumamente impropias por su parte... sumamente impropias. Y también injustas, ¿sabe? No debería usted dejar que me rompiese así la cabeza desentrañando las cosas por mí mismo. Estoy realmente sorprendido.

Hizo una pausa, y luego añadió con suavidad:

—No hace falta decirle que esta conversación es completamente extraoficial.

Estas palabras estuvieron lejos de aplacar al Inspector Jefe. Experimentó con fuerza la íntima indignación de un funámbulo traicionado. Su orgullo de funcionario leal resultaba mecoscabado —como ante una muestra de falta de respeto— por la declaración implícita de que la cuerda no era sacudida con el propósito de que él se rompiese la crisma. ¡Como si a alguien fuera a darle miedo! Los Subdirectores vienen y van, pero un valioso Inspector Jefe no es un efímero fenómeno burocrático. Él no tenía miedo de salir con el cuello roto. El que su actuación fuese echada a perder explicaba con creces la vehemencia de su honrada indignación. Y como el pensamiento no tiene miramientos por las personas, el del Inspector Jefe Heat tomó una forma amenazante y profética. «Hijo mío», dijo para sus adentros, manteniendo los ojos redondos y habitualmente erráticos clavados en el rostro del Subdirector, «tú, hijo mío, no sabes cuál es tu lugar, y apuesto a que tu lugar tampoco te conocerá a ti por mucho tiempo.»

Como en provocativa respuesta a ese pensamiento, algo parecido a la sombra de una sonrisa afable pasó por los labios del Subdirector. Con toda soltura y naturalidad persistía en sacudir el alambre del funambulista.

—Veamos ahora lo que ha descubierto usted en el lugar del hecho, Inspector Jefe —dijo.

«Poco le dura a un tonto un buen empleo», pensó el Inspector Jefe Heat, en cuya cabeza continuaba predominando el tono profético. Pero ese pensamiento fue inmediatamente seguido de la reflexión de que un oficial superior, incluso cuando lo «echan» (ésta fue la formulación exacta) tiene aún tiempo —mientras sale volando por la puerta— de propinarle un avieso puntapié en las espinillas a un subordinado. Sin mitigar mucho el carácter asesino de su mirada, dijo, impasible:

—Estamos llegando a esa parte de mi investigación, señor.

—De acuerdo. Y bien: ¿qué ha sacado usted en limpio?

El Inspector Jefe, que había resuelto saltar del alambre, descendió a tierra con sombría franqueza.

—He sacado una dirección —dijo, extrayendo sin prisa del bolsillo un solitario fragmento de tela azul oscuro—. Esto pertenece al abrigo que llevaba el individuo que se voló en pedazos. Desde luego, puede que el abrigo no fuera suyo, y hasta podría ser robado. Pero eso no es para nada probable, si se fija usted en esto.

Aproximándose a la mesa, el Inspector Jefe alisó cuidadosamente el trozo de tela azul oscuro. La había cogido del repugnante montón en la morgue, porque a veces debajo del cuello aparece el nombre de un sastre. No suele ser de mucha utilidad, pero aun así... Tenía sólo una moderada esperanza de descubrir algo útil, pero ciertamente no había esperado encontrar —y no por cierto debajo del cuello, sino esmeradamente cosido al reverso de la solapa— un pedazo cuadrado de percal con una dirección escrita en él con tinta indeleble.

El Inspector Jefe retiró la mano que alisaba la tela.

—Me lo llevé sin que nadie lo notase —dijo—. Me pareció lo mejor. Siempre se puede presentar, en caso necesario.

Elevándose un poco en el asiento, el Subdirector atrajo la tela hacia su lado de la mesa. Se quedó mirándola en silencio. Escritos con tinta indeleble en un fragmento de percal ligeramente mayor que una hojilla de papel de fumar ordinario aparecían únicamente el número 32 y el nombre Brett Street. Estaba genuinamente sorprendido.

—No consigo entender por qué habría de andar por ahí marcado de esta forma —dijo, mirando al Inspector Jefe Heat—. Es de lo más extraordinario.

—Una vez encontré en el salón de fumar de un hotel a un anciano caballero que andaba con su nombre y su dirección cosida en todas las chaquetas, para el caso de un accidente o enfermedad súbita —dijo el Inspector Jefe—. Decía tener ochenta y cuatro años, pero no los representaba. Me dijo que también tenía miedo de perder la memoria de repente, como esas personas sobre las que solía leer en los periódicos.

Una pregunta del Subdirector, que quiso saber qué era el número 32 de Brett Street, interrumpió bruscamente aquella reminiscencia. El Inspector Jefe, bajado a tierra firme mediante sucias artimañas, había optado por recorrer sin reservas el sendero de la franqueza. Si bien creía firmemente que saber demasiado no era bueno para el departamento, lo más lejos que su lealtad le permitía llegar era a una juiciosa retención de información (por el bien del servicio). Si el Subdirector quería manejar mal este asunto, nada —por supuesto— podía impedírselo. Pero, por su parte, él no veía ahora motivo alguno para un alarde de complacencia. De modo que respondió concisamente:

—Es una tienda, señor.

El Subdirector, con los ojos puestos en el fragmento de tela azul, esperó alguna información adicional. Como ésta no vino, procedió a obtenerla mediante una serie de preguntas formuladas con afable paciencia. De esta forma adquirió una idea sobre la naturaleza del comercio del señor Verloc, del aspecto personal de éste, y oyó finalmente su nombre. En una pausa, el Subdirector levantó la vista y descubrió cierta animación en el semblante del Inspector Jefe. Se miraron los dos en silencio.

—Por supuesto —dijo el segundo—, el departamento no tiene antecedentes de ese hombre.

—¿Tuvo conocimiento alguno de mis predecesores de lo que usted acaba de contarme? —preguntó el Subdirector, colocando los codos sobre la mesa y alzando juntas las manos delante del rostro, como si estuviera por ofrecer una oración, sólo que en sus ojos no había una expresión devota.

—No, señor; ciertamente no. ¿Con qué objeto? Un hombre de esa clase jamás podría ser presentado públicamente para nada positivo. Para mí era suficiente con saber quién era y hacer uso de él de un modo que pudiera utilizarse públicamente.

—¿Y considera usted que esa clase de conocimiento privado es compatible con el cargo oficial que usted ocupa?

—Perfectamente, señor. Creo que es totalmente correcto. Me tomaré la libertad de decirle, señor, que eso me convierte en lo que soy... y que se me considera un hombre que conoce su oficio. Es un asunto privado mío. Un amigo personal en la policía francesa me dio el soplo de que ese individuo era espía de una embajada. Amistad privada, información privada, utilización privada de ésta, es así como yo lo veo.

El Subdirector, tras observar que el estado mental del renombrado Inspector Jefe parecía afectar el contorno de su mandíbula inferior, como si el intenso sentido de su alta distinción profesional hubiera estado localizado en esa parte de su anatomía, desechó momentáneamente el punto con un tranquilo «comprendo». Después, con la mejilla reposando en las manos unidas:

—Bien, pues; hablando privadamente, si usted quiere: ¿cuánto hace que está en contacto privado con ese espía de embajada?

A esta pregunta, la respuesta privada del Inspector Jefe —tan privada que jamás cobró forma en palabras audibles, fue:

«Mucho antes de que se pensara siquiera en usted para el puesto que ocupa.»

La formulación digamos que pública fue mucho más precisa.

—Lo vi por primera vez en mi vida hace poco más de siete años, cuando dos Altezas Imperiales estuvieron aquí de visita. Yo estuve a cargo de todas las medidas de protección. El embajador era entonces el barón Stott-Wartenheim. Un anciano caballero muy nervioso. Una noche, tres días antes del banquete en el Guildhall[2], me envió recado de que quería verme un momento. Yo estaba abajo y los carruajes estaban en la puerta para llevar a Su Alteza Imperial y al Canciller a la ópera. Subí enseguida. Encontré al barón en su dormitorio, yendo y viniendo en un lamentable estado de angustia y retorciéndose las manos. Me aseguró que tenía la más plena confianza en nuestra policía y en mi capacidad, pero que tenía allí a un hombre recién llegado de París, en cuya información se podía confiar absolutamente. Quería que yo oyera lo que el hombre tenía que decir. Me llevó inmediatamente a un cuarto de vestir contiguo, donde vi a un individuo fornido, con un grueso abrigo, sentado a solas en una silla y con el sombrero y el bastón en una mano. El barón le dijo, en francés, «Hable usted, amigo mío». La luz en aquella habitación no era muy buena. Hablé con él unos cinco minutos, tal vez. Ciertamente me dio una noticia muy sorprendente. Entonces el barón, muy nervioso, me llevó aparte para alabar a aquel hombre, y cuando retorné descubrí que el voluminoso individuo se había desvanecido como un fantasma. Supongo que se levantó y se escurrió por alguna escalera posterior. No hubo tiempo para correr tras él, pues tuve que seguir apresuradamente al embajador por la gran escalera y ocuparme de la seguridad de la partida hacia la ópera. No obstante, esa misma noche actué sobre la base de aquella información. Fuera o no totalmente correcta, parecía ser lo suficientemente seria. Muy probablemente nos ahorró un feo problema el día de la visita imperial a la City.

Algún tiempo después, más o menos un mes después de

_____

[2] Es decir, antes del banquete de recepción del Ayuntamiento de Londres.

mi ascenso a Inspector Jefe, me llamó la atención un hombre corpulento que salía de una joyería en el Strand y a quien pensé haber visto antes en alguna parte. Fui tras él, pues iba de camino hacia Charing Cross, y al ver allí a uno de nuestros detectives al otro lado de la calle, lo llamé por señas y le señalé al individuo, con instrucciones de que vigilase sus movimientos durante un par de días y luego me informase. Y a la tarde siguiente se presentó mi hombre para decirme que ese mismo día, a las once y media de la mañana, el sujeto se había casado con la hija de su casera en la oficina del Registro Civil y se había ido con ella a pasar una semana en Margate. Nuestro hombre había visto poner el equipaje en el coche de alquiler. En una de las maletas había unas viejas etiquetas de París. Sin saber por qué, yo no podía quitarme a aquel hombre de la cabeza, y en la primera ocasión en que tuve que ir a París por razones del servicio hablé de aquel individuo con ese amigo mío de la policía parisina. Mi amigo dijo: «Por lo que me cuentas creo que debes referirte a un dependiente y emisario del Comité Rojo Revolucionario, bastante conocido. Él dice ser inglés de nacimiento. Tenemos idea de que desde hace unos años es agente secreto de una de las embajadas extranjeras en Londres.» Eso acabó por despertar del todo mi memoria. Se trataba del sujeto que vi sentado en una silla en el cuarto de vestir del barón Stott-Wartenheim antes de que desapareciese. Le dije a mi amigo que estaba totalmente en lo cierto. Yo sabía con seguridad que era un agente secreto. Más tarde mi amigo se tomó el trabajo de desenterrar para mí los antecedentes completos de aquel hombre. Pensé que lo mejor sería enterarme de todo lo que hubiera; pero supongo que no querrá oír ahora su historia, señor...

El Subdirector movió la reclinada cabeza.

—Lo único que me importa ahora mismo es la historia de sus relaciones con ese útil personaje —dijo, cerrando lentamente sus fatigados ojos hundidos y abriéndolos a continuación rápidamente con una mirada notoriamente fresca.

—No hay nada oficial al respecto —dijo acremente el Inspector Jefe—. Una noche fui a su tienda, le dije quién era yo, y le recordé nuestro primer encuentro. A él no se le movió ni siquiera una ceja. Dijo que ahora estaba casado y establecido, y que lo único que quería era que no obstaculizaran su pequeño negocio. Yo me comprometí personalmente a que, siempre que no interviniese en algo obviamente inaceptable, la policía lo dejaría en paz. Eso era importante para él, porque una palabra nuestra a la gente de Aduanas habría bastado para que en Dover abriesen alguno de esos paquetes que recibe de París y Bruselas, con la consiguiente segura confiscación y quizás incluso un juicio final.

—Es un comercio muy precario —murmuró el Subdirector—. ¿Por qué lo emprendió?

El Inspector Jefe alzó las cejas con despectiva indiferencia.

—Lo más probable es que, a través de amigos en el Continente, consiguiera una conexión entre la gente que trafica con esas mercancías. Es precisamente la clase de gente con la que él andaría. Él también es un haragán... como todos ellos.

—¿Qué obtiene usted de él a cambio de protegerlo?

El Inspector Jefe no estaba dispuesto a exagerar la valía de los servicios del señor Verloc.

—No le sería de mucha utilidad a otro que no fuese yo. Uno tiene que tener suficiente conocimiento previo para utilizar a un tipo como ése. Yo entiendo qué clase de pistas puede dar él. Y cuando necesito una pista, él generalmente puede proporcionármela.

De pronto el Inspector Jefe se sumió en una discreta actitud reflexiva; y el Subdirector reprimió una sonrisa al pensar fugazmente que la reputación del Inspector Jefe Heat podía tal vez haber sido forjada por el agente secreto Verloc.

—En cuanto a una utilidad más general, todos los hombres de nuestra Brigada Especial que operan en Charing Cross y en Victoria tienen órdenes de fijarse cuidadosamente en cualquiera que pueda ser visto con él. Verloc suele recibir a los recién llegados, y después se mantiene en contacto con ellos. Parece haber sido escogido para esa clase de servicio. Cuando necesito urgentemente una dirección, siempre puedo obtenerla a través de él. Por supuesto, sé cómo manejar nuestra relaciones. No he ido a hablar con él ni tres veces en los últimos dos años. Le hago llegar un mensaje, sin firma, y él me contesta de la misma forma a mi dirección particular.

De tiempo en tiempo, el Subdirector hacía con la cabeza una casi imperceptible señal de asentimiento. El Inspector Jefe añadió que no suponía que el señor Verloc hubiese calado hondo en la confianza de los miembros prominentes del Consejo Revolucionario Internacional, pero que no cabía ninguna duda de que en términos generales confiaban en él.

—Siempre que he tenido motivos para pensar que había algo en el aire —concluyó—, siempre he encontrado que él podía decirme algo que valía la pena saber.

El Subdirector hizo un comentario significativo.

—Esta vez le falló.

—Tampoco tuve indicios por ningún otro conducto —informó el Inspector Jefe Heat—. A él no le pregunté nada, así que no podía decirme nada. No es uno de nuestros hombres. No es lo mismo que si lo tuviésemos en nómina.

—No —musitó el Subdirector—. Es un espía a sueldo de un gobierno extranjero. Nunca podríamos admitirlo.

—Yo debo hacer mi trabajo a mi modo —declaró el Inspector Jefe—. Dado el caso, yo trataría con el mismo Diablo, y asumiría las consecuencias. Hay cosas que no todo el mundo ha de conocer.

—Su idea del secreto parece consistir en mantener al jefe de su departamento en la oscuridad. Eso es llevar las cosas un poco demasiado lejos, ¿no? ¿Vive él encima de la tienda?

—¿Quién? ¿Verloc? Oh, sí. Vive encima de la tienda. Tengo entendido que la madre de su mujer vive con ellos.

—¿Está vigilada su casa?

—Oh, por Dios, no. No convendría. Ciertas personas que acuden allí están bajo vigilancia. Mi opinión es que él no sabe nada de este asunto.

—¿Cómo explica esto? —dijo el Subdirector, señalando

con la cabeza el fragmento de tela que yacía ante él sobre la mesa.

—No tengo ninguna explicación, señor. Es simplemente inexplicable. Lo que yo conozco no lo explica. —El Inspector Jefe formuló estas afirmaciones con la franqueza de un hombre cuya reputación está sólidamente afianzada—. En todo caso, no en el momento presente. Creo que el hombre que más tuvo que ver con esto resultará ser Michaelis.

—¿Usted cree?

—Sí, señor; porque puedo responder por todos los demás.

—¿Qué hay de ese otro hombre al que se supone huyendo del parque? Inspector Jefe.

—Yo diría que en este momento está muy lejos —opinó el Inspector Jefe.

El Subdirector lo miró con dureza y se puso súbitamente de pie, como si hubiera resuelto un curso de acción. En realidad, en aquel preciso momento había sucumbido a una tentación fascinante. El Inspector Jefe oyó que lo despachaban con instrucciones de reunirse con su superior temprano a la mañana siguiente para una nueva consulta sobre el caso. Escuchó con semblante impenetrable, y salió con paso mesurado de la habitación.

Cualesquiera que fuesen, los planes del Subdirector no tenían nada que ver con el trabajo de aquel despacho, que era la amargura de su existencia debido a su confinada naturaleza y a su aparente carencia de realidad. Si lo tuviesen, el aire general de vivacidad que envolvió al Subdirector habría sido inexplicable. Tan pronto como quedó a solas buscó impulsivamente el sombrero y se lo puso en la cabeza. Hecho esto, volvió a sentarse para reconsiderar todo el asunto. Pero como ya estaba decidido, esto no le llevó mucho tiempo. Y antes de que el Inspector Jefe hubiera llegado muy lejos camino de su casa, él también había abandonado el edificio.

Capítulo VII

E L Subdirector recorrió una calle corta y estrecha que parecía una húmeda trinchera enlodada, y después de cruzar una avenida muy ancha se introdujo en un edificio público, donde pidió hablar con el joven secretario privado (honorario) de un eminente personaje.

Este joven rubio de rostro pulido, cuya cabellera dispuesta simétricamente le daba un aire de colegial grandote y aseado, recibió la solicitud del Subdirector con una mirada de desconfianza y le habló con la respiración entrecortada.

—¿Si querría él recibirlo? Eso no lo sé. Ha venido andando desde el Parlamento hace una hora para hablar con el Subsecretario permanente y ahora se dispone a regresar de la misma forma. El Subsecretario podría haberle enviado un coche; pero supongo que él prefiere hacer un poco de ejercicio. Es el único para el que puede encontrar tiempo mientras dure esta sesión. Yo no me quejo; disfruto bastante de esos pequeños paseos. Él se apoya en mi brazo y no abre la boca. Pero claro, se encuentra muy fatigado, y... bueno, ahora mismo no está del mejor humor posible.

—Se trata del asunto de Greenwich.

—¡Oh, vaya! Él está muy irritado con ustedes. Pero si usted insiste, iré a ver.

—Eso. Así me gusta —dijo el Subdirector.

Al secretario sin sueldo le impresionó aquella resolución. Dando a su rostro una expresión de inocencia, abrió una puerta y entró, con la seguridad de un chico diligente y privilegiado. Y casi enseguida reapareció e hizo un gesto de asentimiento al Subdirector, quien, tras atravesar la misma puerta —que había quedado abierta para él—, se encontró en una vasta habitación con el eminente personaje.

Grande en estatura y corpulencia, con un blanco rostro alargado que, ensanchado en la base por una voluminosa papada y enmarcado en grisáceas patillas, adquiría una forma oval, el eminente personaje semejaba un hombre en expansión. Lamentablemente desde el punto de vista de un sastre, los pliegues transversales a la altura del talle de una negra chaqueta abotonada contribuían a esa impresión, como si los elementos de sujeción de la prenda estuviesen forzados al máximo. Desde la cabeza, erguida sobre un grueso cuello, unos ojos con abultadas ojeras miraban fijamente con desdeñosa altivez a cada lado de una agresiva nariz ganchuda, que sobresalía noblemente en la vasta y pálida circunferencia del rostro. También el sombrero de lustrosa seda y un par de guantes gastados que yacían, a punto de ser utilizados, en el extremo de una larga mesa, parecían agrandados, enormes.

De pie, sobre la alfombra extendida delante de la chimenea y calzado con unas grandes botas holgadas, no pronunció palabra alguna de saludo.

—Quisiera saber si esto es el comienzo de otra campaña terrorista —preguntó inmediatamente con una voz grave y muy tersa—. Ahórreme los detalles. No tengo tiempo para eso.

Delante de aquella Presencia grande y agreste, la figura del Subdirector tenía la frágil esbeltez de un junco que hablara con un roble. Y en verdad el árbol genealógico de aquel hombre sobrepasaba en cantidad de siglos la edad del roble más viejo del país.

—No. En la medida en que se puede ser terminante acerca de algo, puedo asegurarle que no.

—Ya. Pero parecería que su concepto de la seguridad ahí fuera —dijo en tono desdeñoso el gran hombre, indicando con un ademán la ventana que daba a la ancha avenida— consiste básicamente en hacer que el Secretario de Estado quede como un estúpido. Hace menos de un mes se me aseguró positivamente en esta misma sala que nada por el estilo era siquiera posible.

Calmosamente, el Subdirector dirigió una breve mirada a la ventana.

—Me permitirá hacerle notar, Sir Ethelred, que hasta ahora no había tenido oportunidad de darle seguridades de ningún tipo.

La desdeñosa altivez de aquellos ojos enfocó ahora al Subdirector.

—Cierto —confesó la voz grave y tersa—. Mandé venir a Heat. Usted es más bien un novato en su nuevo destino. ¿Y qué tal le está yendo en él?

—Creo que todos los días aprendo algo.

—Desde luego, sí, sí. Estoy seguro de que aprenderá.

—Gracias, Sir Ethelred. Lo he hecho hoy mismo, e incluso hace aproximadamente menos de una hora. En este asunto abunda un tipo de cosas que no se presenta en un atentado anarquista corriente por más que se investigue lo más a fondo posible. Por eso estoy aquí.

El gran hombre puso los brazos en jarras, con el dorso de sus grandes manos apoyado en las caderas.

—Muy bien. Continúe. Pero nada de detalles, se lo ruego. Ahórreme los detalles.

—No lo molestaré con ellos, Sir Ethelred —empezó diciendo el Subdirector con serena e imperturbable convicción. Mientras él estuvo hablando, las manecillas en la esfera del reloj situado a espaldas del gran hombre (un resplandeciente y recargado artefacto con macizas volutas del mismo mármol oscuro que la repisa de la chimenea, y con un fantasmagórico «tic» evanescente) recorrieron un espacio de siete minutos. Habló con deliberada fidelidad a un estilo parentético en el cual cada pequeño elemento —es decir, cada detalle— encajaba con exquisita facilidad. No hubo ni un murmullo, ni un solo movimiento que apuntase a una interrupción. El Gran Personaje podría haber sido la estatua de uno de sus propios principescos antepasados, despojada de los atavíos guerreros de un cruzado y vestida con una levita demasiado pequeña. El Subdirector se sentía como si tuviese libertad para hablar una hora. Pero conservó la cabeza, y al cabo del tiempo antes mencionado acabó bruscamente con una repentina conclusión que, al atenerse a la frase inicial de su exposición, sorprendió agradablemente a Sir Ethelred por su rapidez y su fuerza aparentes.

—El tipo de cosa con que nos encontramos bajo la superficie de este asunto, y que en otro caso no sería grave, resulta insólito, cuando menos en esta forma precisa, y requiere un tratamiento especial.

Sir Ethelred habló en tono más profundo y plenamente convencido.

—No puedo estar más de acuerdo... ¡estando involucrado el embajador de una potencia extranjera!

—¡Ah, el embajador! —protestó el otro, erguido y esbelto, permitiéndose una mera semisonrisa—. Sería estúpido por mi parte sugerir algo por el estilo. Y es absolutamente innecesario, porque si mis conjeturas son correctas, el que sea embajador u ordenanza es un simple detalle.

Sir Ethelred abrió la boca, amplia como una caverna, a la cual la ganchuda nariz parecía pugnar por entrar; de allí surgió un amortiguado sonido vibratorio, como de un distante órgano en registro de desdeñosa indignación.

—¡No! Esa gente es completamente intolerable. ¿Qué se piensan importando aquí sus métodos tártaros? Hasta un turco tendría más decencia.

—Olvida usted, Sir Ethelred, que esctrictamente hablando no sabemos nada con seguridad... todavía.

—¡No! Pero ¿cómo lo definiría usted, sucintamente?

—Una desfachatada audacia, que equivale a una particular especie de puerilidad.

—Nosotros no podemos tolerar la inocencia de unos niñitos desagradables —dijo el grande y henchido personaje, expandiéndose, por así decir, un poco más. La altanera mirada despectiva castigó abrumadoramente la alfombra a los pies del Subdirector—. Habrá que aplicarles un buen rapapolvos por este asunto. Debemos estar en disposición de... ¿Cuál es su idea, en términos generales, abreviando? No hace falta entrar en detalles.

—No, Sir Ethelred. Debo dejar sentado que, en principio, la existencia de agentes secretos no debería tolerarse, porque tiende a aumentar los riesgos reales del mal contra el cual son utilizados. Que los espías se inventarán la información es un simple lugar común. Pero en el ámbito de la acción política y revolucionaria, que depende parcialmente de la violencia, el espía profesional dispone de todas las facilidades para fabricar los hechos mismos, y diseminará en ambas direcciones un doble mal, el de la emulación, en una, y, en otra, el del pánico, la legislación apresurada, el odio irreflexivo. No obstante, éste es un mundo imperfecto...

Inmóvil sobre la alfombra, la Presencia de voz profunda, con los grandes codos hacia afuera, dijo precipitadamente:

—Sea usted claro, por favor.

—Sí, Sir Ethelred: un mundo imperfecto. Por lo tanto, en cuanto tuve noción del carácter de este asunto pensé que había que tratarlo con particular reserva y me aventuré a venir aquí.

—Hizo bien —aprobó de buen grado el gran Personaje, mirando desde lo alto por encima de la doble papada—. Me complace que en ese antro suyo haya alguien que considere que de vez en cuando se puede confiar en el Secretario de Estado.

El Subdirector esbozó una sonrisa de comprensión.

—En realidad, estaba pensando que a esta altura tal vez fuera mejor que a Heat lo sustituyese...

—¡Qué! ¿Heat? Un estúpido... ¿eh? —exclamó el gran hombre con ostensible animosidad.

—En absoluto. Por favor, Sir Ethelred, no dé a mis comentarios esa injusta interpretación.

—¿Entonces qué? ¿Se pasa de listo?

—Tampoco: al menos, generalmente no. Todas mis conjeturas se basan en sus aportes. Lo único que he descubierto yo mismo es que él ha estado utilizando a ese hombre de forma privada. ¿Quién podría culparlo? Es un policía veterano. Prácticamente me dijo que ha de tener herramientas para trabajar. A mí se me ocurría que esa herramienta debería entregarse a la Brigada Especial como cuerpo, en lugar de seguir siendo propiedad privada del Inspector Jefe Heat. Mi concepto de los deberes de nuestro departamento abarcaba la supresión del agente secreto. Pero el Inspector Jefe Heat es un veterano del departamento. Me acusaría de corromper la moral y minar la eficacia de la Brigada. Lo definiría agriamente como proporcionar protección a la clase delictiva formada por los revolucionarios. Para él equivaldría a eso.

—Sí, pero ¿qué quiere usted decir?

—Quiero decir, primero, que es un pobre consuelo poder declarar que un determinado acto de violencia —daño a la propiedad, destrucción de vidas— no es en absoluto obra del anarquismo, sino de algo completamente distinto, una especie de bellaquería consentida. Me figuro que esto es mucho más frecuente de lo que suponemos. Después, que es evidente que la existencia de esta gente a sueldo de gobiernos extranjeros destruye en cierta medida la eficacia de nuestra vigilancia. Un espía puede permitirse ser más imprudente que el más imprudente de los conspiradores: Su labor está libre de restricciones. Carece de la dosis de fe que se necesita para ser completamente escéptico y de la cuota de acatamiento a la ley implícita en su desconocimiento. En tercer lugar, la existencia de esos espías entre los grupos revolucionarios, a los que se nos reprocha dar aquí cobijo, da al traste con cualquier certidumbre. Hace algún tiempo usted recibió del Inspector Jefe Heat una declaración tranquilizadora, que no carecía en modo alguno de fundamento: y a pesar de todo, ocurre este episodio. Lo llamo episodio porque este asunto, me atrevo a decir, es episódico; por audaz que sea, no forma parte de un plan general. A mi modo de ver, las propias peculiaridades que dejan sorprendido y perplejo al Inspector Jefe Heat dejan en evidencia su naturaleza. No entro en detalles, Sir Ethelred.

El Personaje situado en la alfombra delante de la chimenea había estado escuchando con profunda atención.

—Sí. Sea todo lo conciso que pueda.

Mediante un gesto grave y deferente, el Subdirector hizo ver que estaba ansioso por serlo.

—Hay una particular estupidez y lasitud en la forma de llevar este asunto, y ello me brinda óptimas esperanzas en cuanto a llegar al trasfondo y descubrir algo más que una anormalidad o un fanatismo individuales. Porque se trata indudablemente de una cosa planeada. El ejecutor parece haber sido llevado de la mano hasta el lugar y luego abandonado apresuradamente a sus propios recursos. La deducción es que fue traído del extranjero con el objetivo de perpetrar este atentado. Al mismo tiempo, es forzoso concluir que no sabía el suficiente inglés como para preguntar cómo llegar allí, a menos que vayamos a aceptar la fantástica teoría de que fuera un sordomudo. Me pregunto si... Pero es ocioso. Es obvio que su autoinmolación fue un accidente. No un accidente extraordinario. Pero subsiste un pequeño elemento, éste sí extraordinario: la dirección en su ropa, descubierta también por puro accidente. Es un pequeño elemento de increíble valor, tanto que es probable que su explicación nos conduzca al fondo del asunto. En lugar de dar instrucciones a Heat para que siga adelante con este caso, mi intención es buscar personalmente esa explicación, quiero decir yo solo, allí donde pueda rastrearla. O sea en cierta tienda de Brett Street, o de labios de un agente secreto que fuera en su época espía confidencial y de confianza del difunto barón Stott-Wartenheim, embajador de una gran potencia ante la Corte de Saint James. —El Subdirector hizo una pausa, para luego añadir—: Esa gente es una verdadera peste.

Con el fin de que su mirada abarcase el rostro del que hablaba, el Personaje de la alfombra había ido echando poco a poco la cabeza hacia atrás, lo que le daba una apariencia extraordinariamente altanera.

—¿Por qué no dejárselo a Heat?

—Porque es un veterano del departamento. Ellos tienen su propia moral. Mi curso de investigación le parecería una horrible perversión del deber. Para él el deber consiste sencillamente en atribuirle la culpa a cuantos anarquistas prominentes pueda, fundándose en algunos indicios recogidos en el curso de su investigación en el lugar del hecho; mientras que yo, según él, me inclino a reivindicar su inocencia. Estoy intentando ser lo más claro posible al exponer ante usted este turbio asunto sin entrar en detalles.

—Es eso lo que él piensa, ¿eh? —murmuró la orgullosa cabeza de Sir Ethelred desde su altiva postura.

—Me temo que sí. Con una indignación y un disgusto sobre los cuales ni usted ni yo podemos hacernos idea. Él es un excelente funcionario. No debemos someter su lealtad a una presión innecesaria. Eso es siempre un error. Además, yo necesito tener las manos libres... más libres de lo que acaso sería aconsejable consentirle al Inspector Jefe Heat. No tengo el menor deseo de exculpar a ese Verloc. Imagino que le sorprenderá mucho encontrarse con que su vinculación con este asunto, sea la que fuere, sale a luz tan rápidamente. Asustarlo no será muy difícil. Pero nuestro verdadero objetivo está en alguna parte más allá de él. Necesito su autorización para proporcionarle las seguridades de inmunidad personal que me parezcan adecuadas.

—Cuente con ella —dijo el Personaje de la alfombra—. Descubra cuanto pueda; hágalo a su manera.

—He de ponerme a ello sin pérdida de tiempo, esta misma noche —dijo el Subdirector.

Sir Ethelred se puso una mano bajo las colas de la levita y echando la cabeza hacia atrás lo miró detenidamente.

—Esta noche tendremos sesión hasta tarde —dijo—. Venga a la Cámara con lo que haya descubierto, si no nos hemos ido a casa. Avisaré a Toodles que lo espere. Él le llevará a mi despacho.

La numerosa familia y el amplio círculo de amigos del juvenil secretario particular acariciaban la esperanza de que alcanzara un destino difícil y gratificante. Entre tanto, los círculos sociales que él adornaba en sus horas de ocio había decidido adoptarlo bajo el apodo antes mencionado. Y Sir Ethelred, como lo oía todas las mañanas en boca de su mujer y sus hijas (mayormente a la hora del desayuno), le había conferido carta de naturaleza[1].

El Subdirector estaba extremadamente sorprendido y halagado.

—Le llevaré sin falta a la Cámara lo que averigüe, por si llega usted a tener tiempo de...

—No lo tendré —lo interrumpió el gran Personaje—.

---

[1] El nombre con el que la mujer e hijas de Sir Ethelred han bautizado al secretario de éste, *Toodles*, puede asociarse en inglés con *toot*, un verbo que significa «sonar una bocina», que, a su vez, en la forma *tootle*, se asocia con «charlatanería»; pero también podría relacionarse con *noodle*, «tontorrón».

Pero lo recibiré. Ahora mismo no tengo tiempo... ¿Y va a ir usted mismo?

—Sí, Sir Ethelred. Creo que es la mejor manera.

El Personaje había inclinado tanto la cabeza hacia atrás que para mantener al Subdirector en su campo de visión tenía casi que cerrar los ojos.

—Humm. Ya. ¿Y cómo se propone...? ¿Va a emplear un disfraz?

—¡No propiamente un disfraz! Me cambiaré de ropa, está claro.

—Está claro —repitió el gran hombre con una especie de abstraída majestad. Giró lentamente la voluminosa cabeza y por encima del hombro dirigió una arrogante mirada oblicua al pesado reloj de mármol de tímido y débil latido. Las manecillas doradas habían aprovechado a sus espaldas la oportunidad para desplazarse subrepticiamente a lo largo de no menos de veinticinco minutos.

El Subdirector, que no podía verlas, se puso un poco nervioso en el interín. Pero el gran hombre exhibía ante él un semblante sereno y firme.

—Muy bien —dijo, e hizo una pausa, como mostrando su desprecio por el reloj oficial—. Pero ¿qué fue lo primero que lo impulsó a usted en esta dirección?

—Yo siempre he opinado... —empezó diciendo el Subdirector.

—¡Ah, sí!: opinión. Desde luego. ¿Pero el motivo inmediato?

—¿Cómo decirlo, Sir Ethelred? El rechazo del novicio hacia los viejos métodos. Un deseo de saber algo sin intermediarios. Cierta impaciencia. Es el mismo tipo de trabajo, pero el marco es diferente. Hay un par de zonas sensibles que me han estado molestando.

—Espero que salga usted adelante —dijo afablemente el gran hombre, tendiéndole una mano blanda al tacto, pero vasta y poderosa como la de un glorificado campesino. Después de estrecharla, el Subdirector se retiró.

En la habitación contigua, Toodles, que lo había estado esperando encaramado al borde de una mesa, avanzó para recibirlo, reprimiendo su natural animación.

—¿Y bien? ¿Satisfecho? —preguntó con afectada serie-dad.

—Perfectamente. Se ha ganado usted mi eterna gratitud —respondió el Subdirector, cuyo alargado rostro inexpresi-vo contrastaba con el carácter singular de la seriedad del otro, que parecía constantemente dispuesta a poblarse de surcos risueños.

—Eso está muy bien. Pero hablando en serio, no se ima-gina lo irritado que lo tienen los ataques contra su Ley de Nacionalización de Pesquerías. Dicen que es el comienzo de la revolución social. Por supuesto que es una medida re-volucionaria. Pero esa gente carece de decencia. Los ataques personales...

—Leo los periódicos —comentó el Subdirector.

—Odioso, ¿eh? Y no tiene usted idea de la enorme can-tidad de trabajo que tiene que despachar diariamente. Y lo hace todo personalmente. Parece no poder confiarle a na-die ese asunto de las pesquerías.

—Y no obstante ha dedicado un cuarto de hora entero a un pequeñísimo arenque como el mío.

—¡Pequeño! ¿De veras? Me alegra oír eso. Pero entonces es una lástima que no se hubiera abstenido de venir. La ba-talla lo agota terriblemente. Se está quedando exhausto. Lo siento por la manera de apoyarse en mi brazo cuando nos vamos. Y digo yo una cosa: ¿está a salvo por la calle? Mu-llins ha estado haciendo desfilar a sus hombres por aquí esta tarde. Hay un policía uniformado apostado en cada fa-rola, y de cada dos personas con quienes nos cruzamos en el trayecto desde el Patio de Palacio, una es obviamente un detective. Es algo que no tardará en exasperarlo. Supongo que no es probable que esos truhanes extranjeros le arrojen algo, ¿verdad? Sería una catástrofe nacional. Este país no puede prescindir de él.

—Por no hablar de usted. Él se apoya en su brazo —sugi-rió el Subdirector en tono circunspecto—. Caerían ambos.

—Sería para un joven una forma sencilla de pasar a la historia. No han sido asesinados tantos ministros británicos como para hacer de ello un incidente menor. Pero ahora en serio...

—Me temo que si quiere usted pasar a la historia tendrá que hacer algo para lograrlo. En serio, no hay absolutamemte ningún peligro para ninguno de los dos, como no sea por exceso de trabajo.

El simpático Toodles recibió de buen grado la ocasión para soltar una risita.

—Las pesquerías no me van a matar. Estoy habituado a trasnochar —declaró con frívolo ingenio. Pero instantáneamente arrepentido, y como quien se pone un guante, empezó a adoptar un aire de caviloso estadista—. Su imponente intelecto soportará cualquier cantidad de trabajo. Son sus nervios por lo que temo. La pandilla reaccionaria, con ese ofensivo animal de Cheeseman a la cabeza, lo insulta todas las noches.

—Si insiste en iniciar una revolución... —murmuró el Subdirector.

—Ha llegado la hora, y él es el único hombre con suficiente grandeza para la tarea —protestó con arrebato el revolucionario Toodles, bajo la mirada serena y especulativa del Subdirector. En alguna parte de un pasillo distante una campanilla tintineó con urgencia, y el joven, devotamente alerta, aguzó los oídos—. Está listo para partir —exclamó en un susurro, y tras coger apresuradamente el sombrero desapareció de la habitación.

El Subdirector salió por otra puerta de un modo menos impetuoso. Volvió a atravesar la amplia entrada, caminó por una calle estrecha y entró nuevamente a buen paso en el edificio de su Departamento. Mantuvo el paso acelerado hasta la puerta de su despacho privado. Sin acabar de cerrarla buscó con los ojos el escritorio. Tras permanecer un momento inmóvil, avanzó, examinó el suelo a su alrededor, se sentó en su sillón, pulsó un timbre y aguardó.

—¿Se ha ido ya el Inspector Heat?

—Sí, señor. Salió hace media hora.

El Subdirector asintió con la cabeza.

—Perfecto —dijo el Subdirector. Sentado sin moverse, con el sombrero echado hacia atrás, pensó que era típico de la condenada desfachatez de Heat llevarse calladamente el único elemento material de prueba. Pero lo pensó sin antipatía. Los viejos y valiosos servidores se toman libertades. El trozo de abrigo con la dirección cosida en él no era ciertamente una cosa para dejar por ahí. Apartando de su mente aquella manifestación de desconfianza del Inspector Jefe Heat, escribió y despachó una nota para su mujer, encargándole que lo excusara ante la gran dama protectora de Michaelis, con la que estaban comprometidos a cenar esa noche.

La corta chaqueta del traje y el sombrero bajo redondo que se puso en una especie de gabinete encortinado y provisto de un lavabo, una hilera de perchas de madera y un estante, destacaba notablemente la largura de su grave rostro moreno. Al retroceder hasta la plena luz de la habitación, su aspecto sugería la imagen de un frío y reflexivo Don Quijote, con los ojos hundidos de un oscuro fanático, y un porte muy decidido. Abandonó el escenario de sus diarios afanes rápidamente, inadvertido como una sombra. Su entrada en la calle fue como meterse en un lodoso acuario que hubieran vaciado de agua. Una turbia y húmeda cerrazón lo envolvió. Los muros de las casas estaban mojados, el lodo en la calle despedía reflejos de aspecto fosforescente, y cuando él emergió al Strand desde una calleja al costado de la estación de Charing Cross, resultó asimilado por la atmósfera característica del lugar. Podría haber sido uno más de los extraños peces foráneos que pueden verse por allí cualquier noche, revoloteando en torno a los rincones oscuros.

Fue hasta una parada de coches al borde mismo de la acera y esperó. Su adiestrada vista había distinguido en el confuso movimiento de luces y atracciones de la atestada arteria la presencia de un coche de alquiler que se aproximaba trabajosamente. No hizo señal alguna; pero en el momento en que el escalón inferior que se deslizaba hacia el bordillo llegó a la altura de donde se encontraban sus pies, trepó con destreza delante de la gran rueda en movimiento y le habló en alta voz a través de la trampilla superior al hombre del pescante casi antes de que éste, quien retrepado en su asiento miraba con indolencia hacia adelante, se diera cuenta de que había sido abordado por un pasajero.

El viaje no duró mucho. Acabó de forma brusca a una señal del pasajero en un impreciso lugar, entre dos farolas, delante de un gran establecimiento comercial de telas y mercería; una larga hilera de tiendas amortajadas en onduladas láminas de hierro para pasar la noche. Tras entregar una moneda a través de la trampilla del techo, el pasajero se deslizó fuera y se alejó, dejando en la mente del conductor una impresión fantasmagórica, extraña y más bien inquietante. Pero el tamaño de la moneda era satisfactorio al tacto y, no siendo él literariamente educado, no experimentó el temor de encontrarla después en su bolsillo convertida en una hoja seca. Elevado por la naturaleza de su profesión por encima del mundo de los pasajeros, la actuación de éstos le provocaba escaso interés. El tirón que dio a su caballo para girar en redondo a la derecha fue una muestra de su filosofía.

Entre tanto, el Subdirector estaba ya formulando su pedido al camarero en un pequeño restaurante italiano a la vuelta de la esquina: una de esas trampas para hambrientos, larga y estrecha, en la que una perspectiva de espejos y la blanca mantelería servían de cebo. Sin aire, pero con una atmósfera propia: una fraudulenta atmósfera de arte culinario que se burlaba de una humanidad abyecta en la más acuciante de sus miserables necesidades. En aquella atmósfera inmoral el Subdirector, reflexionando sobre su empresa, pareció perder otro poco de su identidad. La sensación de aislamiento, de libertad perversa, que experimentaba, era bastante placentera. Tras haber pagado la cuenta por su frugal comida y mientras ya de pie aguardaba la vuelta, se vio en una hoja de espejo y se sorprendió de su aspecto extranjero. Contempló con mirada melancólica e inquisitiva su propia imagen y luego, obedeciendo a una inspiración súbita, se alzó el cuello de la chaqueta. Encontró plausible el arreglo, y lo completó retorciéndose hacia arriba los extremos del bigote negro. Quedó satisfecho con la sutil modificación de su aspecto personal provocada por aquellos pequeños cambios. «Esto valdrá muy bien», pensó. «Me mojaré y salpicaré un poco.»

Reparó en la presencia del camarero a su lado y en un pequeño montón de monedas al borde de la mesa delante de él. El camarero tenía un ojo puesto en el montón, mientras con el otro seguía la larga espalda de una muchacha alta y no muy joven que pasaba en dirección a una mesa distante, con aspecto de ser perfectamente invisible y absolutamente inabordable. Parecía una cliente habitual.

Mientras salía, el Subdirector observó que los parroquianos del local habían perdido, frecuentando una cocina fraudulenta, todos sus rasgos distintivos nacionales y particulares. Y esto era extraño, siendo el restaurante italiano una institución tan típicamente británica. Pero aquella gente era tan carente de nacionalidad como los platos que le ponían por delante con todo el ceremonial de una respetabilidad no acreditada. Tampoco estaba acreditada en modo alguno la personalidad —social, profesional o racial— de aquellos clientes. Parecían creados para el restaurante italiano, a menos, quizá, que el restaurante italiano hubiera sido creado para ellos. Pero esta última hipótesis era impensable, ya que uno no los podría ubicar en ninguna parte fuera de aquellos particulares establecimientos. Jamás se tropezaba con aquellas enigmáticas personas en ninguna otra parte. Era imposible hacerse una idea precisa acerca de a qué ocupaciones se dedicaban durante el día y adónde se iban a dormir por la noche. Y él mismo se había transformado en algo semejante. Habría sido imposible para cualquiera adivinar su ocupación. En cuando a lo de ir a dormir, había dudas en su propia mente. No ciertamente en cuanto al domicilio en sí, pero sí bastantes con respecto a la hora en que le sería posible retornar a él. Una agradable sensación de independencia se apoderó de él cuando oyó girar a sus espaldas las puertas acristaladas, con una especie de sonido imperfecto, amortiguado. Enseguida penetró en una inmensidad de lodo untuoso y mojada mampostería con farolas dispersas, envuelta, oprimida, penetrada, atorada y sofocada por la negrura de una húmeda noche londinense, que se compone de hollín y gotas de agua.

Brett Street no quedaba muy lejos. Es una calle estrecha que sale de un espacio abierto triangular rodeado de edificios oscuros y misteriosos, templos del comercio minorista vaciados de comerciantes por la noche. Un puesto de frutas en la esquina proporcionaba un único y violento estallido de luz y color. Más allá todo era negro, y las escasas personas que pasaban en aquella dirección desaparecían un paso después de las resplandecientes naranjas y limones apilados. Ninguna pisada producía eco. Jamás se las volvería a oír. Desde lejos, el aventurero superior de la Brigada Especial observaba con ojo atento aquellas desapariciones. Se sentía exultante, como si estuviese emboscado a solas en una selva a muchos miles de millas de los escritorios burocráticos y los tinteros oficiales. Una exaltación y una dispersión mental semejantes ante una misión de cierta importancia parecen demostrar que este mundo nuestro no es, después de todo, un asunto tan serio. Pues el Subdirector no era por naturaleza inclinado a tomarse nada a la ligera.

El policía de turno proyectó su oscura silueta móvil contra la gloria luminosa de las naranjas y los limones, y entró pausadamente en Brett Street. El Subdirector, cual si fuese un miembro de la clase delincuente, hizo tiempo aguardando su retorno, oculto. Pero aquel agente uniformado parecía haberse perdido definitivamente para la fuerza policial. No regresaba nunca: debió de salir por el otro extremo de Brett Street.

Llegado a esa conclusión, el Subdirector se introdujo a su vez en la calle y se encontró con un carromato estacionado ante los vidrios tenuemente iluminados de la ventana de un bodegón. El carretero estaba adentro reponiendo fuerzas y los caballos, con sus voluminosas cabezas inclinadas hacia el suelo, se alimentaban sin pausa de los respectivos morrales. Un poco más allá, del lado opuesto de la calle, otra sospechosa mancha de débil luz emitida desde la fachada de la tienda del señor Verloc, con las publicaciones que colgaban y un confuso amontonamiento de cajas de cartón y siluetas de libros. El Subdirector se quedó observándola desde la otra acera. No había error posible. A un costado del escaparate frontal obstruido por las sombras de unos objetos indefinidos, una luz de gas en el interior proyectaba sobre la acera, a través de la puerta entreabierta, una estrecha franja iluminada. Fundidos a espaldas del Subdirector en una sola masa de la que emanaban súbitos golpes de patas herradas, fieros tintineos y poderosos bufidos, el carromato y los caballos parecían una cosa viva, un negro monstruo de lomo cuadrado que bloqueara la mitad de la calle. El malhadado resplandor insolentemente alegre de una taberna grande y próspera se enfrentaba con el otro extremo de Brett Street desde el lado opuesto de una amplia carretera. Aquella resplandeciente barrera luminosa, en contraste con las sombras concentradas en torno al humilde albergue de la felicidad doméstica del señor Verloc, parecía repeler la oscuridad de la calle y volverla más lúgubre, melancólica y siniestra.

Capítulo VIII

Habiendo logrado, gracias a una machacona insistencia, insuflar algún calor al frígido interés de varios posaderos (que habían sido en su época conocidos de su infortunado y difunto esposo), la madre de la señora Verloc se había asegurado finalmente plaza en cierto asilo fundado por un rico hostelero para las viudas indigentes de la profesión.

La anciana había perseguido con discreción y empeño aquel objetivo, engendrado por la astucia en su corazón inquieto. Fue ésa la época en que su hija Winnie no pudo evitar comentarle al señor Verloc que «esta última semana mi madre ha estado gastando medias coronas y monedas de cinco chelines en coches de alquiler casi todos los días». Pero no había resentimiento en el comentario. Winnie respetaba las debilidades de su madre. Sólo estaba un tanto sorprendida ante aquella súbita manía por la locomoción. El señor Verloc, que era suficientemente pródigo a su manera, había desechado con un gruñido de impaciencia aquel comentario, pues venía a perturbar sus meditaciones. Éstas eran frecuentes, profundas y prolongadas; estaban relacionadas con cosas más importantes que las monedas de cinco chelines. Claramente más importantes, e incomparablemente más difíciles de considerar en todos sus aspectos con filosófica serenidad.

Conseguido su objeto con astuta discreción, la valiente anciana se había sincerado con la señora Verloc. Tenía el alma exultante y el corazón trémulo. Interiormente temblaba, porque temía y admiraba el carácter sereno y contenido de su hija Winnie, en quien la contrariedad, manifestada mediante una variedad de ominosos silencios, se volvía aterradora.

Pero no permitió que sus íntimas aprensiones le arrebatasen la ventaja de la venerable placidez conferida a su apariencia por la triple papada, la flotante amplitud de su anciana figura y el estado de debilidad de sus piernas.

El impacto de la noticia fue tan inesperado que la señora Verloc, en contra de su costumbre cuando le hablaban, interrumpió la tarea doméstica en la que estaba ocupada. Estaba quitando el polvo a los muebles de la salita situada detrás de la tienda. Volvió la cabeza hacia su madre.

—¿Por qué tuviste que hacer eso? —exclamó entre amoscada y perpleja.

La conmoción debió haber sido profunda para hacerla abandonar aquella distante y pasiva aceptación de los hechos que constituía su fuerza y su salvaguardia en la vida.

—¿Es que aquí no se te ha hecho sentir suficientemente cómoda?

Había incurrido en aquel interrogatorio, pero enseguida puso a salvo la coherencia de su conducta retomando la tarea de limpieza, mientras la anciana quedaba amedrentada y muda bajo su deslucida toca blanca y su oscura peluca sin brillo.

Winnie terminó con una silla y deslizó el paño por la superficie de caoba del respaldo del sofá de crin en el que al señor Verloc le encantaba acomodarse con el sombrero y el abrigo puestos. Estaba enfrascada en su tarea, pero no tardó en permitirse una nueva pregunta.

—¿Cómo lo has conseguido, madre?

Puesto que no afectaba a la esencia de las cosas —a lo que la señora Verloc, por principios, no prestaba atención—, aquella curiosidad era excusable. Se refería únicamente a los métodos. La anciana la recibió de buen grado, ya que la pregunta traía a colación algo de lo que se podía hablar con mucha sinceridad.

Ofreció a su hija una respuesta exhaustiva, llena de nombres y enriquecida con comentarios al margen acerca de los estragos del tiempo, observados en las alteraciones producidas en los semblantes humanos Los nombres eran sobre todo de posaderos, «amigos del pobre papá, querida». Ensalzó especialmente la bondad y condescendencia de un importante cervecero, baronet y miembro del Parlamento, presidente de la junta directiva de la Beneficencia. Se expresaba con esa calidez porque le habían permitido entrevistarse formalmente con su secretario privado, «un caballero sumamente cortés, todo de negro, con una voz suave y triste, pero muy, muy delgado y tranquilo. Era como una sombra, querida».

Prolongado sus operaciones de limpieza hasta que la historia llegó a su fin, Winnie abandonó la salita para entrar en la cocina (dos escalones más abajo), como siempre, sin el menor comentario.

Derramando unas lágrimas en señal de regocijo por la mansedumbre de su hija ante aquel tremendo asunto, la madre de la señora Verloc puso en juego su astucia en lo referente a sus muebles, puesto que eran suyos; y a veces deseaba que no lo hubieran sido. La magnanimidad está muy bien, pero hay circunstancias en las cuales la cesión de unas pocas mesas y sillas, camas de bronce, etc., puede estar preñada de desastrosas consecuencias remotas. A ella misma le hacían falta algunos muebles, ya que la Fundación que, tras muchas instancias, la había acogido en su caritativo seno no proporcionaba a quienes hacía objeto de su solicitud más que las tablas desnudas y los ladrillos humildemente empapelados. La delicadeza que enderezó su elección hacia las piezas menos valiosas y peor conservadas pasó inadvertida, pues la filosofía de Winnie consistía en no prestar atención a las implicaciones de los hechos; la hija asumió que su madre escogía lo que le venía mejor. En cuanto al señor Verloc, su intensa meditación, como una especie de Muralla China, lo aislaba completamente de los fenómenos de este mundo de vanos esfuerzos e ilusorias apariencias.

Una vez efectuada su elección, el disponer del resto del mobiliario se convertía claramente en una cuestión particularmente desconcertante. Lo dejaba, desde luego, en Brett Street. Pero tenía dos hijos. Winnie estaba en buena posición gracias a su sensata unión con el señor Verloc, ese excelente esposo. Stevie carecía de medios... y era un poco raro. Había que pensar en su situación adelantándose a las demandas de la justicia legal e incluso a los impulsos de parcialidad. La posesión del mobiliario no sería en modo alguno una seguridad para él. El pobre chico debía tenerla. Pero asignarle el mobiliario equivaldría a interferir en su situación de dependencia total. Una especie de derecho suyo que ella temía debilitar. Además, puede que la susceptibilidad del señor Verloc no tolerase el verse obligado a agradecer a su cuñado las sillas en las que se sentaba. En su larga experiencia con los caballeros huéspedes, la madre de la señora Verloc había adquirido una deprimente aunque resignada noción del lado extravagante de la naturaleza humana. ¿Y si al señor Verloc se le metía de pronto en la cabeza decirle a Stevie que se llevase sus benditos trastos fuera de allí? Por otra parte, una división —por cuidadosa que fuese— podría suscitar algún motivo de ofensa para Winnie. No. Stevie debía continuar siendo indigente y dependiente. Llegado el momento de partir de Brett Street le dijo a su hija:

—Es inútil esperar hasta que me muera, ¿no crees? Todo lo que dejo aquí es ahora enteramente tuyo, querida.

Winnie, con el sombrero puesto y de pie detrás de su madre, continuó en silencio arreglándole el cuello del abrigo. Con semblante impasible cogió su bolso y un paraguas. Había llegado la hora de gastar la suma de tres chelines y seis peniques en el que bien cabría suponer que fuese el último viaje en coche de alquiler que la madre de la señora Verloc haría en su vida. Ambas salieron a la puerta de la tienda.

El vehículo que las aguardaba habría ilustrado el proverbio de que «la verdad puede ser más cruel que la caricatura», si tal proverbio existiese. Arrastrado por un caballo achacoso, un simón metropolitano se detuvo sobre sus bamboleantes ruedas, con un conductor lisiado en el pescante. Esta última circunstancia provocó un poco de desconcierto. Al percatarse de un objeto ganchudo de hierro que emergía de la manga izquierda de la chaqueta del hombre, la madre de la señora Verloc perdió súbitamente el heroico valor de esos días. Realmente no podía decidir sola.

—¿Tú qué piensas, Winnie? —dijo, vacilante.

Las apasionadas reconvenciones del cochero parecieron salir estranguladas de una garganta obstruida. Inclinándose para asomarse desde el pescante, se puso a murmurar, con inexplicable indignación. ¿Y ahora qué pasaba? ¿Se podía tratar de aquella manera a un hombre? Su semblante enorme y sin lavar era una roja llama en aquel enlodado tramo de la calle. ¿Era posible que le hubieran concedido una licencia —inquirió con desesperación— si...?

El policía de la zona lo hizo callar con una amistosa mirada; a continuación, dirigiéndose sin una marcada deferencia a las dos mujeres, dijo:

—Hace veinte años que conduce un coche de alquiler. Nunca he sabido que hubiera tenido un accidente.

—¡Accidente! —exclamó despectivamente el cochero, en un susurro.

El testimonio del policía zanjó la cuestión. La modesta aglomeración de siete personas, en su mayor parte menores, se dispersó. Winnie siguió a su madre al interior del carruaje. Stevie trepó al pescante. La boca abierta y la preocupación en sus ojos describían el estado de su mente con relación a los acontecimientos en curso. Por las calles estrechas, la marcha del viaje se hacía perceptible a los ocupantes del coche viendo los cercanos frentes de las casas, que pasaban lentamente y dando tumbos, junto a un gran estrépito y tintineo de cristales, como si fuesen a desplomarse detrás del coche; y el caballo achacoso, con los arreos que pendían de su afilado espinazo y que en torno a los corvejones se movían holgadamente, daba la impresión de ir bailando afectadamente sobre las puntas de los pies con infinita perseverancia. Más adelante, ya en el vasto espacio de Whitehall, toda prueba visual de movimiento se volvió imperceptible. El estrépito y tintineo de cristales continuó difusamente mientras pasaban por delante del enorme edificio de la Tesorería... y el tiempo mismo pareció detenerse.

Finalmente Winnie observó:

—No es un caballo muy bueno —en la penumbra del coche, sus ojos brillaban mirando fija y directamente hacia adelante. En el pescante, Stevie cerró primero la boca entreabierta, preparándose para espetar en tono resuelto:

—Eso no.

El cochero, que sostenía en alto las riendas enrolladas en el garfio, no le prestó atención. Puede que no le hubiese oído. El pecho de Stevie subía y bajaba.

—No azotar.

El hombre giró lentamente su hinchado y empapado rostro abigarrado erizado de pelos blancos. Sus enrojecidos ojillos húmedos emitían destellos. Sus carnosos labios tenían un tinte violáceo. Los mantenía cerrados. Con el sucio dorso de la mano del látigo se frotó la barba cerdosa que brotaba en su enorme barbilla.

—No debe hacer eso —barbotó Stevie con violencia—, duele.

—No debo azotar —murmuró pensativamente el otro, e inmediatamente propinó un latigazo. No lo hizo porque su alma fuera cruel y su corazón malvado, sino porque tenía que rentabilizar el viaje. Y durante un rato los muros de San Esteban[1], con sus torres y pináculos, contemplaron inmóviles y silenciosos un coche de alquiler que tintineaba. Aunque también rodaba. Pero en el puente hubo una conmoción. Stevie se bajó súbitamente del pescante. Hubo gritos en la acera, la gente se adelantó corriendo, el cochero frenó, musitando maldiciones de indignación y asombro. Winnie bajó la ventanilla y asomó la cabeza, blanca como un fantasma. Desde las profundidades del coche, su madre exclamaba, en tono de angustia: «¿Se ha lastimado el chico? ¿Se ha lastimado el chico?»

Stevie no estaba herido, ni siquiera se había caído, pero como siempre, la excitación lo había privado de la capaci-

---

[1] Se trata de los edificios del Parlamento: *Saint Stephen's Chapel*, en Westminster, fue sede del Parlamento británico desde los tiempos de Eduardo VI hasta el incendio que destruyó esa iglesia en 1834. El Parlamento que hoy se conoce recibió durante un tiempo el nombre del anterior, es decir, San Esteban.

dad de hablar de modo coherente. No pudo más que tartamudear en la ventanilla:

—Demasiado fuerte. Demasiado fuerte —Winnie sacó
una mano y la posó sobre su hombro.

—¡Stevie! Sube directamente al pescante y no vuelvas a
bajarte.

—No. No. Andar. Tener que andar.

Tratando de explicitar la razón de esa necesidad, su tarta-
mudez se convirtió en incoherencia total. Ninguna imposibilidad física se oponía a su capricho. Stevie podría haber
conseguido fácilmente ir al paso del achacoso caballo baila-
rín, sin perder el aliento. Pero su hermana le negó resueltamente el consentimiento:

—¡Vaya una idea! ¡A quién se le ocurre! ¡Correr detrás de
un coche!

Su madre, asustada e impotente en las entrañas del vehículo, suplicó:

—¡Oh, no lo dejes, Winnie! Se perderá. No lo dejes.

—Desde luego que no. ¡Faltaría más! El señor Verloc se
disgustará cuando se entere de esta tontería, Stevie... te lo
aseguro. No estará nada contento.

Como de costumbre, la idea del disgusto y el descontent-
to del señor Verloc influyó fuertemente sobre el talante básicamente dócil de Stevie, quien —con cara de desesperación— renunció a cualquier resistencia y volvió a trepar al
pescante. El cochero volvió hacia él su enorme semblante
encendido, con una expresión truculenta.

—No vuelvas a intentar este estúpido juego otra vez, jovencito.

Tras manifestarse así en un grave susurro, tenso casi hasta el límite, reanudó la marcha, rumiando con aire solemne.
El incidente quedó un tanto oscuro en su cabeza. Pero su
mente, aunque perdida su prístina vivacidad con los embru-
tecedores años de sedentaria exposición a las inclemencias
del tiempo, no carecía de independencia ni de sensatez.
Descartó formalmente la hipótesis de que Stevie fuese un
muchachito borracho.

Dentro del coche el breve periodo de silencio —en el
que las dos mujeres habían soportado hombro con hombro

las sacudidas, el estrépito y el tintineo de cristales del viaje— había sido roto por el estallido de Stevie. Winnie habló en voz alta.

—Has hecho lo que querías, madre. Si después no estás contenta, la culpa será sólo tuya. Y no creo que vayas a estarlo. No lo creo. ¿No te sentías suficientemente cómoda en la casa? ¿Qué pensará la gente de nosotros... al ver cómo te lanzas de este modo en brazos de la caridad?

—Querida —exclamó gravemente la anciana por encima del ruido—, tú has sido para mí la mejor de las hijas. En cuanto al señor Verloc... pues...

A falta de palabras para referirse a las excelencias del señor Verloc, dirigió los viejos ojos llorosos al techo del vehículo. Después apartó el rostro fingiendo mirar por la ventanilla, como para juzgar el progreso de la marcha. Esta era apenas perceptible y siempre próxima al bordillo. La noche, la sucia noche incipiente, la siniestra, ruidosa, desesperada y pendenciera noche del sur de Londres, había dado alcance a la señora en su último viaje en coche de alquiler. Al resplandor de la luz de gas de las tiendas de una sola planta, sus grandes mejillas mostraban un matiz anaranjado bajo la capota negro y malva.

El cutis de la madre de la señora Verloc se había vuelto amarillo por efectos de la edad y por una predisposición naturalmente biliosa, estimulada por las vicisitudes de una difícil y azarosa existencia, primero como esposa, luego como viuda. Era una tez que bajo la influencia del rubor adquiría un tinte anaranjado. Y esta mujer, en realidad tímida, pero endurecida bajo el fuego de la adversidad, y de una edad, además, en que no es corriente ruborizarse, se había efectivamente ruborizado ante su hija. En la intimidad de un carruaje, de camino a una casita de la beneficencia (una de una hilera) —que por la exigüidad de sus dimensiones y la sencillez de sus intalaciones bien podría haber sido ideada bondadosamente como lugar donde prepararse para las condiciones aún más estrechas de la tumba—, se vio forzada a ocultar ante su propia hija un rubor de remordimiento y de vergüenza.

¿Qué pensará la gente? Ella sabía muy bien lo que ciertamente pensaba la gente a la que Winnie se refería: los antiguos amigos de su esposo, y también otras personas, cuyo interés había requerido con tan halagador éxito. Hasta entonces no había sabido lo eficaz que podía ser mendigando. Pero se imaginaba muy bien qué deducciones se extraían de su actitud. Debido a esa renuente delicadeza que coexiste con la agresiva brutalidad en la naturaleza masculina, las averiguaciones acerca de sus circunstancias no habían llegado muy lejos. Ella las había frenado apretando visiblemente los labios y mostrando una cierta emoción destinada a resultar elocuentemente silenciosa. Y según es característico en ellos, los hombres perdían súbitamente la curiosidad. Más de una vez se congratuló de no tener nada que ver con mujeres, las cuales, al ser por naturaleza menos impresionables y estar ávidas de detalles, se habrían preocupado por saber exactamente qué clase de crueldad en la conducta de su hija y su yerno la había conducido a tan tristes extremos. Sólo ante el secretario del gran cervecero (miembro del Parlamento y Presidente de la Beneficencia) —quien, al actuar en nombre de su patrón, se sintió llamado a ser minuciosamente inquisitivo con respecto a la verdadera situación de solicitante— estalló abierta y ruidosamente en lágrimas, como llora una mujer acorralada. El delgado y cortés caballero, tras contemplarla con aire de estar «anonadado», abandonó su postura amparándose en comentarios tranquilizadores. Ella no debía angustiarse. Los estatutos de la Fundación no hablaban específicamente de «viudas sin hijos». De hecho, no la excluían en forma alguna. Pero la discreción del Comité debía ser una discreción informada. Uno podía comprender muy bien la renuencia de ella a ser una carga, etc., etc. Ante esto —para profunda consternación del caballero—, la madre de la señora Verloc lloró un poco más, con intensificada vehemencia.

Las lágrimas de aquella voluminosa fémina de oscura y empolvada peluca y anticuado vestido de seda festoneado con encaje de algodón de dudosa blancura, fueron lágrimas de genuina aflicción. Lloraba porque era valiente y sin escrúpulos y estaba llena de amor por sus hijos. Es frecuente que las niñas sean sacrificadas por el bienestar de los varones. En este caso ella estaba sacrificando a Winnie. Al distorsionar la verdad, la estaba difamando. Claro que Winnie era independiente y no tenía por qué preocuparse por la opinión de una gente a quien nunca vería y que nunca la vería a ella; en tanto que el pobre Stevie no tenía nada en el mundo que pudiera llamar suyo, excepto el coraje y esa carencia de escrúpulos en su madre.

La primitiva sensación de seguridad que siguió al casamiento de Winnie se extinguió con el tiempo (pues nada perdura), y la madre de la señora Verloc, en la reclusión del dormitorio trasero, había rememorado la enseñanza de esa experiencia que el mundo le impone a una viuda. Pero lo había hecho sin amargura inútil; sus reservas de resignación alcanzaban casi la categoría de dignidad. Reflexionó estoicamente que en este mundo todo decae, se agosta; que a los bien intencionados se les debería facilitar el camino de la bondad; que su hija Winnie era una hermana sumamente devota, y una esposa verdaderamente muy segura de sí. Con respecto a la devoción fraterna de Winnie, su estoicismo titubeaba. Excluía aquel sentimiento de la ley del deterioro que afectaba a todas las cosas humanas y a algunas divinas. No tenía más remedio; no hacerlo así la habría asustado demasiado. Pero al considerar las características de la situación matrimonial de su hija, rechazó con firmeza cualquier ilusión lisonjera. Adoptó el desapasionado y sensato punto de vista de que cuanto menor fuera la tensión ejercida sobre la bondad del señor Verloc, más probable sería que sus efectos se prolongasen. Aquel excelente hombre amaba a su esposa, por supuesto, pero sin duda prefería mantener el mínimo de relaciones de ella compatible con dicho sentimiento. Lo mejor sería que todos los beneficios derivados de éste se concentrasen en el pobre Stevie. Y como acto de devoción y elemento de un designio profundo, la valerosa anciana resolvió apartarse de sus hijos.

La «virtud» de esta política consistía en esto (la madre de la señora Verloc era sutil a su manera), en que el derecho moral de Stevie saldría fortalecido. El pobre muchacho —un muchacho bueno y útil, si bien un poco raro— no tenía una posición sólida. Se habían hecho cargo de él al igual que de su madre, en cierto modo como del mobiliario de la mansión de Belgravia, por el hecho de pertenecerle a ella exclusivamente. ¿Qué ocurrirá, se preguntó (pues la madre de la señora Verloc era en alguna medida una persona imaginativa), cuando yo muera? Y cuando se hizo esa pregunta fue con pavor. Era igualmente terrible pensar que entonces no tendría posibilidad de saber qué ocurría con el pobre chico. Pero confiándoselo a su hermana, apartándose de aquella forma, le otorgaba la ventaja de una posición directamente dependiente. Era la legitimación más sutil del heroísmo y la carencia de escrúpulos de la madre de la señora Verloc. Su acto de abandono era realmente un arreglo para asentar permanentemente a su hijo en la vida. Otra gente hacía sacrificios materiales con un objetivo equivalente, ella lo hacía de aquel modo. Era el único. Además, ella podría ver cómo funcionaba. Mal o bien, le evitaba la horrible incertidumbre del lecho de muerte. Pero resultaba muy, muy duro, de una dureza cruel.

El coche de alquiler traqueteaba, tintineaba, daba barquinazos; esto último era en realidad bastante extraordinario. La violencia y magnitud de los tumbos anulaba toda sensación de movimiento hacia adelante; y el efecto para los pasajeros era el de ser agitados en un aparato fijo, tal como un ingenio medieval destinado a castigar delitos, o alguna novísima invención para la cura del hígado perezoso. Resultaba sumamente inquietante; y la voz aguda de la madre de la señora Verloc sonó como un gemido de dolor.

—Sé que vendrás a verme cada vez que puedas disponer de tiempo, querida. ¿No es así?

—Desde luego —respondió de manera breve Winnie, que miraba fijamente hacia adelante.

Y el coche dio un barquinazo delante de una tienda envuelta en un humo grasiento, fuertemente iluminada y que despedía olor a pescado frito.

La anciana elevó un nuevo quejido.

—Y tengo que ver a ese pobre niño todos los domingos, mi querida. A él no le importará pasar el día con su anciana madre...

Winnie exclamó, flemática:

—¿Importarle? Ese pobre chico te echará horriblemente de menos. Ojalá hubieras pensado un poco en eso, madre.

¡Como si no lo hubiera pensado! La abnegada mujer se tragó un objeto movedizo e importuno semejante a una bola de billar que había tratado de saltar fuera de su garganta. Winnie permaneció durante un rato muda y enfurruñada mirando al frente de la cabina, para luego exclamar, en un tono cortante que no le era habitual:

—Supongo que al principio me dará bastante trabajo, con lo nervioso que va a estar...

—Hagas lo que hagas, no dejes que importune a tu esposo, querida.

Discutían así en familia los términos de una situación nueva. Y el traqueteo continuaba. La madre de la señora Verloc manifestó algunos recelos. ¿Podía confiarse en que Stevie hiciera todo aquel trayecto él solo? Winnie sostuvo que ahora estaba mucho menos «distraído». En eso estuvieron de acuerdo. Era algo innegable. Mucho menos: prácticamente nada. Se hablaban a gritos en medio del estruendo, con relativa alegría. Pero de pronto la ansiedad maternal brotó de nuevo. Había que coger dos autobuses, con un breve trayecto a pie entre ambos. ¡Demasiado complicado! La anciana dio rienda suelta al dolor y la consternación. Winnie miraba al frente.

—No te pongas así, madre. Está claro que tienes que verlo.

—No, querida. Lo intentaré. —Se enjugó los ojos llorosos—. Pero tú no dispones de tiempo para venir con él, y si llega a distraerse y se extravía, y alguien le habla bruscamente, puede perder la memoria de su nombre y dirección y pasar días y días extraviado...

La visión de la enfermería de un hospicio para el pobre Stevie —aunque sólo fuera durante las averiguaciones— le encogió el corazón. Por algo era una mujer orgullosa. La mirada fija de Winnie había adquirido una expresión intensa, concentrada, maquinadora.

—No puedo llevártelo yo misma todas las semanas —exclamó—. Pero no te preocupes, madre. Me ocuparé de que no pase mucho tiempo extraviado.

Sintieron una sacudida especial; por delante de las estrepitosas ventanillas del carruaje vieron pasar con lentitud unos pilares de ladrillo; el súbito cese de los atroces barquinazos y del ruidoso tintineo de cristales dejó a las dos mujeres aturdidas. ¿Qué había sucedido? Se quedaron sentadas sin moverse y asustadas en aquella profunda quietud hasta que se abrió la portezuela y se oyó, en un forzado y áspero susurro:

—¡Destino!

Una hilera de casitas con techo a dos aguas, cada una con una empañada ventana amarilla en la planta baja, rodeaba el oscuro espacio abierto de un solar herboso, sembrado de arbustos y separado por una cerca de la confusión de luces y sombras de la ancha carretera, en la que resonaba el monótono rumor del tráfico. El coche se había detenido ante la puerta de una de aquellas casas diminutas, en la que no había luz en la pequeña ventana. La madre de la señora Verloc descendió la primera, de espaldas, con una llave en la mano. Winnie se demoró en el sendero de losas de piedra para pagarle al cochero. Stevie, después de ayudar a trasladar al interior un montón de pequeños paquetes, salió y se quedó de pie bajo la luz de una farola a gas perteneciente a la Fundación. El cochero examinó las monedas de plata, de minúscula apariencia en la palma de su sucia manaza, simbolizando la insignificante recompensa que premia el valor y los ambiciosos afanes de una humanidad cuya existencia es breve en este mundo de iniquidades.

Se le había pagado decentemente con cuatro piezas de un chelín y él las contempló perfectamente inmóvil, como si se tratase de los términos insólitos de un problema profundo. La parsimoniosa transferencia de aquel tesoro a un bolsillo interior requirió una trabajosa exploración en las honduras de una vestimenta raída. La figura del cochero era rechoncha y carente de flexibilidad. Stevie, espigado, con los hombros un poco levantados y las manos hundidas en los bolsillos laterales de su confortable abrigo, permanecía de pie al borde del sendero, enfurruñado.

Al parecer asaltado por un brumoso recuerdo, el cochero hizo una pausa en sus parsimoniosos movimientos.

—¡Oh!, estás ahí, jovencito —susurró—. Otra vez lo re-conocerás, ¿eh?

Stevie estaba observando al caballo, cuyos cuartos trase-ros tenían un aspecto excesivamente levantado como con-secuencia de la liberación. La pequeña cola tiesa parecía ha-berle sido incrustada como una broma cruel; y en el otro extremo, el pescuezo flaco y plano, semejante a una tabla forrada con vieja piel equina, colgaba bajo el peso de una enorme cabeza huesuda. Las orejas pendían con descuido en ángulos diferentes; y un vaho húmedo, surgido del cos-tillar y el espinazo de la macabra figura de aquel mudo ha-bitante terrenal, se elevaba directamente hacia lo alto en la bochornosa quietud del aire.

El cochero le dio a Stevie un ligero golpe en el pecho con el gancho de hierro que emergía de una manga grasienta y andrajosa.

—Mira, jovencito: ¿te gustaría estar sentado detrás de ese caballo, puede que hasta las dos de la mañana?

Stevie clavó su mirada inexpresiva en los iracundos oji-llos de párpados enrojecidos en los bordes.

—No cojea —prosiguió el otro en un enérgico susu-rro—, no tiene mataduras. Ahí está. ¿Cómo te sentaría a ti...?

El tono forzado de su voz asordinada confería a sus pala-bras un carácter de vehemente clandestinidad.

—¡Fíjate bien! Hasta las tres o las cuatro de la mañana. Con frío y hambre. Buscando pasajeros. Borrachos.

Sus joviales mejillas purpúreas estaban erizadas de pelos blancos; y como el Sileno de Virgilio[2], que con el rostro embadurnado de jugo de moras, disertaba sobre los dioses del Olimpo ante los inocentes pastores sicilianos, él le ha-bló a Stevie de las cuestiones domésticas y de los asuntos de los hombres cuyos sufrimientos son grandes y cuya inmor-talidad no está en modo alguno asegurada.

---

[2] El Sileno de Virgilio, como se ha dicho, aparece en la sexta de sus *Églogas*, y, en efecto, hace exactamente lo que indica Conrad en su referen-cia, aunque, a decir verdad, los «inocentes» pastores le obligaron a recitar ese discurso.

—Soy un cochero nocturno, eso es lo que soy —susurró con una suerte de jactanciosa exasperación—. Tengo que sacar lo que les dé la maldita gana de darme en la cuadra. Tengo mujer y cuatro hijos en casa.

El carácter extravagante de aquella declaración de paternidad pareció dejar pasmado al mundo. Reinó un silencio durante el cual desde los flancos del viejo caballo, el apocalíptico corcel de la miseria, continuó subiendo el vapor bajo la luz de la farola a gas de la beneficencia.

El cochero gruñó, para luego añadir, en su misterioso susurro:

—Este mundo no es fácil.

Hacía un rato que el rostro de Stevie mostraba contracciones, y finalmente sus sentimientos explotaron con la concisión habitual.

—¡Malo! ¡Malo!

Desazonado y sombrío, como si tuviese miedo de mirar a su alrededor la maldad de este mundo, su mirada permanecía fija en el costillar del caballo. Y su esbeltez, sus labios rosáceos y su cutis pálido, transparente, le daban un aspecto de niño delicado, a pesar de la pelusilla dorada de las mejillas. Hacía pucheros como un niño, con cara de susto. El cochero, retacón y grueso, lo ojeó con sus ojillos iracundos que parecían arder en un líquido diáfano y corrosivo.

—Duro para los caballos, pero muchísimo más duro para los pobres tipos como yo —dijo en un resuello apenas audible.

—¡Pobre! ¡Pobre! —farfulló Stevie al tiempo que hundía un poco más las manos en los bolsillos, con convulsa simpatía. No pudo decir nada más, pues la sensibilidad ante cualquier dolor o sufrimiento, el deseo de hacer feliz al caballo y hacer feliz al cochero, habían alcanzado el punto de un fantasioso anhelo por llevárselos con él a la cama. Y eso, lo sabía, era imposible. Porque Stevie no estaba loco. Se trataba, por así decir, de un ahnelo simbólico; que al mismo tiempo era muy nítido, por provenir de la experiencia, madre de la sabiduría. En efecto, cuando era un niño, asustado y encogido en un rincón, aterrorizado y doliente, sintiendo todas las penas de la más negra miseria del alma, solía aparecer su hermana Winnie y se lo llevaba a la cama, como a un refugio de paz y consuelo. Stevie, aunque proclive a olvidar los simples hechos, como por ejemplo su nombre y sus señas, poseía una memoria fiable para las sensaciones. Introducirse en un lecho compasivo era el remedio supremo, con el único inconveniente de ser de difícil aplicación a gran escala. Lo cual Stevie —que era razonable— percibió con toda claridad mirando al cochero.

Este último continuaba con sus parsimoniosos preparativos como si Stevie no existiese. Hizo un amago de trepar al pescante, pero en el último instante, por alguna oscura razón —tal vez simplemente por rechazo al ejercicio de conducir—, desistió. En cambio se aproximó a su inmóvil compañero de faenas, se agachó para coger la rienda, y con un esfuerzo del brazo derecho —como en un alarde de fortaleza—, levantó la gran cabeza abatida a la altura de su hombro.

—Vamos —le susurró, como en secreto.

Cojeando, se llevó el carruaje. Aquella partida tuvo un aire de austeridad, la grava aplastada en el camino quejándose bajo el lento girar de las ruedas, las esmirriadas ancas del caballo alejándose con ascética deliberación de la luz hacia la oscuridad del espacio abierto, borrosamente circundado por los techos en ángulo y el débil resplandor de las ventanas de las pequeñas casas de asilo. El lamento de los guijarros dio despaciosamente la vuelta al ruedo. El lento cortejo reapareció, momentáneamente iluminado, entre las farolas de la entrada al recinto: el hombre, bajo y grueso, cojeando afanosamente, con el puño en alto sosteniendo la cabeza del caballo; el flaco animal andando con rígida y desamparada dignidad; la oscura y achatada caja sobre ruedas desplazándose detrás con un cómico aire de contoneo. Giraron a la izquierda. Había una taberna en la calle, a menos de cincuenta yardas de la entrada.

Stevie, abandonado junto a la farola privada de la fundación benéfica, con las manos hundidas en el fondo de los bolsillos, echaba fuego por los ojos con inútil malhumor. En el fondo de los bolsillos, las débiles manos apretadas con fuerza formaban un par de puños enfurecidos. Ante cualquier cosa que afectase directa o indirectamente su morboso terror al dolor, Stevie acababa tornándose agresivo. Una indignación generosa hinchaba a punto de reventar su frágil pecho y hacía bizquear sus cándidos ojos. Más sabio que nadie en el conocimiento de su propia impotencia, Stevie no tenía la sabiduría suficiente para contener sus pasiones. La ternura de su ecuménica caridad tenía dos fases tan indisolublemente unidas y conectadas como el reverso y el anverso de una medalla. A la angustia de una compasión desmedida sucedía el dolor de una inocente pero despiadada furia. Como estos dos estados se manifestaban exteriormente por idénticos signos de fútil agitación corporal, su hermana Winnie calmaba su exitación sin jamás bucear en su naturaleza dual. La señora Verloc no malgastaba ni un ápice de esta vida pasajera en la búsqueda de la esencia de las cosas. Lo cual constituye una forma de economía, con toda la apariencia y algunas de las ventajas de la prudencia. Es obvio que el no saber demasiado puede resultar bueno para una persona. Un punto de vista que armoniza a la perfección con el temperamento indolente.

En aquel anochecer en el que puede decirse que la madre de la señora Verloc, al despedirse para siempre de sus hijos, se había asimismo despedido de esta vida, Winnie Verloc no indagó en la psicología de su hermano. El pobre chico estaba excitado, por supuesto. Después de asegurar una vez más a la anciana en el umbral que ella sabría cómo rehuir el peligro de que Stevie pasase mucho tiempo extraviado en sus peregrinajes de devoción filial, Winnie cogió el brazo de su hermano para irse. Aunque él ni siquiera emitió un murmullo, la especial sensibilidad de hermana devota desarrollada en su más tierna infancia le hizo sentir que el chico estaba realmente muy excitado. Fuertemente prendida de su brazo so pretexto de apoyarse en él, pensó en algunas palabras adecuadas al momento.

—Ahora, Stevie, debes cuidar bien de mí en los cruces, y subir el primero al autobús, como un buen hermano. —esta apelación a la protección masculina fue recibida por Stevie con su habitual docilidad. Lo halagó. Irguió la cabeza y sacó pecho.

—No te preocupes, Winnie. ¡No tienes que preocuparte! Autobús, muy bien —respondió en un brusco farfulleo determinado a partes iguales por un apocamiento de niño y una resolución de hombre. Avanzó sin temor con la mujer del brazo, pero llevaba el labio inferior colgando. Sin embargo, en la acera de la amplia y escuálida vía, cuyas carencias en todos los órdenes quedaban estúpidamente expuestas por una absurda profusión de farolas de gas, el parecido entre ambos resultaba tan pronunciado como para impresionar a los transeúntes casuales.

Delante de la puerta de la taberna de la esquina, donde la abundancia de luz de gas llegaba al límite de una verdadera perversión, un coche de alquiler detenido junto al bordillo, sin nadie en el pescante, parecía haber sido abandonado en la cuneta debido a un deterioro irremediable. La señora Verloc reconoció el vehículo. Su aspecto era tan profundamente lamentable —tan rotundo en su grotesca miseria y tan fantasmagórico en los detalles macabros como si fuera ni más ni menos que el Coche de la Muerte—, que la señora Verloc, con esa fácil compasión que una mujer experimenta hacia un caballo (cuando no va sentada detrás), exclamó sin convicción:

—¡Pobre animal!

Stevie se detuvo de golpe, infligiendo un brusco frenazo a su hermana.

—¡Pobre! ¡Pobre! —exclamó en tono comprensivo—. ¡Pobre cochero, también! Me lo dijo él mismo.

Quedó absorto en la contemplación del solitario corcel achacoso. Obstinado, permanecía allí pese a ser empujado, intentando expresar el estrecho vínculo entre el sufrimiento humano y el equino, una visión acabada de abrirse ante su sensibilidad. Pero era algo muy difícil.

—¡Pobre animal! ¡Pobre gente! —era lo único que era capaz de repetir. No le pareció lo bastante enérgico, y se plantó farfullando con furia—: ¡Vergüenza! —Stevie no era precisamente ningún maestro del lenguaje, y tal vez por esa misma razón sus pensamientos carecían de claridad y precisión. Pero sus sentimientos eran de gran intensidad y en cierta medida profundos. Aquella sucinta palabra compendiaba toda su sensación de horror e indignación porque una clase de desgracia hubiera de ser causa de la angustia de otra, como cuando el pobre cochero castigaba al pobre caballo en nombre, por así decir, de sus pobres hijos. Y Stevie sabía lo que era ser azotado. Lo sabía por experiencia. Era un mundo malo. ¡Malo! ¡Malo! La señora Verloc, su única hermana, guardiana y protectora, no podía presumir de tal hondura de percepciones. Además, no había experimentado el hechizo de la elocuencia del cochero. Estaba a oscuras en cuanto al íntimo significado de la palabra «vergüenza» pronunciada por Stevie. Así que dijo, plácidamente:

—Vamos, Stevie. Tú no puedes remediar eso.

El dócil Stevie se puso en marcha; pero esta vez andando sin orgullo, con paso vacilante y murmurando medias palabras, y hasta palabras que habrían sido enteras si no hubiesen estado formadas por mitades que no se correspondían entre sí. Fue como si hubiera estado intentando adecuar a sus sentimientos todas las palabras que fuese capaz de recordar, para conseguir algún tipo de idea en concordancia con ellos. Y de hecho acabó consiguiéndolo. Se detuvo para expresarla de inmediato:

—Mundo malo para gente pobre.

En cuanto hubo expresado ese pensamiento se percató de que ya le era familiar en todas sus implicaciones. Esta circunstancia fortaleció enormemente su convicción, pero aumentó asimismo su indignación. Alguien, sintió, debería ser castigado por ello: castigado con gran severidad. No siendo un escéptico, sino una criatura moral, estaba en cierto modo a merced de sus virtuosas pasiones.

—¡Bestial! —añadió con concisión.

La señora Verloc tuvo claro que se encontraba sumamente excitado.

—Nadie puede remediar eso —dijo ella—. Vamos, por favor. ¿Es así como estás cuidando de mí?

Stevie reanudó obedientemente la marcha. Estaba orgulloso de ser un buen hermano. Su moralidad sin fisuras se lo exigía. Estaba no obstante apenado por la afirmación expresada por su hermana Winnie, que era buena. ¡Nadie podía remediar eso! Caminaba entristecido, pero enseguida se animó. Perplejo, como el resto de la humanidad, ante el misterio del universo, tenía sus momentos de reconfortante confianza en los poderes organizados de esta tierra.

—Policía —sugirió, confiado.

—La policía no está para eso —observó apresuradamente la señora Verloc, apretando el paso.

El rostro de Stevie se alargó considerablemente. Estaba pensando. Cuanto más intensamente pensaba, más flojamente pendía su mandíbula inferior. Y con un aspecto de irreparable vacío renunció a su empresa intelectual.

—¿No para eso? —farfulló, resignado pero sorprendido—. ¿No para eso? —Se había formado un concepto ideal de la policía metropolitana como una especie de benévola institución para la supresión del mal. La noción de benevolencia, en particular, estaba muy estrechamente asociada a su sentido del poder de los hombres de azul. Había simpatizado afectuosamente con todos los policías uniformados, con una cándida disposición a confiar en ellos. Y estaba dolorido. Estaba irritado, también, por una sospecha de falsedad en los miembros de la fuerza. Pues Stevie era franco y abierto como el propio día. ¿Cómo que fingían? A diferencia de su hermana, que depositaba su confianza en el valor externo de las cosas, él deseaba ir al fondo. Prosiguió su investigación a través de un airado desafío.

—¿Para qué están entonces, Winnie? ¿Para qué? Dímelo.

A Winnie le disgustaban las controversias. Pero temiendo más todavía un acceso de sombría depresión en Stevie como consecuencia de echar mucho de menos a su madre al principio, no rehusó completamente la discusión. Sin la menor ironía, contestó, sin embargo, de una forma que quizá no dejara de ser natural en la esposa del señor Verloc, Delegado del Comité Central Rojo, amigo personal de ciertos anarquistas y partidario de la revolución social.

—¿No sabes para qué está la policía, Stevie? Está para que los que no tienen nada no le quiten nada a los que tienen.

Evitó utilizar el verbo «robar» porque a su hermano siempre lo hacía sentir molesto. Pues Stevie era exquisitamente honrado. Se le habían inculcado algunos sencillos principios con tanto afán (teniendo en cuenta su «rareza») que la mera denominación de ciertas transgresiones lo llenaba de horror. Siempre había sido fácilmente impresionado por las aseveraciones terminantes. Ahora estaba impresionado y sorprendido, y su percepción se hallaba muy despierta.

—¿Qué? —preguntó ansiosamente—. ¿Ni siquiera cuando están hambrientos? ¿No deben?

Los dos habían hecho una pausa en su camino.

—Ni siquiera si lo estuvieran siempre —dijo la señora Verloc, con la ecuanimidad de una persona a quien no inquieta el problema de la distribución de la riqueza, y al tiempo que examinaba el panorama de la carretera en busca de un autobús del color esperado—. Naturalmente que no. ¿Pero de qué sirve hablar de todo eso? Tú nunca pasas hambre.

Lanzó una rápida mirada al chico, que a su lado parecía un joven. Lo vio amable, atractivo, afectuoso y sólo un poco, un poquitín peculiar. No podía verlo de otro modo, ya que él estaba vinculado a cuanto pudiera haber de la sal de la pasión en su insípida existencia: la pasión de la indignación, del coraje, de la lástima, e incluso del autosacrificio. Ella no añadió: «Y no es probable que la pases nunca mientras yo viva.» Pero podría perfectamente haberlo dicho, dado que había tomado medidas efectivas con ese objeto. El señor Verloc era un buen esposo. Ella tenía honradamente la impresión de que a nadie podía dejar de gustarle el chico. De pronto gritó:

—Rápido, Stevie, detén ese autobús verde.

Y Stevie, trémulo, y sintiéndose importante con su hermana Winnie de un brazo, levantó el otro más arriba que su cabeza haciendo señas —con completo éxito— al autobús que se aproximaba.

Una hora después, el señor Verloc alzó los ojos de un periódico que estaba leyendo —o en cualquier caso, mirando— detrás del mostrador, y mientras el estrépito de la campanilla de la puerta iba menguando contempló a Winnie, su esposa, que entraba en la tienda y la atravesaba en dirección a la planta alta, seguida por Stevie, su cuñado. La visión de su esposa le causaba placer al señor Verloc. Era su

idiosincrasia. La figura de su cuñado permanecía imperceptible para él debido al estado de morosa cavilación que últimamente había caído como un velo entre el señor Verloc
y las apariencias del mundo de los sentidos. Siguió fijamente con la mirada a su esposa sin decir palabra, como si hubiera sido un fantasma. La voz que él empleaba en casa era
ronca y plácida, pero ahora no fue oída en absoluto. No se
la oyó en la cena, para la que fue llamado por su esposa del
modo breve de costumbre: «Adolf.» Se sentó a consumirla
sin convicción, con el sombrero puesto y bien echado hacia
atrás. No era la afición a la vida fuera de casa, sino la fre-
cuentación de cafés extranjeros, la responsable de aquel hábito, que investía de un carácter de transitoriedad sin cere-
monias a la constante fidelidad del señor Verloc a su propio
hogar. Por dos veces, al estrépito de la campanilla rota se levantó sin decir palabra, desapareció en la tienda, y regresó
silenciosamente. Durante esas ausencias, la señora Verloc,
cobrando aguda conciencia de la plaza vacante a su derecha, echaba mucho de menos a su madre y miraba fijamente y sin expresión; en tanto Stevie, por la misma razón, no
cesaba de cambiar los pies de posición, como si el suelo
bajo la mesa estuviera desagradablemente caliente. Cuando
el señor Verloc retornaba a sentarse en su sitio, como la encarnación misma del silencio, el carácter de la mirada de la
señora Verloc sufría un sutil cambio, y Stevie cesaba de ju-
guetear con los pies, debido a su grande y temerosa consideración por el marido de su hermana, al que dirigía unas
miradas de respetuosa compasión. El señor Verloc estaba
apesadumbrado. Su hermana Winnie le había recalcado (en
el autobús) que lo encontrarían en la casa en un estado de
pesadumbre, y que no debía ser molestado. La predisposición del señor Verloc a la aflicción desmesurada, lo mismo
que la iracundia de su padre y la irritabilidad de los caballeros inquilinos, habían sido factores determinantes en la
postura circunspecta de Stevie. De estos sentimientos, todos fáciles de provocar, pero no siempre fáciles de comprender, el primero era el moralmente más eficaz: porque el
señor Verloc era *bueno*. La madre y la hermana de Stevie habían dejado sentado ese hecho ético sobre una base incon-

movible. Lo habían establecido, erigido, consagrado, a espaldas del señor Verloc, y por razones que no tenían nada que ver con la moral abstracta. Y el señor Verloc no era consciente de ello. Es de estricta justicia decir que él no tenía la menor noción de parecerle bueno a Stevie. Pero así era. Él era incluso, de los conocidos por Stevie, el único hombre así calificado, porque los caballeros inquilinos habían estado demasiado de paso y habían sido demasiado distantes como para recordar con nitidez alguna cosa a su respecto, excepción hecha, tal vez, de sus botas; y en lo tocante a las medidas disciplinarias de su padre, el sufrimiento impedía a su madre y a su hermana defender la teoría de su bondad delante de la víctima. Habría sido demasiado cruel. Y hasta era posible que Stevie no les creyese. En lo que concierne al señor Verloc, nada podía obstaculizar la convicción de Stevie. El señor Verloc era obvia —aunque misteriosamente— *bueno*. Y la aflicción de un hombre bueno es digna de respeto.

Stevie le lanzaba a su cuñado unas miradas de reverente compasión. El señor Verloc estaba apenado. Nunca antes el hermano de Winnie se había sentido en una comunión tan estrecha con el misterio de la bondad de aquel hombre. Era una aflicción comprensible. Y el propio Stevie estaba apenado. La misma clase de aflicción. Y centrada su atención en ese desagradable estado de ánimo, se puso a cambiar nerviosamente la posición de los pies. Era habitual que sus sentimientos se pusieran de manifiesto mediante una agitación de las extremidades.

—Deja quietos los pies, querido —dijo la señora Verloc con autoridad y ternura; luego, dirigiéndose a su esposo en tono de indiferencia (un toque maestro de tacto instintivo)—: ¿Vas a salir esta noche? —le preguntó.

La mera sugerencia pareció repugnarle al señor Verloc. Movió impacientemente la cabeza, y luego se quedó sentado quieto durante un minuto entero, con los ojos bajos, mirando el pedazo de queso en su plato. Al cabo de ese tiempo se levantó y salió... se fue directamente afuera en medio del alboroto de la campanilla de la puerta de la tienda. Actuaba erráticamente no por un deseo de resultar desagradable, sino por influjo de una insuperable inquietud. Salir no servía de nada. En ninguna parte de Londres podía encontrar lo que le hacía falta. Pero salió. Llevando tras de sí un cortejo de pensamientos lúgubres por las calles oscuras, por las calles iluminadas, entrando y saliendo con ellos en dos tabernas del bajo mundo, como intentando sin entusiasmo pasar la noche en grande, y finalmente de regreso otra vez a su hogar en peligro, donde se sentó fatigado detrás del mostrador y los pensamientos se apresuraron a agolparse en torno suyo como una jauría de negros sabuesos hambrientos. Después de trancar la casa y apagar el gas, se los llevó arriba con él —terrible escolta para un hombre que se va a la cama. Su esposa lo había precedido poco antes, y con sus generosas formas vagamente definidas debajo del cubrecamas, la cabeza sobre la almohada y una mano bajo la mejilla, le ofrecía para su deleite el espectáculo de una temprana somnolencia, indicativa de la posesión de un espíritu ecuánime. Sus grandes ojos muy abiertos miraban fijamente, inertes y oscuros, contrastaban con la nívea blancura de la ropa de cama. No hizo ningún movimiento.

Tenía un espíritu ecuánime. Sentía hondamente que las cosas no soportan mucho escrutinio. Convertía ese instinto en su fuerza y sabiduría. Pero el talante taciturno del señor Verloc venía pesándole hacía muchos días. Estaba realmente afectando sus nervios. Reclinada e inmóvil, dijo en tono apacible:

—Te resfriarás, si andas así, en calcetines.

Estas palabras, propias de la solicitud de la esposa y la prudencia de la mujer, cogieron por sorpresa al señor Verloc. Había dejado las botas abajo, pero se había olvidado de ponerse las zapatillas, y había estado dando vueltas por el cuarto con el paso amortiguado de un oso en una jaula. Ante el sonido de la voz de su esposa se detuvo y la miró fijamente con una mirada inexpresiva de sonámbulo, tan prolongada que la señora Verloc movió levemente las extremidades bajo las mantas. Pero no la negra cabeza hundida en la blanca almohada —una mano bajo la mejilla— ni los grandes ojos oscuros que no parpadearon.

Bajo la mirada inexpresiva de su esposo, y al acordarse

del cuarto vacío de su madre al otro lado del descansillo, experimentó un agudo acceso de soledad. Nunca antes se había separado de su madre. Se habían apoyado mutuamente. Sintió que así había sido, y se dijo que ahora su madre estaba ausente, alejada por siempre. La señora Verloc no se hacía ilusiones. Le quedaba Stevie, sin embargo. Y dijo:

—Mi madre ha hecho lo que quería. Yo no le encuentro ningún sentido. Estoy segura de que no ha podido creer que tú estuvieses harto de ella. Es totalmente perverso, abandonarnos así.

El señor Verloc no era una persona instruida; su repertorio de frases alusivas era limitado, pero la existencia de unas circunstancias particularmente aptas le hicieron pensar en un barco que naufraga. Estuvo muy cerca de decirlo. Se había puesto suspicaz y amargado. ¿Sería posible que la vieja tuviera tan excelente olfato? Pero la sinrazón de una suposición semejante era patente, y el señor Verloc contuvo su lengua. No del todo, sin embargo. Murmuró, tristemente:

—Tal vez haya sido mejor así.

Empezó a desvestirse. La señora Verloc se quedó muy quieta, perfectamente quieta, con una mirada soñadora, serena, en sus ojos inmóviles. Y por una fracción de segundo su corazón pareció detenerse también. Esa noche no era «del todo ella misma», como suele decirse, y la asaltó con cierta intensidad la idea de que una simple frase puede contener diversos significados... en su mayoría desagradables. ¿Tal vez había sido mejor? ¿Cómo? ¿Y por qué? Pero no se permitió caer en la inutilidad de las conjeturas estériles. Antes bien confirmó su convicción de que las cosas no soportaban que se indagara en ellas. Práctica y sutil a su manera, trajo a colación a Stevie sin pérdida de tiempo, porque en ella la univocidad de propósito tenía la fuerza y el carácter certero de un instinto.

—No sé con seguridad qué voy a hacer para alegrar a ese chico estos primeros días. Andará preocupado de la mañana a la noche antes de acostumbrarse a la ausencia de nuestra madre. Y es un chico tan bueno. No podría pasarme sin él.

El señor Verloc continuaba despojándose de sus ropas

con la abstraída concentración de un hombre que se desvistiese en la soledad de un vasto y desesperante desierto. Pues así de inhóspita se presentaba esta amable tierra, nuestra común herencia, ante la imaginación del señor Verloc. Dentro y fuera todo estaba tan quieto, que el solitario tictac del reloj del descansillo se colaba en la habitación como si buscara compañía.

El señor Verloc se acostó en su lado de la cama y permaneció inclinado y mudo a espaldas de la señora Verloc. Sus gruesos brazos descansaban con abandono por encima del cubrecamas, como armas desechadas, como herramientas en desuso. En aquel momento estuvo en un tris de hacerle a su esposa una confesión absoluta de todo. El momento parecía propicio. Mirando por el rabillo del ojo, vio los amplios hombros de ella envueltos en blanco, la parte de atrás de la cabeza peinada para la noche en tres trenzas atadas con cintas negras en los extremos. Y se contuvo. El señor Verloc amaba a su esposa como una esposa debe ser amada, esto es, maritalmente, con el cuidado que uno tiene por su posesión más importante. Aquella cabeza arreglada para la noche, aquellos amplios hombros, tenían un rasgo de santidad familiar, la santidad de la paz doméstica. Ella no se movió, voluminosa e informe como una estatua tumbada a la intemperie; él recordó sus ojos muy abiertos mirando hacia la habitación vacía. Ella era misteriosa, con el misterio de los seres vivos. El famosísimo agente secreto △ de los alarmistas despachos del difunto barón Stott-Wartenheim no era el hombre indicado para violentar la intimidad de semejantes misterios. Se asustaba con facilidad. Y además era indolente, con la indolencia que tan a menudo constituye el secreto de la buena índole. Por amor, timidez e indolencia, se abstuvo de tocar aquel misterio. Siempre habría tiempo suficiente. Durante varios minutos soportó en silencio sus sufrimientos en el adormilado silencio de la habitación. Y después lo perturbó con una resuelta declaración:

—Mañana voy al Continente.

Puede que su esposa ya hubiera caído dormida. Él no lo habría sabido decir. En rigor, la señora Verloc lo había oído. Sus ojos permanecían muy abiertos, y yacía muy quieta, confirmada en su instintiva convicción de que las cosas no soportan mucho escrutinio. Y no obstante, no era algo muy inusual que el señor Verloc realizara un viaje como ése. Él renovaba sus existencias en París y en Bruselas. A menudo iba allí a hacer personalmente sus compras. Una pequeña y selecta asociación de aficionados se estaba formando en torno a la tienda de Brett Street, una asociación secreta eminentemente adecuada para cualquier negocio emprendido por el señor Verloc, quien, por místico acuerdo entre temperamento y necesidad, había sido escogido para ser un agente secreto toda su vida.

Tras aguardar un rato, él añadió:

—Estaré ausente una semana, o quizás quince días. Haz que la señora Neale venga por el día.

La señora Neale era la limpiadora de Brett Street. Víctima de su matrimonio con un carpintero libertino, le agobiaban las necesidades de sus muchos hijos pequeños. De brazos enrojecidos, y con un delantal de áspera arpillera hasta los sobacos, la angustia del pobre brotaba de su aliento de espuma de jabón y de ron, en el estrépito de fregado, en el estruendo metálico de los lebrillos de latón.

La señora Verloc, imbuida de un hondo propósito, habló en el tono de la más superficial de las indiferencias.

—No hay necesidad de tener a la mujer aquí todo el día. Me las arreglaré muy bien con Stevie.

Dejó que el solitario reloj del descansillo se internase otros quince latidos en el abismo de la eternidad, y preguntó:

—¿Apago la luz?

El señor Verloc le soltó a su esposa roncamente:

—Apágala.

Capítulo IX

E L señor Verloc, que retornó del Continente al cabo de diez días, no trajo a su regreso una mente visiblemente renovada por las maravillas del viaje al extranjero, ni un semblante iluminado por las alegrías de la vuelta al hogar. Accedió al alboroto de la campanilla de la tienda con un aire de sombría e irritada extenuación. Con la maleta en la mano, la cabeza gacha, fue andando a grandes pasos a meterse directamente detrás del mostrador y se dejó caer en una silla como si hubiera hecho a pie todo el trayecto desde Dover. Era temprano por la mañana. Stevie, que le estaba quitando el polvo a diversos objetos exhibidos en el escaparate del frente, se volvió para mirarlo embobado con respetuoso asombro.

—¡Llévate esto! —dijo el señor Verloc, dando un leve puntapié al maletín de viaje depositado en el suelo; y Stevie se abalanzó hacia él, lo cogió y se lo llevó con un triunfal aire de devoción. Se mostraba tan dispuesto que el señor Veloc quedó manifiestamente sorprendido.

Ya con el estruendo de la campanilla de la puerta, la señora Neal, que pulía de rodillas la parrilla de la chimenea de la salita —con delantal y sucia del interminable trabajo— lo había visto a través de la puerta, y tras ponerse de pie había ido a la cocina a decirle a la señora Verloc que «allí estaba el amo de regreso».

Winnie no traspuso la puerta interior de la tienda.

—Querrás algo para desayunar —dijo desde lejos.

El señor Verloc movió ligeramente las manos, como superado por una proposición absurda. Pero una vez atraído a la sala no rechazó los alimentos que le pusieron delante. Comía como en un lugar público, con el sombrero echado hacia atrás dejándole la frente al descubierto, los faldones del grueso abrigo colgando en formas de triángulo a los lados de la silla. Y desde el extremo opuesto de la larga mesa cubierta de hule marrón, Winnie, su mujer, le hablaba con la suavidad de una esposa, tan astutamente adaptada, sin duda, a las circunstancias de este regreso, como la conversación de Penélope al retorno del vagabundo Ulises. Es verdad que la señora Verloc no había tejido nada durante la ausencia de su esposo. Pero había hecho limpiar minuciosamente todas las habitaciones de arriba, había vendido algunas mercancías, había visto varias veces al señor Michaelis. La última vez, éste le había dicho que se iba a vivir en una casita campestre, en algún lugar de la línea Londres-Chatham-Dover. También había estado Karl Yundt, una de las veces llevado del brazo por esa «vieja maligna que es su ama de llaves». Era un «viejo asqueroso». Aunque nada dijo del camarada Ossipon —a quien había recibido secamente, atrincherada detrás del mostrador con cara de piedra y la mirada ausente—, su referencia mental al robusto anarquista estuvo marcada por una breve pausa, con el sonrojo más débil posible. Y en cuanto pudo introdujo a su hermano Stevie en el flujo de los aconteceres domésticos, señalando que el muchacho había estado sumamente abatido.

—Todo a raíz de que mamá nos haya abandonado de ese modo.

El señor Verloc no dijo «¡Maldición!», ni siquiera «¡Al cuerno con Stevie!». Y la señora Verloc, sin acceso a la intimidad de sus secretos pensamientos, no apreció la generosidad de esa circunspección.

—No es que no trabaje tan bien como siempre —continuó ella—. Ha estado haciéndose muy útil. Se diría que no le alcanza con nada de lo que hace por nosotros.

El señor Verloc dirigió una indiferente y somnolienta mirada a Stevie, que estaba sentado a su derecha, delicado, de rostro macilento, la boca rosácea estólidamente abierta. No fue una mirada crítica. Carecía de toda intención. Y si el señor Verloc pensó por un momento que el hermano de su esposa tenía aspecto de ser particularmente inútil, fue sólo una reflexión borrosa y fugaz, carente de esa fuerza y persistencia que a veces hace que un pensamiento pueda mover al mundo. Echándose hacia atrás en la silla, el señor Verloc se descubrió la cabeza. Antes de que su brazo extendido pudiera depositar el sombrero, Stevie se lanzó sobre él y se lo llevó reverentemente a la cocina. Y de nuevo el señor Verloc se sorprendió.

—Podrías hacer lo que quieras con este chico, Adolf —dijo la señora Verloc con su mejor aire de inflexible calma—. Por ti sería capaz de meterse en el fuego. Él... —Se interrumpió, alerta, con la oreja orientada hacia la puerta de la cocina.

Allí, fregando el suelo, estaba la señora Neale. Ante la aparición de Steve emitió un conmovedor gemido, pues había observado que era fácil convencerle para que le diera, en beneficio de sus hijos pequeños, el chelín que su hermana Winnie le regalaba de cuando en cuando. Gateando en medio de los charcos, mojada y mugrienta, como una especie de animal anfibio doméstico que viviese en depósitos de ceniza y en agua sucia, pronunció el exordio habitual: «Tú sí que te lo pasas bien, sin hacer nada, como un caballero.» Y continuó con la eterna cantinela de los pobres, patéticamente mendaz, atrozmente realista por el espantoso hedor a ron barato y a agua jabonosa. Restregaba con fuerza, siempre hablando con volubilidad y en tono gangoso. Y era sincera. Y a los lados de la delgada nariz roja, sus ojos legañosos y nublados se anegaban de lágrimas, porque realmente sentía la necesidad de algún tipo de estimulante por la mañana.

En la sala, la señora Verloc observó, sabiendo lo que decía:

—Ahí está otra vez la señora Neale con sus horripilantes historias sobre sus pequeños. No pueden ser tan pequeños como ella los presenta. Algunos deben ser lo bastante grandes como para intentar hacer algo por ellos mismos. No hace más que enfadar a Stevie.

Estas palabras fueron confirmadas por el sonido amortiguado de un golpe, como el de un puñetazo dado sobre la mesa de la cocina. Stevie se había enfadado al descubrir, mientras su compasión iba en aumento como de costumbre, que no tenía ni un chelín en el bolsillo. Viéndose imposibilitado de aliviar de inmediato las privaciones de los «chiquitos» de la señora Neale, sentía que alguien tendría que sufrir por ello. La señora Verloc se puso de pie y fue a la cocina a «poner fin a esa bobada». Y lo hizo con firmeza, aunque de forma afable. Sabía perfectamente que tan pronto como recibía su paga, la señora Neale se iba a la vuelta de la esquina a beber licores aguardentosos en una sórdida y rancia taberna, inevitable estación en el vía crucis de su existencia. El comentario de la señora Verloc acerca de aquella costumbre tuvo —viniendo de una persona no proclive a hurgar bajo la superficie de las cosas— una insólita profundidad.

—Claro que ¿qué puede hacer para seguir adelante? Si yo estuviese en la piel de la señora Neale, no creo que actuara de otra forma.

En la tarde del mismo día, como el señor Verloc —saliendo con un respingo de la última de una serie de sopores ante la chimenea de la sala—, hubo manifestado su intención de salir a dar un paseo, Winnie dijo desde la tienda:

—Me gustaría que llevases al chico contigo, Adolf.

Por tercera vez en ese día, el señor Verloc se sorprendió. Se quedó mirando a su esposa con expresión estúpida. Ella no abandonó su talante firme. El chico, cada vez que no estaba haciendo algo, andaba triste por la casa. Eso la ponía nerviosa, confesó. Y eso, viniendo de la reposada Winnie, se parecía a una exageración. Pero en verdad Stevie languidecía al llamativo modo de un animal doméstico desdichado. Subía al descansillo a oscuras, se sentaba en el suelo a los pies del alto reloj, con las rodillas recogidas y la cabeza entre las manos. Tropezar con su rostro pálido, con sus grandes ojos brillando en la oscuridad, era desconcertante; y pensar en él allí arriba era una mortificación. El señor Verloc se sobrepuso a la sorprendente novedad de la idea. Su afecto por su esposa era como debe ser, generoso. Pero una objeción se presentó en su mente y él la formuló:

—Puede que él me pierda de vista y se extravíe en la calle —dijo.

La señora Verloc negó con la cabeza, segura de sí.

—Eso no ocurrirá. Tú no lo conoces. Ese chico simplemente te venera. Pero si se te perdiese... —La señora Verloc se interrumpió, pero sólo momentáneamente—. Tú sigue adelante con tu paseo. No te preocupes. No le pasará nada. No tardará mucho en aparecer sano y salvo por aquí.

Ese optimismo le procuró al señor Verloc su cuarta sorpresa del día.

—¿Seguro? —gruñó en tono dudoso. Pero quizás su cuñado no fuera tan idiota como parecía. Su esposa sabía lo que hacía.

Apartó la mirada somnolienta y dijo, secamente: —Pues entonces que venga. —Y cayó nuevamente en las garras de la negra preocupación, que acaso prefiera ir a la grupa de un jinete, pero que también sabe andar pisándole los talones a las personas que no son lo bastante ricas como para mantener caballerías, como por ejemplo el señor Verloc[1].

Winnie, en la puerta de la tienda, no vio a aquel aciago acompañante de los paseos del señor Verloc. Observó a las dos figuras en la sórdida calle, una alta y fornida, la otra baja y frágil, con el cuello delgado y los hombros picudos ligeramente levantados bajo las grandes orejas semitransparentes. El material de los abrigos de ambos era el mismo y sus respectivos sombreros eran negros y redondos de forma. Inspirada en la similitud de la vestimenta, la señora Verloc dio rienda suelta a su imaginación. «Podrían ser padre e hijo», se dijo para sus adentros. Pensó también que el señor Verloc era lo más semejante a un padre que el pobre Stevie hubiera tenido en su vida. Era asimismo consciente de que eso era obra suya. Y con sereno orgullo se congratuló de

---

[1] La ironía se establece, en esta ocasión, a costa de la pobreza de los medios de locomoción del señor Verloc. Que la riqueza trae preocupaciones es un hecho que solía recordar la cultura clásica con una cita de Horacio: «Tras el conductor se asientan las preocupaciones» *(Odas,* III, I, 40). El señor Verloc, sin ser rico, tiene, sin embargo, derecho a su parte correspondiente de preocupación incluso cuando camina a pie.

cierta decisión tomada pocos años antes. Le había costado un cierto esfuerzo, y hasta algunas lágrimas.

Se congratuló todavía más al percibir con el curso de los días que el señor Verloc parecía irse habituando de buen grado a la compañía de Stevie. Ahora, cuando estaba listo para salir a dar su paseo, el señor Verloc llamaba en voz alta al chico, en la actitud, sin duda, del hombre que invita al perro de la casa a acompañarlo, aunque, por supuesto, de un modo diferente. En la casa se podía descubrir al señor Verloc observando con curiosidad a Stevie durante largos ratos. Su propio talante había cambiado. Todavía taciturno, no era ya tan indiferente. La señora Verloc pensaba que a veces estaba bastante nervioso. Eso podría considerarse como un avance. En cuanto a Stevie, ya no se lo veía atribulado al pie del reloj, sino murmurando en voz baja por los rincones en tono amenazador. Cuando se le preguntaba «¿Qué estás diciendo, Stevie?», él simplemente abría la boca y miraba a su hermana de reojo. En ocasiones apretaba los puños sin motivo aparente, y cuando lo pillaban a solas solía estar mirando a la pared con el ceño fruncido, con la hoja de papel y el lápiz que le daban para dibujar círculos abandonados sobre la mesa de la cocina, sin tocar. Esto era un cambio, pero no un avance. La señora Verloc, incluyendo todos estos inesperados cambios bajo el epígrafe genérico de excitación, empezó a temer que Stevie estuviera oyendo más de lo que le convenía de las conversaciones de su esposo con sus amigos. Obviamente, durante sus «paseos» el señor Verloc se encontraba y conversaba con diversas personas. Difícilmente podría ser de otro modo. Sus paseos formaban parte integral de sus actividades de puertas afuera, en las cuales su esposa nunca había indagado profundamente. La señora Verloc sintió que la cuestión era delicada, pero la afrontó con la misma impenetrable calma que impresionaba e incluso asombraba a los clientes de la tienda y hacía que los demás visitantes guardaran las distancias algo desconcertados. ¡No! Ella sentía que había cosas de las que no era bueno que Stevie se enterase, le dijo a su esposo. Eran cosas que sólo servían para excitar al pobre chico por no poder remediar que fueran de aquel modo. Nadie podía.

Era en la tienda. El señor Verloc no hizo comentario alguno. No formuló ninguna réplica, a pesar de que la réplica era obvia. Pero se abstuvo de puntualizarle a su esposa que la idea de hacer de Stevie compañero de sus paseos era de ella y de nadie más. Para un observador imparcial, el señor Verloc habría aparecido más que humano en su magnanimidad. Bajó de un estante una cajita de cartón, echó una ojeada al interior para verificar que su contenido estaba en orden y la depositó suavemente sobre el mostrador. Hasta haberlo hecho no rompió el silencio, para decir que muy probablemente a Stevie le sería de gran provecho el ser enviado fuera de la ciudad por un tiempo; sólo que suponía que su esposa no podría prescindir de él.

—¡Que no puedo prescindir de él! —repitió la señora Verloc lentamente—. ¡Que no podría prescindir de él si fuera por su propio bien! ¡Vaya una idea! Desde luego que podría prescindir de él. Pero no hay donde pueda ir.

El señor Verloc sacó un trozo de papel marrón y un ovillo de cordel, al tiempo que musitaba que Michaelis estaba viviendo en una casita campestre. A Michaelis no le importaría cederle a Stevie una habitación donde dormir. Allí no había visitantes ni conversaciones. Michaelis estaba escribiendo un libro.

La señora Verloc proclamó su afecto por Michaelis; mencionó su aversión hacia Karl Yundt, ese «viejo antipático»; y de Ossipon no dijo nada. En cuanto a Stevie, no podría sino estar sumamente encantado. Con lo amable y bondadoso que el señor Michaelis era siempre con él. Parecía gustarle el muchacho. Bueno, es que era un buen chico.

—Tú también pareces haberte encariñado bastante con él últimamente —añadió tras una pausa, con su inflexible seguridad.

El señor Verloc, que intentaba empaquetar la caja de cartón para el correo, rompió el cordel con un brusco tirón y farfulló unas maldiciones en voz baja. Después, elevando el tono al nivel de su ronco murmullo habitual, anunció su disposición a llevar personalmente a Stevie al campo y dejarlo allí bajo la protección de Michaelis.

Llevó a cabo ese plan la misma mañana siguiente. Stevie

no formuló objeción alguna. Más bien se mostró dispuesto, de un modo atolondrado. A frecuentes intervalos —especialmente cuando su hermana no lo observaba— volvía su cándida mirada en un gesto inquisitivo hacia el semblante grave del señor Verloc. Su expresión era orgullosa, aprensiva y reconcentrada, como la de un chiquillo a quien por vez primera se confía una caja de cerillas y se le autoriza a encender una. Pero la señora Verloc, gratificada por la docilidad de su hermano, le recomendó que no se ensuciara indebidamente la ropa en el campo. Ante esto Stevie dirigió a su hermana, guardiana y protectora, una mirada que, por primera vez en su vida, pareció carente de la cualidad de una perfecta confianza infantil. Trasuntaba un desdeñoso abatimiento. La señora Verloc sonrió.

—¡Por Dios! No tienes por qué ofenderte. Tú sabes que te ensucias en cuanto tienes ocasión, Stevie.

El señor Verloc ya se iba alejando por la calle.

Así que como consecuencia del proceder aventurado de su madre y de la ausencia de su hermano —de vacaciones en aquella aldea—, la señora Verloc se encontró completamente sola con más frecuencia que de costumbre, no sólo en la tienda, sino también en la casa. Pues el señor Verloc tenía que dar sus paseos. Estuvo sola más tiempo del habitual el día del intento de atentado con bomba en Greenwich Park, porque esa mañana el señor Verloc salió muy temprano y no regresó hasta casi oscurecido. A ella no le importaba estar sola. No tenía ningún deseo de salir. El tiempo era demasiado malo y la tienda era más confortable que la calle. Sentada, cosiendo detrás del mostrador, no levantó los ojos de su labor cuando el señor Verloc hizo su entrada en medio del clamor agresivo de la campanilla. Había reconocido sus pasos en la acera.

No levantó la vista, pero en el momento en que el señor Verloc, callado y con el sombrero encasquetado sobre la frente, se dirigía directamente a la puerta de la cocina, dijo, calmosamente:

—Qué día detestable... ¿Por casualidad has ido a ver a Stevie?

—¡No! No he ido —dijo quedamente el señor Verloc,

para luego cerrar tras sí la puerta de cristales de la salita con inesperada energía.

La señora Verloc permaneció quieta por unos instantes con la labor descansando en su regazo, antes de guardarla debajo del mostrador y levantarse a encender el gas. Hecho esto, entró en la sala, de camino a la cocina. El señor Verloc reclamaría su té inmediatamente. Confiada en el poder de sus atractivos, Winnie no esperaba de su esposo, en el trato diario de la vida conyugal, una ceremoniosa afabilidad y unos modales corteses; en el mejor de los casos vanas y anticuadas formas probablemente jamás observadas con minucia, descartadas hoy día incluso en las más elevadas esferas, y siempre ajenas a las pautas de la clase a la que pertenecía. Ella no le pedía cortesías. Pero él era un buen esposo, y ella tenía un leal respeto por sus derechos.

La señora Verloc —con la absoluta serenidad de una mujer segura del poder de sus encantos— habría atravesado la sala y habría proseguido hacia la cocina a cumplir sus deberes domésticos. Pero un levísimo tableteo empezó a aumentar en sus oídos. Extraño e incomprensible, acaparó su atención. A continuación, cuando el sonido se hizo plenamente identificable, ella se detuvo en seco, atónita y sobresaltada. Encendiendo una cerilla de la caja que tenía en la mano, prendió uno de los dos mecheros de gas que quedaban por encima de la mesa de la salita, el cual, por estar defectuoso, dio primero un silbido como de asombro y luego se puso a funcionar con el ronroneo satisfecho de un gato.

El señor Verloc, contra su costumbre, se había quitado el abrigo, que yacía sobre el sofá. El sombrero, del que también debía haberse despojado bruscamente, descansaba boca arriba bajo el borde del sofá. Había arrastrado una silla hasta delante de la chimenea, y con los pies firmemente puestos en el guardafuegos, la cabeza entre las manos, quedaba suspendido a poca altura sobre la rejilla candente. Los dientes le castañeteaban con incontenible violencia, haciendo que toda la enorme espalda temblase al mismo ritmo. La señora Verloc se alarmó.

—Te has estado mojando —dijo.

—No mucho —consiguió balbucear el señor Verloc, presa de un profundo temblor. Mediante un gran esfuerzo suprimió el castañeteo de los dientes.

—Te meteré yo misma en la cama si es preciso —dijo ella con auténtica inquietud.

—No me parece —comentó el señor Verloc con voz gangosa y ronca.

Ciertamente se las había compuesto de algún modo para pescar un abominable catarro entre las siete de la mañana y las cinco de la tarde. La señora Verloc le miraba la espalda doblada.

—¿Dónde has estado hoy? —preguntó ella.

—En ninguna parte —respondió el señor Verloc en tono nasal, grave y sofocado. Su actitud sugería un agraviado malhumor o un fuerte dolor de cabeza. La insuficiencia y la falta de sinceridad de su respuesta quedaron penosamente de manifiesto en el silencio mortal de la habitación. Tras sorberse los mocos a modo de descargo, agregó—: He estado en el banco.

La señora Verloc aguzó su atención.

—¿Ah, sí? —dijo fríamente—. ¿A qué?

Con la nariz encima de la rejilla y con notoria desgana, el señor Verloc masculló:

—¡A sacar el dinero!

—¿Pero qué dices? ¿Todo el dinero?

—Sí, todo.

La señora Verloc extendió con cuidado el pequeño mantel, sacó del cajón de la mesa dos cuchillos y dos tenedores, y de pronto interrumpió su metódica tarea.

—¿Para qué has hecho eso?

—Puede que pronto se necesite —dijo vagamente y con voz gangosa el señor Verloc, que iba llegando al final de sus calculadas indiscreciones.

—No te entiendo —comentó su esposa en un tono perfectamente casual, aunque permanecía absolutamente inmóvil entre la mesa y el aparador.

—Sabes que puedes confiar en mí —apuntó el señor Verloc en dirección a la rejilla, con resentimiento.

La señora Verloc se volvió con lentitud hacia la alacena, diciendo intencionadamente:

—Oh, sí. Confío en ti.

Y reanudó su metódica tarea. Colocó dos platos, puso el pan, la mantequilla, yendo y viniendo calladamente entre la mesa y la alacena, en la paz y el silencio de su hogar. Al aprestarse a sacar la jalea, reflexionó, con buen criterio: «Tendrá hambre, después de haber estado todo el día fuera», y volvió una vez más a la alacena a buscar la carne fría. La colocó bajo el ronroneante mechero de gas, y lanzando al pasar una ojeada a su inmóvil esposo abrazado al fuego, entró (dos escalones abajo) en la cocina. Al regresar, con el cuchillo y el tenedor de trinchar en las manos, habló de nuevo:

—Si no hubiera confiado, no me habría casado contigo.

Inclinado bajo la repisa de la chimenea, el señor Verloc, con la cabeza entre las manos, parecía haberse dormido. Winnie preparó el té, y lo llamó en voz baja:

—Adolf.

El señor Verloc se levantó inmediatamente y se tambaleó un poco antes de sentarse a la mesa. Ella examinó el filo del cuchillo de trinchar, lo puso sobre el plato, y le señaló la carne a su esposo. Él permaneció indiferente a la sugerencia, con la barbilla hundida en el pecho.

—Hay que comer para vencer el catarro —declaró dogmáticamente la señora Verloc.

Él se irguió y sacudió la cabeza. Tenía los ojos enrojecidos y el rostro encendido. Los dedos le habían desordenado completamente los cabellos. En conjunto, tenía el aspecto desaliñado revelador del malestar, la irritación y la tristeza que siguen a una juerga excesiva. Pero el señor Verloc no era un hombre disipado. Su conducta era respetable. Su apariencia podría haberse debido a un catarro febril. Bebió tres tazas de té, pero se abstuvo completamente de comer. Rechazó con severa aversión la comida ofrecida por la señora Verloc, quien finalmente dijo:

—¿No tienes los pies mojados? Será mejor que te pongas las zapatillas. Esta noche ya no vas a volver a salir.

El señor Verloc indicó mediante gruñidos y gestos que sus pies no estaban mojados, y que le daba igual. La propuesta relativa a las zapatillas quedó desechada como si él no la hubiese oído. Pero lo de no volver a salir esa noche dio lugar a un inesperada secuela. No era en salir de noche en lo que estaba pensando el señor Verloc. Sus pensamientos abarcaban un plan de mayor alcance. A través de unas frases sin terminar pronunciadas en tono caviloso, resultó evidente que el señor Verloc había estado sopesando la conveniencia de emigrar. No estaba bien claro si pensaba en Francia o en California.

El carácter absolutamente inesperado, improbable e inconveniente de una cosa así despojó a aquella vaga declaración de todo su efecto. La señora Verloc, tan serena como si su esposo la hubiese amenazado con el fin del mundo, dijo:

—¡Vaya una ocurrencia!

El señor Verloc se declaró enfermo y cansado de todo, y además... Ella lo interrumpió.

—Tienes un catarro muy fuerte.

Era en verdad evidente que el señor Verloc no estaba —ni física ni mentalmente— en su estado habitual. Una sombría resolución lo mantuvo un rato en silencio. Después formuló en murmullos algunas ominosas generalidades sobre el tema de lo que se veía forzado a hacer.

—Forzado —repitió Winnie, tranquilamente recostada en su asiento, con los brazos cruzados, de frente a su esposo—. Me gustaría saber quién va a obligarte. Tú no eres un esclavo. Nadie tiene necesidad de ser esclavo en este país... y no te conviertas tú mismo en uno. —Hizo una pausa, y con insuperable y firme ingenuidad—: El negocio no va tan mal —agregó—. Tienes un hogar confortable.

Lanzó en derredor una mirada, que fue desde la alacena rinconera hasta el buen fuego en la chimenea. Con su intimidad protegida detrás de la tienda —de mercancía incierta, con el escaparate misteriosamente en penumbras y la puerta sospechosamente entreabierta en aquella calle oscura y estrecha—, era en todos los aspectos fundamentales relativos a decoro y comodidad domésticas, un hogar respetable. Su afecto devoto la hacía echar de menos en ella a su hermano Stevie, que actualmente disfrutaba de una húmeda estancia por los senderos de Kent, al cuidado del señor Michaelis. Lo añoraba profundamente, con toda la fuerza de su pasión protectora. Aquél era también el hogar del chico: el techo, la alacena, la chimenea bien alimentada. Pensando en esto, la señora Verloc se puso de pie y caminando hasta el extremo opuesto de la mesa dijo, con el corazón henchido:

—Y tú no estás cansado de mí.

El señor Verloc no emitió sonido alguno. Winnie se inclinó sobre su hombro por detrás y apretó los labios contra su frente. Así permaneció. Ni un susurro les llegaba del mundo exterior. El sonido de pasos en la acera se extinguía en la discreta penumbra de la tienda. Únicamente el mechero de gas por encima de la mesa continuaba con su uniforme ronroneo en el melancólico silencio de la sala.

Durante el contacto de aquel inesperado y prolongado beso, el señor Verloc, con ambas manos aferradas al borde de la silla, mantuvo una hierática inmovilidad. Cuando la presión cesó, él soltó la silla, se puso de pie y fue a detenerse delante de la chimenea. Ya no daba la espalda a la habitación. Con los rasgos hinchados y un aire de estar drogado, seguía con los ojos los movimientos de su esposa.

La señora Verloc iba y venía pausadamente, despejando la mesa. Con voz serena y en tono razonable y doméstico formulaba sus comentarios sobre la idea expuesta. La condenaba desde todo punto de vista. Pero su única preocupación real era el bienestar de Stevie. Y en relación con él, era a su juicio lo suficientemente «peculiar» como para no ser llevado al extranjero sin suficiente reflexión. Y eso era todo. Pero centrada ella en ese punto vital, estuvo cerca de ponerse absolutamente vehemente en sus manifestaciones. Mientras, con movimientos bruscos, se colocó el delantal para lavar la loza. Y como excitada por el sonido de su voz no contestada, llegó a decir en tono casi de acritud:

—Si te vas al extranjero, tendrás que hacerlo sin mí.

—Sabes que no lo haría —dijo ásperamente el señor Verloc, y en el sonido sin resonancias que empleaba en la vida privada hubo un enigmático temblor de emoción.

La señora Verloc ya estaba lamentando sus palabras. Habían sonado más crueles de lo que ella se había propuesto que fuesen. Poseían asimismo la insensatez de lo innecesario. En realidad, no había tenido la menor intención de decirlas. Había sido el tipo de frase sugerida por el demonio de la inspiración perversa. Pero ella conocía un modo de hacer como si no hubiera sido pronunciada.

Giró la cabeza y dirigió por encima del hombro al señor Verloc —plantado delante de la chimenea— una mirada a medias pícara, a medias cruel, de sus grandes ojos; una mirada de la que la Winnie de la mansión de Belgravia no hubiera sido capaz, debido a su respetabilidad y a su ignorancia. Pero aquel hombre era ahora su esposo, y ella ya no era ignorante. La mantuvo en él durante todo un segundo, con el grave rostro inmóvil como una máscara, mientras decía en tono juguetón:

—No podrías hacerlo. Me echarías demasiado de menos.

El señor Verloc se puso en movimiento.

—Exactamente —dijo subiendo la voz, al tiempo que abría los brazos y daba un paso hacia ella. Algo salvaje e incierto en su expresión hizo dudoso si se proponía estrangular a su esposa o abrazarla. Pero la estridencia de la campanilla de la puerta hizo que la señora Verloc apartase su atención de aquella manifestación.

—La tienda, Adolf. Ve tú.

Él se detuvo y sus brazos bajaron lentamente.

—Ve tú —repitió la señora Verloc—. Yo tengo el delantal puesto.

El señor Verloc obedeció con movimientos torpes y mirada indiferente, como un autómata cuyo rostro hubiese sido pintado de rojo. Y este parecido con una figura mecánica llegaba a tal punto que le daba el absurdo aire de un autómata consciente del mecanismo que llevaba en su interior.

Cerró la puerta de la sala, y la señora Verloc, con movimientos vivaces, llevó la bandeja a la cocina. Lavó las tazas y algunas otras cosas antes de interrumpir su tarea para escuchar. Ningún sonido le llegaba. El cliente llevaba un buen rato en la tienda. Era un cliente, pues si no, el señor Verloc lo hubiera hecho pasar a la salita. Desatándose de un tirón las cintas del delantal, lo arrojó sobre una silla y regresó a la sala andando con lentitud.

En ese preciso momento entraba desde la tienda el señor Verloc.

Había ido allí con la cara roja. Salía extrañamente blanco como un papel. En aquel breve lapso su semblante, perdida la expresión de estupor febril de persona drogada, había adquirido una de perplejidad y desolación. Caminó directamente hacia el sofá en el que yacía su abrigo y se quedó mirándolo como si tuviese miedo de tocarlo.

—¿Qué sucede? —preguntó la señora Verloc en tono apagado. A través de la puerta que había quedado entreabierta vio que el cliente todavía no se había ido.

—Resulta que tendré que salir esta noche —dijo el señor Verloc, sin hacer ademán de coger la prenda del sofá.

Sin decir palabra, Winnie se encaminó a la tienda y, cerrando la puerta tras de sí, se colocó detrás del mostrador. No miró abiertamente al cliente hasta haberse instalado con comodidad en la silla. Pero para entonces ya había advertido que era alto y delgado, y que llevaba las aguzadas puntas del bigote hacia arriba. De hecho, en aquel mismo momento se las estaba retorciendo. Su rostro alargado y huesudo emergía de un cuello levantado. Estaba un poco salpicado, un poco mojado. Un hombre moreno, con el saliente de los pómulos bien marcado bajo las sienes ligeramente hundidas. Un completo desconocido. Tampoco un cliente.

La señora Verloc lo miró plácidamente.

—¿Ha venido usted del Continente? —dijo al cabo de un rato.

El alto y delgado desconocido, sin mirar exactamente a la señora Verloc, respondió sólo con una débil y curiosa sonrisa. La serena mirada indiferente de la señora Verloc se posó sobre él.

—Usted entiende el inglés, ¿verdad?

—Oh, sí. Entiendo el inglés.

Su acento no tenía nada de extranjero, si bien la lenta enunciación revelaba su esfuerzo por hablar correctamente. Y la señora Verloc, con su variada experiencia, había llegado a la conclusión de que algunos extranjeros hablaban mejor inglés que los ingleses. Con la mirada fija en la puerta de la sala, dijo:

—¿Piensa usted, tal vez, quedarse para siempre en Inglterra?

El desconocido le dirigió de nuevo una sonrisa silenciosa. Tenía una boca agradable y ojos inquisitivos. Y movió la cabeza con aparente tristeza.

—Seguramente mi esposo lo ayudará. Entre tanto, lo mejor que podría usted hacer por unos días es alojarse en lo del señor Guigliani. Se llama Hotel Continental. Es recogido. Tranquilo. Mi esposo lo llevará.

—Buena idea —dijo el hombre moreno y delgado, cuya mirada se había endurecido de repente.

—Conocía al señor Verloc de antes, ¿verdad? ¿De Francia, quizá?

—Me han hablado de él —admitió el visitante con su modo lento y esforzado, en el que había no obstante cierta intención de ser conciso.

Hubo una pausa. Luego él volvió a hablar, en un estilo mucho menos elaborado.

—¿Por casualidad su esposo no habrá salido a esperarme en la calle?

—¡En la calle! —repitió sorprendida la señora Verloc—. No es posible. La casa no tiene otra puerta.

Durante un momento permaneció sentada impasible; después abandonó el asiento para ir a asomarse a la puerta vidriada. De pronto la abrió y desapareció tras ella.

Lo único que había hecho el señor Verloc era ponerse el abrigo. Pero por qué hubo de permanecer después inclinado sobre la mesa apoyado en ambos brazos, como si se sintiera mareado o con náuseas, era algo que ella no podía entender.

—Adolf —lo llamó a media voz; y cuando él se enderezó—: ¿Tú conoces a ese hombre? —le preguntó rápidamente.

—He oído hablar de él —susurró inquieto el señor Verloc, lanzando una mirada perdida a la puerta.

Los hermosos ojos indiferentes de la señora Verloc se iluminaron con un destello de aborrecimiento.

—Algún amigo de Karl Yundt... ese viejo detestable.

—¡No! ¡No! —protestó el señor Verloc, que ahora buscaba afanosamente su sombrero. Pero cuando lo encontró bajo el sofá se quedó con él en la mano como si no supiese para qué servía.

—Bueno: te está esperando —dijo finalmente la señora Verloc—. Digo yo, Adolf, no será uno de esos de la Embajada que te han estado preocupando últimamente...

—Preocupándome por esos de la Embajada —dijo el señor Verloc, fuertemente conmocionado por el miedo y la sorpresa—. ¿Quién te ha estado hablando de la gente de la Embajada?

—Tú mismo.

—¿Yo? ¡Yo! ¡Que yo te he hablado de la Embajada!

El señor Verloc parecía asustado y perplejo más allá de toda medida. Su esposa le explicó:

—Últimamente has estado hablando un poco en sueños, Adolf.

—¿Cómo...? ¿Y qué he dicho? ¿Qué es lo que sabes?

—No mucho. Parecía mayormente sin sentido. Lo suficiente para permitirme colegir que algo te preocupaba.

El señor Verloc se encasquetó el sombrero. Una cólera purpúrea se derramó por su semblante.

—Conque sin sentido, ¿eh? ¡Gente de la Embajada! Les arrancaría el corazón de uno en uno. Pero que se anden con cuidado. Yo sé muchas cosas.

Encolerizado, iba y venía entre la mesa y el sofá, con el abrigo abierto que se le enganchaba en los salientes. El rojo derrame de ira se disipó y le dejó el rostro completamente blanco, con las aletas de la nariz temblándole. La señora Verloc, en beneficio de la convivencia práctica, atribuyó aquellos síntomas al catarro.

—Bueno —dijo—, deshazte lo antes que puedas del hombre, quienquiera que sea, y vuelve a casa conmigo. Necesitas que te cuiden por un par de días.

El señor Verloc se calmó y, con la resolución pintada en el pálido semblante, había ya abierto la puerta, cuando su esposa lo retuvo con un susurro:

—¡Adolf! ¡Adolf! —Él retornó, sorprendido—. ¿Qué hay de ese dinero que sacaste? —preguntó ella—. ¿Lo llevas en el bolsillo? ¿No sería mejor que...

El señor Verloc estuvo un rato mirando estúpidamente la palma extendida de la mano de su esposa antes de darse un ligero golpe en la frente.

—¡El dinero! ¡Sí! ¡Sí! No sabía a qué te referías.

Extrajo del bolsillo interior de la chaqueta una billetera nueva de piel de cerdo. La señora Verloc la recibió sin decir nada y permaneció inmóvil hasta que la campanilla, que resonaba tras el paso del señor Verloc y su acompañante, se hubo silenciado. Entonces se fijó rápidamente en el montón del dinero, sacando los billetes con ese objeto. Luego de esta inspección miró pensativa a su alrededor, con un aire de desconfianza en medio del silencio y la soledad de la casa. Aquella morada de su vida matrimonial se le aparecía a ella tan aislada y expuesta como si estuviera situada en medio de un bosque. Para la idea que ella se formaba de un ladrón, ningún receptáculo en el que pudiera pensar entre aquel sólido y pesado mobiliario dejaba de parecer endeble y especialmente atractivo. Concebía un ladrón ideal, dotado de facultades insuperables y de una milagrosa intuición. Ni pensar en la gaveta del mostrador. Sería el primer lugar al que un ladrón se encaminaría. La señora Verloc, desabrochándose apresuradamente un par de corchetes, deslizó la billetera dentro del corpiño de su vestido. Habiendo dispuesto de ese modo del capital de su esposo, más bien se alegró de oír el estrépito de la campanilla de la puerta anunciando la entrada de alguien. Adoptando la mirada inflexible y la expresión imperturbable que reservaba para el cliente casual, fue a colocarse detrás del mostrador.

Un hombre que estaba de pie en medio de la tienda la inspeccionaba con una mirada rápida, fría y abarcadora. Sus ojos recorrieron las paredes, se fijaron en el cielo raso, repararon en el suelo; todo en un momento. Las puntas de su largo bigote rubio le caían por debajo de la línea de la mandíbula. Él exhibió una sonrisa de conocido antiguo aunque distante, y ella recordó haberlo visto antes. No era un cliente. La señora Verloc suavizó su «mirada para clientes» hasta la simple indiferencia y lo miró a la cara a través del mostrador.

Él se aproximó, por su parte, con cierto aire confidencial, aunque no demasiado marcado.

—¿Está su marido en casa, señora Verloc?

—No, ha salido.

—Es una pena. He venido para que me facilite una pequeña información privada.

Era la pura verdad. El Inspector Jefe Heat había hecho el trayecto hasta su casa e incluso había llegado a pensar en ponerse las zapatillas, puesto que —se dijo— lo habían echado de aquel caso. Se permitió algunas reflexiones despectivas y unos pocos pensamientos iracundos, y encontró esa ocupación tan insatisfactoria que resolvió buscar alivio fuera de casa. Nada le impedía efectuar una visita amistosa al señor Verloc, casualmente, por así decir. En su condición de ciudadano privado, al salir privadamente, hizo uso de sus medios de transporte habituales. La dirección general de éstos apuntaba hacia la casa del señor Verloc. El Inspector Jefe Heat respetaba su propio carácter privado de un modo tan consecuente, que tomó especiales precauciones para evitar a todos los policías uniformados fijos o de patrulla en las vecindades de Brett Street. Esta precaución era mucho más necesaria en el caso de un hombre de su reputación que en el de un oscuro Subdirector del departamento. El ciudadano privado Heat entró en la calle, maniobrando de una manera que, en un miembro de la delincuencia, habría sido estigmatizada como subrepticia. El fragmento de tela recogido en Greenwich Park estaba en su bolsillo. No es que él, en su condición de ciudadano privado, tuviese la menor intención de exhibirlo. Por el contrario, él sólo quería saber lo que el señor Verloc estuviera dispuesto a decir voluntariamente. Tenía la esperanza de que la naturaleza de lo que dijera el señor Verloc incriminase a Michaelis. Era sobre todo una expectativa escrupulosamente profesional, aunque no privada de un valor moral. Pues el Inspector Jefe Heat era un servidor de la justicia. Al encontrarse con que el señor Verloc estaba ausente, se sintió decepcionado.

—Lo esperaría un rato si estuviera seguro de que no tardará mucho —dijo.

La señora Verloc no le facilitó ninguna clase de seguridades.

—La información que necesito es absolutamente privada

—repitió él—. ¿Comprende usted? Me pregunto si podría darme una idea sobre adónde ha ido...

La señora Verloc negó con la cabeza.

—No sé decirle.

Se volvió para ordenar unas cajas en los estantes que había detrás del mostrador. El Inspector Jefe Heat estuvo un rato mirándola pensativamente.

—Supongo que sabe usted quién soy... —dijo.

La señora Verloc miró por encima del hombro. Su imperturbabilidad tenía asombrado al Inspector Jefe Heat.

—¡Venga ya! Usted sabe que estoy en la policía —dijo en tono cortante.

—Eso no es cosa que me importe demasiado —comentó la señora Verloc, retornando al arreglo de las cajas.

—Mi nombre es Heat. Inspector Jefe Heat, de la Brigada Especial.

La señora Verloc colocó cuidadosamente en su lugar una pequeña caja de cartón y, girando en redondo, se quedó frente a él de nuevo, con mirada intensa, las manos vacías colgando a sus costados. Durante un rato reinó el silencio.

—¡De modo que su esposo salió hace un cuarto de hora! ¿Y no dijo cuándo estaría de regreso?

—No salió solo —dejó caer la señora Verloc descuidadamente.

—¿Un amigo?

La señora Verloc se tocó la parte de atrás de la cabellera. Estaba en perfecto orden.

—Un desconocido que vino a verlo.

—Ajá. ¿Cómo era ese desconocido? ¿Tendría inconveniente en describírmelo?

La señora Verloc no tuvo inconveniente. Y cuando el Inspector Jefe Heat la oyó hablar de un hombre moreno, delgado, de rostro alargado y bigotes curvados hacia arriba, exclamó, dando señales de agitación:

—¡Maldición! ¡No haberlo pensado! El hombre no ha perdido nada de tiempo.

En lo íntimo de su corazón estaba intensamente disgustado ante la conducta extraoficial de su jefe inmediato. Pero no era un hombre quijotesco. Perdió todo deseo de aguardar el regreso del señor Verloc. No sabía para qué habían salido, pero supuso que era posible que retornasen juntos. «No se está llevando el caso adecuadamente» —pensó con amargura—, «hay una indebida interferencia».

—Me temo que no tengo tiempo para esperar a su esposo —dijo.

La señora Verloc recibió esta declaración con indiferencia. Su impavidez no había dejado de impresionar al Inspector Jefe Heat desde el principio. En aquel preciso momento incitó su curiosidad. Era un hombre expuesto a los arrebatos, influido por las pasiones como el más privado de los ciudadanos.

—Creo —dijo mirándola fijamente— que usted podría darme una idea bastante buena de lo que está pasando, si quisiera.

Forzándose a devolverle la mirada con sus hermosos ojos sin expresión, la señora Verloc murmuró:

—¡Pasando! ¿Y qué está pasando?

—Pues el asunto del que venía a conversar un poco con su esposo.

Ese día la señora Verloc había ojeado como de costumbre un periódico matutino. Pero no se había movido de casa. Los chiquillos vendedores de periódicos nunca voceaban los titulares en Brett Street. No era una calle para hacer negocio. Y el eco de sus gritos, que se arrastraba por las calles populosas, expiraba entre las sucias paredes de ladrillo sin alcanzar el umbral de la tienda. Su esposo no había traído el periódico vespertino. En cualquier caso, ella no lo había visto. La señora Verloc no estaba enterada en absoluto de ningún asunto. Y así lo dijo, con una nota de genuina curiosidad en su tono apacible.

El Inspector Jefe Heat no creyó ni por un momento en tanta ignorancia. Secamente, sin amabilidad, expuso el hecho descarnado.

La señora Verloc desvió la mirada.

—Me parece estúpido —declaró lentamente. Hizo una pausa—. Aquí no somos esclavos pisoteados.

El Inspector Jefe aguardaba expectante. No hubo nada más.

—¿Y su esposo no le mencionó nada cuando llegó a casa?

La señora Verloc se limitó a girar la cabeza de derecha a izquierda en señal de negación. Un silencio lánguido y desconcertante reinó en la tienda. El Inspector Jefe Heat se sintió provocado más allá de lo soportable.

—Había otra pequeña cuestión de la que quería hablar con su esposo —dijo en tono indiferente—. Ha llegado a nuestras manos un... un... lo que creemos que es... un abrigo robado.

La señora Verloc, con el pensamiento particularmente puesto en los ladrones esa noche, se tocó ligeramente la pechera del vestido.

—Nosotros no hemos perdido ningún abrigo —dijo con calma.

—Es curioso —continuó el Ciudadano Privado Heat—. Veo que tienen aquí mucha tinta de marcar ropa...

Cogió un frasquito y lo observó contra la luz del mechero de gas en mitad de la tienda.

—Púrpura... ¿no es así? —comentó, devolviéndolo a su lugar—. Como le decía, es curioso. Porque el abrigo tiene cosida en su interior una etiqueta con su dirección escrita con tinta de marcar ropa.

La señora Verloc se inclinó sobre el mostrador, exclamando en voz baja:

—Entonces es de mi hermano.

—¿Dónde está su hermano? ¿Puedo verlo? —preguntó con rudeza el Inspector Jefe. La señora Verloc se inclinó un poco más por encima del mostrador.

—No. No está aquí. Yo misma escribí esa etiqueta.

—¿Dónde está ahora su hermano?

—Ha estado fuera viviendo con... un amigo... en el campo.

—El abrigo viene del campo. ¿Y cómo se llama ese amigo?

—Michaelis —confesó la señora Verloc en un susurro aterrado.

El Inspector Jefe dejó escapar un silbido. Sus ojos parpadearon repetidamente.

—Ajá. Perfecto. Y ese hermano suyo, ¿qué aspecto tiene? Un tío robusto, tirando a moreno, ¿eh?

—Oh, no —exclamó con fervor la señora Verloc—. Ése debe de ser el ladrón. Stevie es delgado y rubio.

—Bien —dijo el Inspector Jefe en tono de aprobación y mientras la señora Verloc, vacilante entre la alarma y el asombro, lo miraba fijamente, él procuraba obtener información. ¿Para qué coser de aquel modo la dirección en el interior del abrigo? Y escuchaba que los restos mutilados que había examinado aquella mañana con suma repugnancia eran los de un joven nervioso, distraído, raro, y también que la mujer que le hablaba en este momento había estado a cargo de aquel chico desde que era un bebé.

—¿Fácilmente excitable? —sugirió

—Oh, sí. Lo es. Pero ¿cómo ha perdido su abrigo...?

El Inspector Jefe Heat sacó de súbito un periódico color rosa que había comprado hacía menos de media hora. Era aficionado a los caballos. Obligado por su oficio a una actitud de duda y sospecha hacia sus conciudadanos, el Inspector Jefe Heat satisfacía el instinto de credulidad implantado en el corazón humano depositando una fe sin límites en los profetas deportivos de aquella particular publicación vespertina. Dejando sobre el mostrador aquel suplemento extra, hundió nuevamente la mano en el bolsillo y, extrayendo de él el fragmento de tela que el destino le había ofrecido de entre un montón de cosas que parecían haber sido recogidas en mataderos y traperías, lo expuso ante la señora Verloc.

—Supongo que reconoce usted esto...

Ella lo cogió mecánicamente con las dos manos. Sus ojos parecieron agrandarse mientras lo miraba.

—Sí —susurró, para después levantar la cabeza y dar un pequeño y vacilante paso atrás.

—¿Pero *por qué* está arrancado de esta forma?

El Inspector Jefe Heat le arrebató la tela de las manos desde el otro lado del mostrador, y ella se sentó abatida en la silla. «Una identificación perfecta», pensó él. Y en ese momento tuvo una visión fugaz de la sorprendente verdad en su conjunto. Verloc era «el otro hombre».

—Señora Verloc —dijo—, tengo la impresión de que usted sabe más de lo que incluso se da cuenta acerca de este asunto de la bomba.

La señora Verloc permanecía sentada inmóvil, perpleja, perdida en un ilimitado asombro. ¿Cuál era la relación? Y se puso tan rígida de arriba abajo que no fue capaz de volver la cabeza ante el estrépito de la campanilla de la puerta, el cual hizo que el investigador privado Heat girara sobre sus talones. El señor Verloc había cerrado la puerta, y por un momento los dos hombres se miraron el uno al otro.

El señor Verloc, sin mirar a su esposa, se encaminó hacia el Inspector Jefe, que se alegraba de verlo regresar solo.

—¡Usted aquí! —murmuró en tono resentido—. ¿A quién busca?

—A nadie —dijo gravemente el Inspector Jefe Heat—. Verá, quisiera intercambiar un par de palabras con usted.

El señor Verloc, pálido aún, había regresado con un aire de resolución. Seguía sin mirar a su esposa.

—Entonces pase por aquí —dijo, y entró el primero en la sala.

Apenas se había cerrado la puerta cuando la señora Verloc saltó de la silla y corrió como para abrirla bruscamente, pero en vez de hacer eso se echó de rodillas, con la oreja pegada al ojo de la cerradura. Los dos hombres debieron haberse detenido nada más entrar, pues ella oyó claramente la voz del Inspector Jefe, aunque no pudiera ver su dedo enfáticamente presionado contra el pecho de su esposo.

—Usted es el otro hombre, Verloc. Vieron a dos hombres entrando en el parque.

Y la voz del señor Verloc dijo:

—Pues lléveme preso ya. ¿Qué se lo impide? Tiene derecho.

—¡Oh, no! Sé perfectamente a quién le ha estado dando información. Él tendrá que llevar este asuntillo por sí solo. Pero no cometa un error, soy yo quien lo ha descubierto a usted.

A continuación ella oyó únicamente murmullos. El Inspector Heat debió haber estado mostrándole al señor Verloc el fragmento del abrigo de Stevie, porque la hermana, guardiana y protectora del chico, oyó hablar a su esposo un poco más alto.

—No sabía que ella hubiera dado con ese truco.

De nuevo hubo un rato en que la señora Verloc no oyó más que murmullos, cuyo misterio resultaba menos angustioso para su mente que las horribles insinuaciones de las palabras inteligibles. Después el Inspector Jefe Heat, al otro lado de la puerta, alzó la voz:

—Debe de haber estado usted loco.

Y la voz del señor Verloc respondió, con una especie de furia desesperanzada:

—He estado loco durante un mes o más, pero no lo estoy ahora. Se acabó. Haré que salga todo de mi cabeza, y al cuerno con las consecuencias.

Hubo un silencio, y luego el Ciudadano Privado Heat murmuró:

—¿Qué es lo que va a salir?

—Todo —exclamó la voz del señor Verloc, que seguidamente se hizo muy queda.

Después de un rato volvió a hacerse audible.

—Usted me conoce desde hace varios años, y le he resultado útil, por cierto. Sabe que soy un hombre recto. Recto, sí.

Esta apelación a su antiguo conocimiento debió de haber sido extremadamente desagradable para el Inspector Jefe. Su voz adquirió un tono de advertencia.

—No confíe tanto en lo que le han prometido. Si yo fuera usted, me esfumaría. No creo que le persigamos.

Se oyó una breve risa por parte del señor Verloc.

—Seguro: ustedes esperan que los otros se libren de mí por ustedes, ¿no? No, no; ahora no se deshacen de mí. He sido un hombre recto para esa gente durante demasiado tiempo, y ahora todo debe aflorar.

—Pues entonces, que aflore —asintió la voz indiferente del Inspector Jefe Heat—. Pero ahora cuénteme cómo escapó.

—Me dirigía a Chesterfield Walk, cuando oí la explosión —oyó la señora Werloc decir a su esposo—. Entonces empecé a correr. Niebla. No vi a nadie hasta que estuve más allá del final de George Street. Creo que no me encontré con nadie hasta entonces.

—¡Así de sencillo! —dijo maravillada la voz del Inspector Jefe Heat—. Conque la explosión lo sobresaltó...

—Sí; ocurrió demasiado pronto —confesó la voz desanimada y ronca del señor Verloc.

La señora Verloc apretó la oreja contra el ojo de la cerradura; tenía los labios azulados, las manos frías como el hielo, y sentía como si su rostro pálido, en el que los ojos parecían dos agujeros negros, estuviera envuelto en llamas.

Al otro lado de la puerta las voces se hicieron muy bajas. Ella captaba ahora palabras sueltas, pronunciadas unas veces por su esposo y otras con la suave tonalidad del Inspector Jefe. Le oyó decir a este último:

—Creemos que tropezó contra las raíces de un árbol.

Hubo un murmullo áspero y con altibajos, que duró cierto tiempo, y después el Inspector Jefe, como en respuesta a una pregunta, habló enfáticamente:

—Por supuesto. Volado en pedacitos: miembros, gravilla, ropa, huesos, astillas... todo entreverado. Con decirle que tuvieron que traer una pala para juntarlo.

La señora Verloc abandonó bruscamente de un salto su postura y tapándose los oídos fue hacia la silla, tambaleándose entre el mostrador y los estantes de la pared. Sus ojos trastornados se fijaron en la hoja deportiva dejada por el Inspector Jefe, y al darse contra el mostrador la arrebató de allí, se desplomó en la silla, rompió por la mitad la optimista hoja rosácea tratando de abrirla, y seguidamente la arrojó al suelo. Al otro lado de la puerta, el Inspector Jefe Heat le estaba diciendo al señor Verloc, el agente secreto:

—De modo que su defensa será prácticamente una confesión completa...

—Efectivamente. Voy a contar toda la historia.

—No va a resultarles tan creíble como usted supone.

Y el Inspector Jefe se quedó pensativo. El giro que estaba tomando aquel asunto equivalía a destapar muchas cosas; a convertir en eriales parcelas de conocimiento que, cultivadas por un hombre capaz, tenían un valor evidente para el individuo y para la sociedad. Era una interferencia muy, muy lamentable. Dejaría incólume a Michaelis; arrastraría a la luz pública la industria casera de El Profesor; desorganizaría el entero sistema de supervisión; suscitaría mucha polémica pública en los periódicos, que desde ese punto de vista se le aparecieron —en un acto de súbita iluminación— como invariablemente escritos por tontos para ser leídos por imbéciles. Mentalmente estuvo de acuerdo con las palabras que el señor Verloc dejó caer por fin en respuesta a su último comentario.

—Puede que no. Pero pondrá muchas cosas patas arriba. Yo he sido un hombre recto, y continuaré siéndolo en este...

—Si lo dejan —dijo el Inspector Jefe, con sarcasmo—. No cabe duda de que lo aleccionarán antes de conducirlo al banquillo. Y al final todavía puede acabar recibiendo una sentencia que no espera. Yo no confiaría demasiado en el caballero que ha estado hablando con usted.

El señor Verloc escuchaba con el ceño fruncido.

—Yo le aconsejo que escape mientras pueda. Algunos de ellos —continuó el Inspector Jefe Heat, poniendo énfasis en la palabra «ellos»— creen que usted ya está en el otro mundo.

—¡No me diga! —se sintió movido a decir el señor Verloc. Aunque desde su retorno de Greenwich había pasado la mayor parte del tiempo sentado ante el mostrador de una pequeña y oscura taberna, difícilmente hubiera esperado una noticia tan favorable.

—Ésa es la impresión que hay a su respecto. —El Inspector Jefe hizo un gesto afirmativo con la cabeza—. Esfúmese. Desaparezca.

—¿Hacia dónde? —gruñó el señor Verloc. Levantó la cabeza y, mirando hacia la puerta cerrada de la sala, murmuró en tono expresivo—: Sólo querría que me arrestase usted esta noche. Iría sin chistar.

—Estoy seguro —asintió sarcásticamente el Inspector Jefe, que había seguido la dirección de su mirada.

La frente del señor Verloc se cubrió súbitamente de un ligero sudor. Bajó su ronca voz hasta un tono confidencial ante el impasible Inspector Jefe.

—El muchacho era un débil mental, un atolondrado. Cualquier tribunal se hubiera dado cuenta de eso enseguida. Lo que le correspondía era el psiquiátrico. Y eso es lo peor que le habría pasado si...

El Inspector Jefe, con la mano en el picaporte de la puerta, le susurró al señor Verloc en pleno rostro:

—Puede que él fuese débil mental, pero usted debe de haber estado loco. ¿Qué fue lo que le hizo perder así la cabeza?

El señor Verloc, pensando en el señor Vladimir, no vaciló en la elección de las palabras.

—Un cerdo hiperbóreo —siseó enfáticamente—. Un... lo que podría usted llamar un... caballero.

El Inspector Jefe, con la mirada imperturbable, asintió brevemente con la cabeza en señal de comprensión, y abrió la puerta. Puede que detrás del mostrador la señora Verloc, aunque no lo viese, haya oído su partida, seguida por el agresivo estruendo de la campanilla. Estaba sentada en su puesto detrás del mostrador. Rígida y erecta en la silla, dos sucios pedazos de rosado periódico yacían extendidos a sus pies. Tenía las palmas de las manos apretadas convulsivamente contra su rostro, con las puntas de los dedos contraídas sobre la frente, como si la piel fuera una máscara que ella estuviera dispuesta a arrancarse con vehemencia. La absoluta inmovilidad de su postura expresaba la conmoción de la rabia y la desesperación —todo el violento potencial de las pasiones trágicas— mejor de lo que pudiera haberlo hecho cualquier superficial despliegue de chillidos, acompañado del golpearse la enloquecida cabeza contra las paredes. El Inspector Jefe Heat, al atravesar la tienda con su activo paso oscilante, le dedicó apenas una rápida mirada. Y cuando la maltrecha campanilla acabó de sacudirse en su curvada tira de acero, toda agitación cesó en torno a la señora Verloc, como si su actitud poseyese el poder paralizador de un conjuro. Hasta la llama en forma de mariposa en los extremos de la lámpara de gas adosada a la pared ardía sin un temblor. En aquella tienda de dudosa mercancía provista de estantes de tablones de pino pintados de un marrón opaco, que parecía devorar el brillo de la luz, el círculo dorado del anillo de boda en la mano izquierda de la señora Verloc destellaba inusitadamente, con la gloria sin mácula de una joya —sacada de algún espléndido tesoro— arrojada a un cubo de basura.

Capítulo X

E L Subdirector, conducido rápidamente en un coche de
alquiler desde los alrededores del Soho en dirección
a Westminster, descendió en el centro mismo del Imperio en el que nunca se pone el sol. Unos fornidos policías
uniformados, que no parecían especialmente impresiona-
dos por la misión de custodiar el augusto lugar, lo saluda-
ron. Trasponiendo un portal en modo alguno presuntuoso
para internarse en el recinto del que es el Parlamento, *par
excellence,* en la mente de muchos millones de personas, fue
finalmente recibido por el impredecible y revolucionario
Toodles.

Aquel eficiente y agradable joven ocultó su sorpresa ante
la temprana aparición del Subdirector, a quien le habían indicado que esperase alrededor de medianoche. Su conclusión al respecto fue que las cosas, fueran las que fuesen, habían salido mal. Con una solidaridad sumamente dispuesta
—que en los jóvenes agradables suele acompañar a un temperamento alegre— se lamentó por la gran Presencia a
quien llamaba «El Jefe», y también por el Subdirector, cuyo
rostro encontraba más ominosamente inexpresivo que nunca, y fantásticamente alargado. «Qué tipo tan extraño y qué
aspecto de extranjero», pensó, mientras le sonreía desde lejos con amistosa animación. Y tan pronto como se junta-
ron empezó a hablar, con la amable intención de sepultar la
mortificación del fracaso bajo una montaña de palabras. Al
parecer la amenaza del gran asalto para esa noche iba a resultar un fiasco. Un secuaz subalterno de «esa bestia de

Cheeseman» se había levantado para aburrir sin piedad a una Cámara apenas poblada con unas estadísticas descaradamente falseadas. Él —Toodles— esperaba que en cualquier momento el aburrimiento obligara a suspender la sesión. Aunque puede que el otro sólo estuviese haciendo tiempo para que el tragón de Cheeseman pudiera cenar a gusto. De cualquier forma, no se podía persuadir al Jefe para que se fuera a casa.

—Creo que lo recibirá enseguida. Está sentado a solas en su despacho, calculando todas las posibilidades —concluyó Toodles con desparpajo—. Venga conmigo.

Sin perjuicio de su amable disposición, el joven secretario privado (honorario) era accesible a las debilidades corrientes de la humanidad. No quería herir los sentimientos del Subdirector, que se le aparecía clarísimamente como un hombre que ha echado a perder su misión. Pero su curiosidad era demasiado fuerte como para que la frenase la simple compasión. Mientras avanzaban, no pudo evitar lanzarle por encima del hombro, en tono ligero, la pregunta:

—¿Y su arenque?

—Cogido —respondió el Subdirector, con una concisión que no pretendía en lo más mínimo resultar antipática.

—Bien. No se hace usted idea de cómo a estos grandes hombres les disgusta ser defraudados en las cosas pequeñas.

Tras esta profunda observación, el experimentado Toodles pareció reflexionar. En todo caso estuvo dos segundos enteros sin decir nada. A continuación:

—Me alegro. Pero, digo yo, ¿se trata realmente de algo tan pequeño como da usted a entender?

—¿Sabe usted lo que puede hacerse con un arenque? —le preguntó a su vez el Subdirector.

—A veces lo ponen en una lata de sardinas —bromeó Toodles, cuya erudición en materia de industria pesquera estaba fresca y que, comparada con su ignorancia acerca de todas las demás materias industriales, era inmensa—. En la costa española hay conserveros de sardinas que...

El Subdirector interrumpió al aprendiz de estadista.

—Sí, sí. Pero también se utiliza a veces un arenque para cazar una ballena.

—¿Una ballena? ¡Uff! —exclamó Toodles, con el aliento entrecortado—. Entonces, ¿va usted tras una ballena?

—No exactamente. Lo que persigo es más bien un tiburón pequeño. Quizás no sepa usted qué aspecto tiene un tiburón pequeño.

—Sí que lo sé. Estamos hundidos hasta el cuello en libros especializados... estanterías repletas... con láminas... Es un animal dañino, de aspecto ruin, una bestia totalmente detestable, con una especie de cara lisa y bigotuda.

—Una descripción exacta —aprobó el Subdirector—. Sólo que el mío va completamente afeitado. Usted lo ha visto. Es un pez ingenioso.

—¡Que lo he visto! —dijo Toodles en tono incrédulo—. No imagino dónde podría haberlo visto.

—En el «Explorers», probablemente —dejó caer el Subdirector calmosamente. Al oír el nombre de aquel club sumamente exclusivo, Toodles pareció asustado, y se quedó en suspenso.

—Absurdo —protestó, pero en tono espantado—. ¿A quién se refiere? ¿Algún socio?

—Honorario —murmuró el Subdirector entre dientes.

—¡Cielos!

Toodles parecía tan estupefacto que el Subdirector sonrió levemente.

—Esto queda estrictamente entre nosotros —dijo.

—Es la cosa más brutal que he oído en mi vida —declaró Toodles débilmente, como si el asombro lo hubiera privado en un segundo de toda su fuerza vital.

El Subdirector le dirigió una mirada hosca. Hasta que llegaron a la puerta del aposento del gran hombre, Toodles mantuvo un silencio ignominioso y solemne, como si estuviera resentido con el Subdirector por revelarle un hecho tan ofensivo y perturbador. Algo que revolucionaba su concepto de la extremada exclusividad del «Explorer's Club», de su pureza social. Toodles era revolucionario únicamente en política; deseaba que sus convicciones sociales y sus sentimientos personales permanecieran inmutables a lo largo de todos los años que le fueran otorgados en esta tierra, la cual, en términos generales, consideraba un buen lugar donde vivir.

Dio un paso hacia un lado.

—Entre usted sin llamar —dijo.

Unas pantallas de seda verde ajustadas a todas las lámparas impartían a la estancia un algo de la profunda melancolía de un bosque. Los ojos altivos eran físicamente el punto débil del gran hombre. Un punto que se conservaba en secreto. Cuando se ofrecía una oportunidad, él los hacía descansar a conciencia. De entrada, el Subdirector vio únicamente una gran mano pálida que servía de sostén a la parte superior de un rostro grande y pálido. Una caja de despachos abierta yacía sobre la mesa escritorio, próxima a algunos rectangulares folios de papel y un manojo desordenado de plumas de ave. No había absolutamente nada más sobre la lisa superficie, exceptuando una pequeña figurilla de bronce envuelta en una toga, misteriosamente vigilante en su oscura inmovilidad. Invitado a tomar asiento, el Subdirector así lo hizo. Con aquella luz tenue, los atributos llamativos de su persona —el rostro alargado, el cabello negro, su delgadez— lo hacían parecer más extranjero que nunca.

El gran hombre no manifestó la menor sorpresa, ni ansiedad ni sentimiento alguno. La actitud que le servía para proteger sus ojos vulnerables era una de profunda meditación. No la alteró en lo más mínimo. Pero su tono no fue meditabundo.

—¡Bien! ¿Qué es lo que ya ha averiguado? De entrada dio usted con algo inesperado.

—No exactamente inesperado, Sir Ethelred. Con lo que tropecé básicamente fue con un estado psicológico.

La Gran Presencia hizo un leve movimiento.

—Le ruego que hable claro.

—Sí, Sir Ethelred. Usted sabe sin duda que, en un momento u otro, la mayoría de los delincuentes experimenta una necesidad irresistible de sincerarse con alguien... con cualquiera. Y con frecuencia lo hacen con la policía. En ese Verloc a quien Heat tanto quería mantener en la sombra me he encontrado a un hombre en ese particular estado psicológico. Hablando en sentido figurado, puede decirse que el hombre se echó en mis brazos. Bastó por mi parte con que le susurrara al oído quién era, y añadiese: «Sé que usted está en el fondo de este asunto.» Aunque debió parecerle milagroso que ya estuviésemos enterados, lo asimiló con entera naturalidad. Lo asombroso es que no lo inhibiese ni por un momento. Sólo me restaba plantearle las dos preguntas: ¿quién lo incitó a hacerlo? y ¿quién fue el ejecutor material? Respondió a la primera con un notable énfasis. En cuanto a la segunda, colijo que el tipo de la bomba era su cuñado, un muchacho extraño, una criatura con retraso mental... Se trata de un caso bastante curioso... demasiado complejo tal vez para establecer ya unas conclusiones definitivas.

—¿De qué se ha enterado, pues?

—En primer lugar, me he enterado de que el ex convicto Michaelis no tuvo nada que ver en esto, aunque es cierto que el muchacho estuvo viviendo temporalmente con él en el campo hasta las ocho de esta mañana. Es sumamente probable que todavía no sepa nada.

—¿Está usted seguro de eso? —preguntó el gran hombre.

—Totalmente seguro, Sir Ethelred. El tal Verloc fue allí esta mañana y se llevó al muchacho so pretexto de salir a dar un paseo por la campiña. Como no era la primera vez que lo hacía, Michaelis no pudo tener la menor sospecha de que hubiera algo raro. En cuanto al resto, Sir Ethelred, la indignación de este Verloc no dejó nada en duda: nada en absoluto. Había sido prácticamente sacado de sus casillas mediante una extraordinaria actuación, que difícilmente usted o yo habríamos tomado en serio, pero que obviamente produjo en él una gran impresión.

A continuación, el Subdirector proporcionó al gran hombre que permanecía inmóvil, protegiéndose los ojos con la visera de su mano, la versión del señor Verloc acerca de las actitudes y el carácter del señor Vladimir. El Subdirector no parecía negarle un cierto grado de validez. Pero el gran personaje comentó:

—Todo esto parece bstante fantástico.

—¿Verdad que sí? Uno pensaría en una broma feroz. Pero al parecer nuestro hombre lo tomó en serio. Se sintió amenazado. Ocurre que antes estaba en comunicación directa con el viejo Stott-Wartenheim en persona, y que había llegado a considerar sus servicios como indispensables. Fue un despertar extremadamente brusco. Supongo que perdió la cabeza. Quedó furioso y asustado. Palabra, mi impresión es que pensó que aquella gente de la Embajada era perfectamente capaz no sólo de despedirlo, sino también de denunciarlo, de un modo u otro...

—¿Cuánto tiempo estuvo usted con él? —lo interrumpió la Presencia tras el escudo de su gran mano.

—Unos cuarenta minutos, Sir Ethelred, en un sitio de mala reputación llamado Hotel Continental, encerrados en una habitación que, dicho sea de paso, había yo tomado para la noche. Lo encontré bajo los efectos de la reacción que sigue al esfuerzo del delito. No se puede definir a ese hombre como un delincuente empedernido. Es evidente que no planeó la muerte de ese desgraciado muchacho, su cuñado. Eso fue un golpe para él, me di cuenta. Tal vez sea un hombre fuertemente sensible. Quizás incluso le tuviese cariño al chico, quién sabe... Puede que esperase que escapara, en ese caso habría resultado casi imposible inculpar a alguien de este asunto. En cualquier caso, él no arriesgó conscientemente en cuanto al chico otra cosa que su detención.

El Subdirector hizo una pausa en sus conjeturas para reflexionar un momento.

—Aunque cómo podía esperar, en ese último caso, mantener oculta su propia participación, es algo que no sé decirle —continuó, ignorante de la devoción del pobre Stevie hacia el señor Verloc (que era *bueno*), y de su realmente peculiar estupidez, la que en el viejo asunto de los fuegos de artificio en las escaleras había resistido durante muchos años las súplicas, las presiones, el enojo y otros medios de investigación utilizados por su querida hermana. Pues Stevie era leal...— No, no me lo imagino. Es posible que nunca haya pensado en ello. Suena como una manera extravagante de expresarlo, Sir Ethelred, pero su estado de consternación me hizo pensar en un hombre impulsivo que, después de suicidarse con la idea de terminar así con todos sus problemas, hubiera descubierto que aquello no le había servido de nada.

El Subdirector formuló su definición en tono de disculpa. Pero en verdad hay una especie de lucidez propia en el lenguaje extravagante, y el gran hombre no se incomodó. Un ligero movimiento convulsivo del voluminoso cuerpo medio perdido en la penumbra de las pantallas de seda verde, de la gran cabeza apoyada en aquella gran mano, acompañó a un sonido intermitente, sofocado pero poderoso. El gran hombre se había reído.

—¿Qué ha hecho usted con él?

El Subdirector respondió con mucha presteza:

—Como parecía muy ansioso por volver a la tienda con su esposa, lo dejé marchar, Sir Ethelred.

—¿Ah, sí? Pero el sujeto desaparecerá.

—Perdone, pero no lo creo. ¿Adónde podría ir? Además, recuerde usted que tiene que pensar también en el peligro de sus camaradas. Está allí en su puesto. ¿Cómo podría explicar el abandonarlo? Pero él no haría nada, aunque no existieran obstáculos para su libertad de acción. En este momento carece de la suficiente energía moral para tomar cualquier clase de decisión. Permítame asimismo hacer notar que si lo hubiese detenido, nos habríamos visto comprometidos en un curso de acción sobre el cual yo deseaba conocer primero sus intenciones exactas.

El gran personaje se levantó pesadamente, una figura imponente y borrosa en la verdosa penumbra de la estancia.

—Esta noche veré al Fiscal General, y mandaré a por usted mañana por la mañana. ¿Hay algo más que quisiera decirme ahora?

El Subdirector se había levantado a su vez, delgado y flexible.

—Creo que no, Sir Ethelred, a menos que entrase en detalles que...

—No, por favor. Nada de detalles.

La gran forma oscura pareció retroceder como si los detalles le produjesen una repulsión física; a continuación se adelantó, expandida, enorme y formidable, tendiéndole una gran mano.

—¿Y dice usted que ese hombre tiene esposa?

—Sí, Sir Ethelred —dijo el Subdirector, apretando con

deferencia la mano extendida—. Una esposa auténtica y una auténtica y respetable relación marital. Me dijo él que después de su entrevista en la Embajada habría renunciado a todo, habría tratado de vender la tienda y abandonar el país, de no haber sido por la certidumbre de que su esposa no querría ni oír hablar siquiera de marchar al extranjero. Nada podría caracterizar mejor que eso el respetuoso vínculo entre ellos —continuó con un toque de melancólica desazón el Subdirector, cuya esposa también se había negado a oír hablar de irse al extranjero—. Sí, una esposa auténtica. Y la víctima fue un cuñado auténtico. Desde cierto punto de vista, nos encontramos ante un drama doméstico.

El Subdirector rió brevemente; pero los pensamientos del gran hombre parecían haber derivado lejos, acaso hacia las cuestiones de la política doméstica de su país, el campo de batalla de su valerosa cruzada contra el «infiel» Cheeseman. El Subdirector se retiró calladamente, inadvertido, como si ya lo hubiesen olvidado.

Él poseía su propio instinto de cruzado. Aquel asunto, que de un modo u otro disgustaba al Inspector Jefe Heat, le parecía el providencial punto de partida para una cruzada. Anhelaba comenzar. Se fue andando lentamente, meditando por el camino en la empresa en marcha y reflexionando —con una mezcla de repugnancia y satisfacción— sobre la psicología del señor Verloc.

Fue caminando hasta su casa, subió las escaleras, y se demoró entre el vestidor y el dormitorio, cambiándose de ropa, yendo y viniendo con aire de sonámbulo pensativo. Pero se despejó antes de volver a salir con objeto de reunirse con su esposa en casa de la gran dama protectora de Michaelis.

Sabía que allí sería bien recibido. Al entrar en el más pequeño de los dos salones vio a su esposa en un pequeño grupo cerca del piano. Un compositor juvenil en vías de convertirse en famoso disertaba desde una tarima de música ante dos hombres gruesos cuyas espaldas parecían de viejo, y tres esbeltas mujeres cuyas espaldas parecían jóvenes. Detrás del biombo, la gran dama tenía consigo únicamente a dos personas: un hombre y una mujer, sentados uno al lado del otro en sendos sofás junto a los pies de su diván. Tendió su mano hacia el Subdirector.

—Había descartado toda esperanza de verlo por aquí esta noche. Annie me dijo...

—Sí. Yo mismo no imaginaba que mi trabajo acabaría tan pronto. —Y en un tono amortiguado, el Subdirector añadió—: Me alegra decirle que Michaelis está completamente al margen de este...

La protectora del ex presidiario recibió estas seguridades con indignación.

—¿Pero, cómo? Su gente ha sido tan estúpida como para relacionarlo con...

—Estúpida no —la interrumpió deferentemente el Subdirector para contradecirla—. Bastante lista: bastante lista en verdad para eso.

Se hizo un silencio. El hombre al pie del canapé había dejado de hablar y observaba con una leve sonrisa.

—No sé si os habéis encontrado antes alguna vez —dijo la gran dama.

El señor Vladimir y el Subdirector, presentados, tomaron nota de sus respectivas existencias con puntillosa y cautelosa cortesía.

—Me ha estado asustando —declaró súbitamente la dama sentada junto al señor Vladimir, señalando al caballero con una inclinación de cabeza. El Subdirector conocía a la dama.

—No parece usted asustada —manifestó, tras haberla examinado atentamente con mirada fatigada y ecuánime. Pensaba entretanto que en aquella casa uno conoce tarde o temprano a todo el mundo. Los sonrosados rasgos del señor Vladimir estaban envueltos en sonrisas, porque era ingenioso, pero sus ojos permanecían serios, como los de un creyente.

—Bueno, al menos lo ha intentado —rectificó la dama.

—La fuerza de la costumbre, quizá —dijo el Subdirector, movido por una irresistible inspiración.

—Ha estado amenazando a la sociedad con toda suerte de horrores —continuó la dama, cuya pronunciación era lenta y acariciadora— a propósito de esa explosión en

Greenwich Park. Al parecer todos debemos ponernos a temblar ante lo que vendrá si esa gente no es liquidada en todo el mundo. No tenía idea de que se tratase de un asunto tan grave.

El señor Vladimir, fingiendo no escuchar, se inclinó hacia el diván hablando afablemente en voz baja, pero oyó decir al Subdirector:

—No me cabe duda de que el señor Vladimir tiene una idea muy precisa de la verdadera importancia de ese asunto.

El señor Vladimir se preguntó qué insinuaba aquel maldito policía entrometido. Descendiente de generaciones maltratadas por los instrumentos de un poder arbitrario, temía a la policía por razones raciales, nacionales e individuales. Era una debilidad hereditaria, completamente independiente de su juicio, de su razón, de su experiencia. Había nacido con ella. Pero ese sentimiento, que se parecía al terror irracional que algunas personas experimentan hacia los gatos, no impedía su enorme desprecio por la policía inglesa. Acabó la frase que estaba dirigiéndole a la gran dama, y giró ligeramente en su asiento.

—Se refiere usted a que nosotros poseemos una gran experiencia con esa gente. Sí, verdaderamente, nosotros sufrimos grandemente con su actividad, mientras que ustedes... —el señor Vladimir vaciló por un momento, con sonriente perplejidad—. Mientras que ustedes soportan complacientemente su presencia —concluyó—, exhibiendo un hoyuelo en cada una de sus bien rasuradas mejillas. —Después añadió, más seriamente—: Puedo decirlo llanamente... porque es así.

Cuando el señor Vladimir cesó de hablar, el Subdirector bajó la vista y la conversación decayó. Casi inmediatamente después, el señor Vladimir se retiró. Apenas el otro dio la espalda al diván, el Subdirector se puso a su vez de pie.

—Creí que iba usted a quedarse para llevar a Annie a casa —dijo la protectora de Michaelis.

—Es que todavía tengo un pequeño trabajo que hacer esta noche.

—Relacionado con...

—Pues sí... en cierto modo.

—Dígame: ¿qué es en realidad este... horror?

—Es difícil decir qué es, pero todavía puede que resulte una *cause célèbre* —dijo el Subdirector.

Abandonó apresuradamente el salón y encontró al señor Vladimir todavía en el vestíbulo, envolviéndose cuidadosamente la garganta con un gran pañuelo de seda. Detrás de él aguardaba un criado sosteniendo su abrigo. Otro permanecía atento para abrir la puerta. El Subdirector fue debidamente ayudado a ponerse el abrigo y le abrieron la puerta enseguida. Cuando hubo descendido los escalones de la entrada se detuvo, como para decidir el camino que debía tomar. Al ver esto a través de la puerta que se mantenía abierta, el señor Vladimir se entretuvo en el vestíbulo a sacar un cigarro, y pidió fuego. El que se lo proporcionó fue un hombre mayor, sin librea y con aire de serena solicitud. Pero la cerilla se apagó; el criado entonces cerró la puerta, y el señor Vladimir encendió su gran puro habano con minucioso cuidado. Cuando finalmente salió de la casa, vio con disgusto al «maldito policía», que todavía permanecía de pie en la acera.

«¿Será que me está esperando?», pensó el señor Vladimir, que miró a un lado y otro buscando algún coche. No vio ninguno. Junto al bordillo aguardaban un par de carruajes con los faroles ardiendo impertérritos, los caballos absolutamente quietos, como esculpidos en piedra, los cocheros sentados inmóviles bajo las amplias capas cortas de piel, sin que ni siquiera un temblor agitase las blancas lenguas de sus grandes látigos. El señor Vladimir emprendió la marcha, y el «maldito policía» se emparejó con él. Él no dijo nada. Al cabo de la cuarta zancada se sentía furioso e inquieto. Aquello no podía continuar.

—Tiempo horrible —gruñó ferozmente.

—Regular —dijo el Subdirector en tono neutro. Permaneció un ratito en silencio—. Hemos apresado a un hombre llamado Verloc —anunció sin énfasis.

El señor Vladimir no tropezó, ni retrocedió vacilante, ni cambió la zancada. Pero no pudo evitar exclamar:

—¿Cómo?

El Subdirector no repitió su declaración.

—Usted lo conoce —continuó en el mismo tono.

El señor Vladimir se detuvo y habló guturalmente.

—¿Qué le hace afirmar eso?

—No lo digo yo. Lo dice el señor Verloc.

—Quién sabe qué perro embustero será —dijo el señor Vladimir, acudiendo a una fraseología más bien oriental. Pero en su fuero interno estaba casi pasmado ante la milagrosa capacidad de la policía inglesa. Su cambio de opinión al respecto fue tan violento que por un momento lo hizo sentirse ligeramente enfermo. Arrojó el cigarro y reanudó la marcha.

—Lo que más me ha complacido en este asunto —continuó el Subdirector, hablando con lentitud— es que constituye un punto de partida tan excelente para una tarea que yo siento ha de ser emprendida, y es la de librar a este país de todos los espías políticos extranjeros, de policías y de esa clase de... de perros. En mi opinión son un desagradable estorbo; también un factor de riesgo. Pero ciertamente no podemos andar cazándolos individualmente. La única forma es hacer que el emplearlos resulte inconveniente para sus empleadores. La cosa se está volviendo intolerable. Y también peligrosa para nosotros aquí.

El señor Vladimir volvió a detenerse un momento.

—¿Qué quiere usted decir?

—El enjuiciamiento del tal Verloc demostrará al público tanto el peligro como su condición de intolerable.

—Nadie va a creer lo que diga un hombre de esa calaña —afirmó despectivamente el señor Vladimir.

—La abundancia y la exactitud de los detalles convencerán al gran público —adelantó el Subdirector con suavidad.

—De modo que eso es efectivamente lo que se proponen hacer.

—Tenemos al hombre; no tenemos alternativa.

—Con eso no harán ustedes otra cosa que reanimar el espíritu de esos bribones revolucionarios —protestó el señor Vladimir—. ¿Por qué quieren armar un escándalo? ¿Por razones morales, o qué?

La preocupación del señor Vladimir era evidente. El Subdirector, habiendo establecido de aquel modo que algo de verdad debía haber en las sumarias manifestaciones del señor Verloc, dijo en tono indiferente:

—Hay también un aspecto práctico. Ya tenemos realmente bastante que hacer con ocuparnos de los elementos auténticos. No puede usted decir que no seamos eficaces. Pero no estamos en absoluto dispuestos a permitir que nos molesten los impostores, bajo ningún pretexto.

El tono del señor Vladimir se hizo airado.

—Por mi parte, no puedo compartir su punto de vista. Es egoísta. Mis sentimientos por mi país están fuera de duda; pero siempre he sentido que también debemos ser buenos europeos. Me refiero a los gobiernos y a los hombres.

—Sí —dijo sencillamente el Subdirector—. Sólo que ustedes miran a Europa desde su extremo opuesto. Pero —continuó afablemente— los gobiernos extranjeros no pueden quejarse de la ineficacia de nuestra policía. Fíjese en este atentado. Un caso particularmente difícil de rastrear, al tratarse de una suplantación. En menos de doce horas hemos establecido la identidad de un hombre literalmente volado en pedazos, hemos descubierto al organizador del golpe y hemos vislumbrado al instigador que está detrás. Y podíamos haber ido más lejos; pero nos detuvimos en los límites de nuestro territorio.

—De modo que este instructivo crimen fue planeado en el exterior —se apresuró a decir el señor Vladimir—. ¿Admite usted que fue planeado en el extranjero?

—Teóricamente. Sólo teóricamente, en territorio extranjero; en el exterior únicamente debido a una ficción —dijo el Subdirector, aludiendo al carácter de las embajadas, a las que se supone parte inseparable del país al que pertenecen. Pero eso es un detalle. Le hablaba de este asunto porque es su gobierno el que más se queja de nuestra policía. Ya ven que tan malos no somos. Me apetecía especialmente comunicarle nuestro éxito.

—Ciertamente se lo agradezco mucho —murmuró entre dientes el señor Vladimir.

—Podemos localizar a cualquier anarquista de aquí —continuó el Subdirector, como si citase al Inspector Jefe Heat—. Lo único que se necesita ahora para que todo esté a salvo es librarse del *agent provocateur.*

El señor Vladimir hizo señas a un coche que pasaba.

—Veo que no va usted a entrar —comentó el Subdirector, con la mirada puesta en un edificio de nobles proporciones y aspecto acogedor, del que la luz de un gran vestíbulo atravesaba las puertas de cristal para caer sobre una amplia escalinata.

Pero el señor Vladimir, sentado imperturbable dentro del coche de alquiler, partió sin decir palabra.

El Subdirector, por su parte, no se dirigió hacia el noble edificio. Era el «Explorer's Club». Por su mente pasó el pensamiento de que el señor Vladimir, miembro honorario, no iba a ser visto muy a menudo por allí en el futuro. Miró su reloj. Eran sólo las diez y media. Había tenido una velada sumamente atareada.

Capítulo XI

UNA vez que el Inspector Jefe Heat lo hubo dejado solo, el señor Verloc se puso a andar de un lado a otro de la sala. De vez en cuando ojeaba a su esposa a través de la puerta abierta. «Ahora lo sabe todo», pensó, compadeciéndola por su dolor y con cierta satisfacción en lo tocante a él mismo. Aunque carente, tal vez, de grandeza, el alma del señor Verloc era capaz de sentimientos de ternura. La perspectiva de tener que darle la noticia le había provocado un gran desasosiego. El Inspector Jefe Heat lo había relevado de la tarea. Eso, cuando menos, era bueno. Ahora le quedaba enfrentarse con la aflicción de ella.

El señor Verloc nunca había esperado tener que enfrentarse a su aflicción a causa de la muerte, cuyo carácter de catástrofe no pueden disipar los razonamientos complejos ni la persuasiva elocuencia. El señor Verloc jamás había previsto que el pobre Stevie pereciese de un modo tan violentamente inesperado. No había previsto que pereciese de ningún modo. Muerto, Stevie era una carga mucho más grande de lo que en vida hubiera sido nunca. El señor Verloc había vaticinado un resultado positivo a la empresa de Stevie, basándose no en la inteligencia —la cual a veces le juega al hombre extraños trucos— del muchacho, sino en su docilidad y devoción ciegas. Sin ser demasiado psicólogo, el señor Verloc había sondeado la profundidad del fanatismo de Stevie. Se atrevió a acariciar la esperanza de que Stevie se alejara andando de los muros del Observartorio tal como se le había instruido que hiciese, que tomase el camino que se le había enseñado previamente varias veces, y que volviera a reunirse con su cuñado, el bueno y sabio señor Verloc, fuera del recinto del parque. Quince minutos deberían bastar para que hasta el mayor de los estúpidos depositase la bomba y se alejase. Y El Profesor había garantizado más de quince minutos. Pero Stevie había tropezado antes de los cinco minutos de haber quedado solo. Y el señor Verloc quedó moralmente hecho pedazos. Lo había previsto todo menos eso. Había imaginado a Stevie distraído y perdido, buscado, localizado finalmente en alguna comisaría o en algún asilo provincial. Lo había imaginado detenido por la policía, y no tenía miedo, pues el señor Verloc tenía una gran confianza en la lealtad de Stevie, a quien durante muchas caminatas había adoctrinado cuidadosamente sobre la necesidad del silencio. Paseando por las calles de Londres, el señor Verloc —a la manera de un filósofo peripatético— había modificado, mediante conversaciones llenas de razonamientos sutiles, la opinión de Stevie acerca de la policía. Jamás tuvo un sabio discípulo más atento y extasiado. Su sumisión y su reverencia eran tan evidentes que el señor Verloc había llegado a experimentar hacia el chico algo semejante al afecto. En cualquier caso, no había previsto la rapidez con que se lo relacionaría a él. Lo último que habría pensado era que a su esposa se le hubiese ocurrido la precaución de coser la dirección del muchacho en el interior de su abrigo. No se puede pensar en todo. Era eso a lo que ella se refería cuando dijo que no era necesario que se preocupase si perdía a Stevie durante sus paseos. Le había asegurado que el chico seguramente aparecería. Bueno: ¡pues vaya si había aparecido!

—Vaya, vaya —murmuró en su desconcierto el señor Verloc. ¿Qué se proponía ella con eso? ¿Evitarle a él la preocupación de estar pendiente de Stevie? Lo más probable es que su intención fuera buena. Pero debió haberle comunicado la precaución tomada.

Se encaminó al lugar detrás del mostrador. Su intención no era abrumar a su esposa con amargos reproches. El señor Verloc no sentía ninguna amargura. La inesperada marcha de los acontecimientos lo había convertido a la doctrina del fatalismo. Ahora nada podía remediarse.

—No fue mi intención que el chico sufriese ningún daño —dijo.

La señora Verloc se estremeció ante el sonido de la voz de su esposo. No se descubrió el rostro. El fiable agente secreto del difunto barón Stott-Wartenheim estuvo un rato observándola con una mirada dura, persistente, que no discernía. El desgarrado periódico vespertino yacía a los pies de ella. No le podía haber dicho mucho. El señor Verloc sintió la necesidad de hablar a su esposa.

—Fue ese condenado Heat... ¿eh? —dijo—. Te ha trastornado. Es un bruto, soltarle todo de ese modo a una mujer. A mí me tenía enfermo el pensar en cómo revelártelo. Estuve horas sentado en el saloncito del «Chesire Cheese»[1] pensando en la mejor manera. Comprenderás que jamás tuve intención de que el chico sufriese el menor daño.

El señor Verloc, agente secreto, decía la verdad. Era su afecto marital el que había recibido el mayor impacto de la prematura explosión. Añadió:

—No me sentía especialmente alegre allí sentado, pensando en ti.

Observó en su esposa otro pequeño estremecimiento, que afectó a su sensibilidad. Como ella persistía en ocultar el rostro entre las manos, pensó que sería mejor que la dejase un rato a solas. Obedeciendo a este delicado impulso, el señor Verloc se retiró nuevamente a la salita, donde la espita del gas ronroneaba como un gato satisfecho. La previsión conyugal de la señora Verloc había dejado la carne fría sobre la mesa, con el cuchillo y el tenedor de trinchar y media barra de pan, para la cena del señor Verloc. Él reparó ahora por primera vez en todo aquello, y cortándose un trozo de pan y de carne, se puso a comer.

Su apetito no era producto de la insensibilidad. El señor Verloc no había desayunado aquel día. Había salido en ayunas. No siendo un hombre vigoroso, extrajo su decisión de la excitación nerviosa, que parecía sujetarlo principalmente

---

[1] Chesire Cheese, en la calle Wine Office Court, junto a Fleet Street, es una antigua posada y cervecería que todavía hoy presta servicio como cervecería.

de la garganta. No habría sido capaz de tragar nada sólido. La casita de Michaelis estaba tan desprovista de vituallas como la celda de un prisionero. El apóstol en libertad condicional vivía con un poco de leche y unas migajas de pan rancio. Además, cuando llegó el señor Verloc, él ya se había ido arriba tras su frugal pitanza. Absorto en los afanes y delicias de la composición literaria, ni siquiera había contestado al grito del señor Verloc en la estrecha escalera.

—Me llevo a este joven a casa por un par de días.

Y en verdad, el señor Verloc no aguardó una respuesta, sino que se marchó inmediatamente de la casita, seguido por el obediente Stevie.

Ahora que toda acción había concluido y que el destino le había sido arrebatado de las manos con inesperada rapidez, el señor Verloc experimentaba físicamente un terrible vacío. Trinchó la carne, cortó el pan y devoró su cena de pie, junto a la mesa, lanzando de vez en cuando una mirada en dirección a su esposa. La prolongada inmovilidad de ésta le impedía reflexionar serenamente. Volvió a entrar en la tienda y se puso muy cerca de ella. Aquel dolor con el rostro cubierto provocaba desasosiego en el señor Verloc. Él esperaba, desde luego, que su esposa estuviera muy turbada, pero quería que se recobrase. Necesitaba de todo su apoyo y de toda su lealtad en aquellas nuevas y críticas circunstancias que su fatalismo ya había aceptado.

—No se puede remediar —dijo en lúgubre tono compasivo—. Venga, Winnie, tenemos que pensar en el mañana. Te hará falta toda tu sensatez una vez que a mí me hayan detenido.

Hizo una pausa. El pecho de la señora Verloc subía y bajaba convulsivamente. Esto no era tranquilizador para el señor Verloc, para quien la situación recién creada exigía, por parte de las dos personas más implicadas en ella, calma, decisión, y otras cualidades incompatibles con el desorden mental propio de un dolor exacerbado. El señor Verloc era un hombre considerado; había llegado a su casa preparado para conceder al afecto de su esposa por su hermano una magnitud sin límites. Pero no comprendía ni la naturaleza ni el completo alcance de ese sentimiento. Y en esto había que excusarlo, pues le era imposible entenderlo sin dejar de ser él mismo. Se sintió sorprendido y decepcionado, y ello se manifestó en cierta dureza de tono al hablar.

—Podrías mirarme —observó, tras aguardar un rato.

Como forzada a través de las manos que cubrían el rostro de la señora Verloc vino la respuesta, asordinada, casi patética.

—No quiero volver a mirarte mientras viva.

—¿Eh? ¡Qué dices! —Al señor Verloc simplemente lo alarmó el significado inmediato y literal de aquella declaración. Era evidentemente insensata, el simple grito de una aflicción exagerada. Tendió sobre ella el manto de su marital indulgencia. La mente del señor Verloc carecía de penetración. Bajo la errónea impresión de que el valor de los individuos reside en lo que son en sí mismos, no le era posible comprender el valor de Stevie a los ojos de la señora Verloc. Ella se lo estaba tomando endiabladamente a la tremenda, pensó para sí. Toda la culpa era de ese maldito Heat. ¿Para qué tuvo que trastornar a la mujer? Pero por su propio bien, no había que permitir que continuara así hasta perder completamente los estribos.

—¡Mira!: No puedes estar sentada en la tienda de esa manera —dijo con fingida severidad, en la cual había algo de enojo verdadero; pues había urgentes asuntos prácticos de los que hablar, aunque tuvieran que pasar la noche en vela—. En cualquier momento podría entrar alguien —añadió, y aguardó nuevamente. No se produjo efecto alguno, y durante la pausa, al señor Verloc se le ocurrió la idea de lo irremediable de la muerte. Cambió de tono—. Vamos. Esto no va a traerlo de nuevo —le dijo con dulzura, dispuesto a cogerla en sus brazos y apretarla contra su pecho, en el que habitaban la impaciencia y la compasión. Pero aparte de un breve estremecimiento, la señora Verloc permaneció al parecer indiferente a la fuerza de aquel horrible tópico. Fue el propio señor Verloc el conmovido. Su simpleza lo movió a instarle moderación reafirmando los derechos de su propia persona.

—Sé razonable, Winnie. ¿Qué habría sido si me hubieses perdido a mí?

Había esperado vagamente oírla soltar un gemido. Pero ella no se inmutó. Se inclinó un poco hacia atrás, y se sumió en una quietud total e impenetrable. El corazón del señor Verloc se puso a latir más rápido debido a la exasperación y a algo parecido a la alarma. Colocando una mano en el hombro de su esposa, le dijo:

—No seas necia, Winnie.

Ella no dio ninguna señal. Era imposible hablar con una mujer a quien no se le veía el rostro. El señor Verloc cogió a su esposa por las muñecas. Pero sus manos parecían firmemente encoladas. El tirón de él hizo que su cuerpo se tambalease hacia adelante y estuviese a punto de caer de la silla. Sorprendido al sentirla tan desamparadamente inválida, intentaba él colocarla de nuevo en la silla cuando repentinamente ella se puso toda rígida, se desprendió bruscamente de sus manos y, corriendo fuera de la tienda, atravesó la salita y se metió en la cocina. Esto ocurrió con mucha rapidez. Él vislumbró apenas su rostro y lo imprescindible de sus ojos como para saber que ella no lo había mirado.

Todo tuvo la apariencia de una lucha por la posesión de la silla, porque el señor Verloc tomó instantáneamente el lugar que ella había dejado. No se cubrió el rostro con las manos, pero una sombría expresión pensativa veló sus facciones. Un periodo en prisión era inevitable. La cárcel era un sitio tan seguro como la tumba con respecto a ciertas venganzas ilegítimas, con la ventaja de que en la primera hay lugar para la esperanza. Lo que él veía por delante era un periodo de cárcel, una temprana puesta en libertad, y a continuación la vida en algún lugar del extranjero, tal como lo había considerado ya para el caso de fracasar. Bueno, había sido un fracaso, si bien no exactamente la clase de fracaso que él había temido. Había estado tan cerca del éxito, que pudo haber aterrorizado genuinamente al señor Vladimir y neutralizado sus feroces burlas con aquella prueba de sobrenatural eficacia. Al menos así se lo parecía ahora al señor Verloc. Su prestigio ante la Embajada habría sido inmenso si... si su esposa no hubiera tenido la infortunada idea de coserle a Stevie la dirección en el interior del abrigo. El señor Verloc, que no era ningún imbécil, había percibido pronto el carácter extraordinario de la influencia que ejercía sobre Stevie, aunque no comprendiera exactamente su origen: la doctrina de su sabiduría y bondad superiores, inculcada por dos ansiosas mujeres. En todas las eventualidades que había previsto, el señor Verloc había contado —acertadamente— con la instintiva lealtad y la ciega discreción de Stevie. Como persona considerada y marido afectuoso, la eventualidad que no había previsto lo dejó consternado. Desde todo otro punto de vista, resultaba más bien ventajosa. Nada puede igualar la eterna discreción de la muerte. Perplejo y asustado en su asiento del pequeño salón del «Chesire Cheese», el señor Verloc no podía dejar de reconocerlo así, pues su sensibilidad nunca se interponía en el camino de su juicio. La violenta desintegración de Stevie, por perturbador que resultase pensarlo, no hacía sino reafirmar el éxito; pues el objetivo de las amenazas del señor Vladimir no era, desde luego, derribar un muro, sino producir un efecto moral. Podría decirse que, con muchas dificultades y apuros por parte del señor Verloc, el efecto se había producido. No obstante, cuando —de manera sumamente inesperada— tuvo malas consecuencias en Brett Street, el señor Verloc, que había estado luchando como en medio de una pesadilla por proteger su posición, aceptó el golpe con el mismo espíritu que un fatalista convencido. La pérdida de la posición no fue realmente culpa de nadie. Se debió a un hecho menor, insignificante. Fue como resbalar en la oscuridad al pisar una cáscara de plátano y romperse una pierna.

El señor Verloc lanzó un suspiro de fatiga. No albergaba ningún resentimiento contra su esposa. Pensó: «Tendrá que ocuparse de la tienda mientras me tengan encerrado.» Y pensando asimismo en cuán cruelmente echaría de menos a Stevie al principio, se sintió sumamente preocupado por su salud y su estado de espíritu. ¿Cómo soportaría el aislamiento... absolutamente sola en la casa? No sería conveniente que ella se derrumbase mientras él estuviera encarcelado. ¿Qué sería entonces de la tienda? La tienda era un capital. Aunque su fatalismo aceptase su fracaso como agente secreto, el señor Verloc no tenía la menor intención de verse totalmente arruinado, sobre todo —hay que reconocerlo— en consideración a su esposa.

Ella, silenciosa en la cocina fuera del campo de visión de él, lo asustaba. Si al menos tuviera con ella a su madre. Pero aquella vieja estúpida... Un irritado desánimo se apoderó del señor Verloc. Tenía que hablar con su mujer. Podía decirle por ejemplo que bajo ciertas circunstancias, un hombre actúa desesperadamente. Pero no fue directamente a proporcionarle esa información. En primer término, le resultaba evidente que no era momento de atender el negocio. Se levantó para cerrar la puerta de la calle y apagó la luz de la tienda.

Habiendo de esa manera asegurado la soledad en torno a su doméstico hogar, el señor Verloc entró en el saloncito y se asomó a la cocina. La señora Verloc estaba sentada en el lugar en el que el pobre Stevie solía instalarse por las tardes, provisto de lápiz y papel, para entretenerse dibujando aquellos centelleos de círculos innumerables que sugerían el caos y la eternidad. Tenía los brazos cruzados sobre la mesa y su cabeza descansaba sobre ellos. El señor Verloc estuvo un rato contemplando su espalda y la disposición del cabello, tras lo cual se alejó de la puerta de la cocina. La filosófica, casi desdeñosa ausencia de curiosidad de la señora Verloc, base del mutuo entendimiento en la vida doméstica, hacía extremadamente difícil acceder a ella, surgida ahora esta trágica necesidad. El señor Verloc sentía agudamente esa dificultad. Daba vueltas a la mesa en la sala, con su habitual aire de gran animal enjaulado.

Siendo la curiosidad una de las formas de descubrirse uno mismo, una persona sistemáticamente carente de ella permanece siempre parcialmente en el misterio. Cada vez que pasaba cerca de la puerta, el señor Verloc miraba con inquietud a su esposa. No era que tuviese miedo de ella. El señor Verloc se suponía amado por aquella mujer. Pero ella no lo había acostumbrado a hacer confidencias. Y la que él tenía que hacerle era de una naturaleza profundamente psicológica. ¿Cómo, con su falta de práctica, podía decirle lo que él mismo sentía apenas vagamente: que hay conspiraciones con un destino fatal, que a veces una idea se desarrolla en la mente hasta adquirir una existencia externa, una fuerza propia independiente, y hasta una voz persuasiva? No podía informarle que un hombre puede sentirse obsesionado por un rostro adiposo, ocurrente y bien rasurado hasta el punto de que el más salvaje de los recursos para librarse de él le parece un fruto de la sensatez.

Con esta referencia mental a un Primer Secretario de una importante Embajada, el señor Verloc se detuvo en el umbral de la puerta, y mirando al interior de la cocina con cara de enojo y los puños apretados, se dirigió a su esposa:

—Tú no sabes con qué clase de bestia tenía que lidiar.

Se alejó para dar otro paseo alrededor de la mesa, y cuando hubo llegado nuevamente a la puerta se detuvo, echando chispas desde la altura de los dos escalones.

—Un animal estúpido, burlón y peligroso, con menos criterio que... ¡Después de todos estos años! ¡A un hombre como yo! Y me he estado jugando la cabeza en ese juego. Tú no lo sabías. Con toda razón, además. ¿De qué servía decirte que durante estos siete años que llevamos casados he corrido el riesgo de que me clavasen un puñal en cualquier momento? Yo no soy de esos que causan preocupaciones a la mujer que los quiere. No tenías por qué enterarte.

El señor Verloc, furioso, dio otra vuelta a la sala.

—Un animal ponzoñoso —empezó de nuevo desde el umbral de la puerta—. Arrojarme a la cuneta para morirme de hambre, como una broma. Yo vi que él pensaba que era una broma buenísima. ¡Un hombre como yo! ¡Fíjate! Algunas de las personas de más alto rango en este mundo tienen que agradecerme el continuar andando hasta el día de hoy por su propio pie. ¡Ése es el hombre con quien te casaste, mi niña!

Se dio cuenta de que su esposa se había erguido. Los brazos de la señora Verloc permanecían extendidos sobre la mesa. El señor Verloc le miraba la espalda como si allí pudiese leer el efecto de sus palabras.

—No ha habido en los últimos once años un compló de asesinato en el que yo no haya interferido con riesgo de mi vida. Hay montones de esos revolucionarios a quienes he despachado con sus bombas en sus malditos bolsillos a que los cogiesen en la frontera. El viejo barón sabía cuánto valía yo para este país. Y de pronto viene este cerdo... un cerdo ignorante, despótico...

Descendiendo lentamente los dos escalones, el señor Verloc entró en la cocina, cogió un vaso del aparador y, con él en la mano, se acercó a la pila sin mirar a su esposa.

—Al viejo barón no se le hubiese ocurrido la perversa insensatez de hacer que fuese a verlo a las once de la mañana. Hay dos o tres personas en esta ciudad que, de haberme visto entrar, no habrían tenido empacho en darme en la cabeza tarde o temprano. Fue una jugarreta estúpida, mortífera, exponer gratuitamente a un hombre... a un hombre como yo.

Haciendo girar el grifo de la pila, vertió en su garganta tres vasos de agua, uno tras otro, para apagar el fuego de su indignación. La conducta del señor Vladimir era como una tea que lo hubiera abrasado por dentro. El señor Verloc no podía pasar por alto esa deslealtad. Este hombre, que no desempeñaba las duras tareas que la sociedad reserva habitualmente a sus miembros más humildes, había ejercido su secreto oficio con una dedicación infatigable. Había en él una abundante reserva de lealtad. Había sido leal a quienes lo empleaban, a la causa de la estabilidad social, y también a sus afectos, como se puso en evidencia cuando, tras dejar el vaso en el fregadero, se dio media vuelta, diciendo:

—Si no hubiera pensado en ti, habría cogido a ese bruto fanfarrón por el cuello y le habría metido la cabeza en la chimenea. No hubiera necesitado a nadie ante ese individuo, con su cara rosácea y bien afeitada...

El señor Verloc no se tomó el trabajo de terminar la frase, como si no pudiese haber ninguna duda sobre su final. Por primera vez en su vida estaba haciéndole confidencias a aquella mujer carente de curiosidad. La singularidad del evento, la fuerza e importancia de los sentimientos personales suscitados en el curso de aquella confesión, borraron de la mente del señor Verloc el destino de Stevie. La existencia del chico, con sus balbucientes miedos e indignaciones, lo mismo que la violencia de su final, habían sido momentáneamente excluidas del panorama mental del señor Verloc. Por esa razón, al levantar la vista quedó sorprendido por el carácter incongruente de la mirada de su esposa. No era una mirada insensata, y tampoco desatenta, pero su atención era extraña y no satisfactoria, por cuanto parecía concentrada en algún punto más allá de la persona del señor Verloc. La impresión fue tan nítida que lo movió a mirar por encima del hombro. No había nada detrás de él: únicamente la pared encalada. El excelente esposo de Winnie Verloc no vio nada escrito en la pared². Se volvió nuevamente hacia su esposa y repitió, con cierto énfasis:

—Lo habría cogido por el cuello. Tan cierto como que estoy aquí, si no hubiera pensado en ti habría dejado que esa bestia estuviese medio sofocada antes de soltarla. Y tampoco creas que él habría tenido ganas de llamar a la policía. No se hubiera atrevido. Tú entiendes por qué, ¿no?

Le hizo a su esposa un guiño de complicidad.

—No —dijo la señora Verloc en tono apagado y sin mirarlo a él en absoluto—. ¿De qué estás hablando?

Un gran desánimo, producto de la fatiga, acometió al señor Verloc. Había tenido un día muy ajetreado y sus nervios habían sido puestos a prueba al máximo. Después de un mes de enloquecedora preocupación, terminado en una inesperada catástrofe, el atormentado espíritu del señor Verloc anhelaba un reposo. Su carrera como agente secreto había llegado a su fin de un modo que nadie podía haber previsto; tal vez ahora pudiese al menos conseguir por fin una noche de sueño. Aunque, mirando a su esposa, lo dudaba. Ella lo estaba tomando a la tremenda, algo totalmente impropio de ella, pensó. Hizo un esfuerzo para hablar.

—Tendrás que recobrarte, mi niña —dijo en tono compasivo—. Lo hecho, hecho está.

La señora Verloc dio un leve respingo, si bien ningún músculo de su blanco semblante se movió en lo más míni-

---

² Alusión a Daniel 5, el «Festín y muerte de Baltasar», éste, Baltasar, al profanar los vasos de oro y plata sacados del templo de Jerusalén provocó la ira divina: en una pared aparecieron las palabras, *mane, mane, tezel, fares,* que anunciaban la muerte de Baltasar y el fin de su imperio.

mo. El señor Verloc, que no estaba mirándola, prosiguió laboriosamente:

—Ahora vete a la cama. Lo que te hace falta es llorar a gusto.

Esta opinión no tenía más fundamento que el del general consenso de la gente al respecto. Se estima universalmente que —como si no fuese nada más sustancial que el vapor que flota en el cielo— cualquier emoción de una mujer ha de acabar en lluvia. Y es muy probable que si Stevie hubiera muerto en la cama bajo su mirada de desesperación, en sus brazos protectores, el dolor de la señora Verloc hubiera hallado alivio en un torrente de puras y amargas lágrimas. La señora Verloc, al igual que otros seres humanos, estaba dotada de una inconsciente reserva de resignación, suficiente para hacer frente a las manifestaciones normales del humano destino. Sin «mortificarse la cabeza con ello», era consciente de que las cosas «no soportaban que se indagara mucho en ellas». Pero las lamentables circunstancias del final de Stevie —que para el señor Verloc tenían un carácter episódico, como parte de un desastre mayor— le secaban las lágrimas en la propia fuente. Era un efecto de hierro al rojo vivo pasado por delante de sus ojos; al mismo tiempo su corazón, endurecido y convertido en un bloque de hielo, mantenía su cuerpo en un escalofrío interno, comunicaba a sus rasgos una congelada inmovilidad contemplativa, en dirección a una pared blanqueada en la que no había nada escrito. Las exigencias del temperamento de la señora Verloc —que, despojado de su filosófica reserva, era maternal y violento— la forzaban a hacer rodar una serie de pensamientos en su cabeza inmóvil. Estos pensamientos eran más bien imaginados que expresados. La señora Verloc era manifiestamente una mujer de pocas palabras, tanto en público como en privado. Con la ira y la congoja de una mujer traicionada, revisó el tenor de su vida en imágenes en su mayor parte relacionadas con la difícil existencia de Stevie desde sus primeros días. Una vida con un solo objetivo y una noble inspiración única, como esas vidas singulares que han dejado su huella en el pensamiento y los sentimientos de la humanidad. Pero las visiones de la señora Verloc carecían de nobleza y de magnificencia. Se veía haciendo dormir al chico a la luz de una única vela en el piso más alto y vacío de una «casa-negocio», oscura en aquel recinto y centelleante al máximo en la iluminación y los cristales biselados al nivel de la calle, como un palacio de hadas. Aquel esplendor espurio era el único que podía encontrarse en las visiones de la señora Verloc. Se recordó cepillando el cabello del niño y atándole el delantal —que ella también llevaba aún—; recordaba los consuelos proporcionados a una criatura pequeña y asustada por otra casi tan pequeña pero no tan tremendamente asustada; tuvo la visión de golpes interceptados (a menudo con su propia cabeza); de una puerta que se aguanta desesperadamente cerrada contra la ira de un hombre (no por mucho tiempo); de un atizador lanzado (no muy lejos), que una vez aquietó una determinada tormenta, trocándola en el silencio sordo y terrible que sigue al estallido de un trueno. Y todas esas escenas de violencia iban y venían acompañadas por el ruido grosero de las roncas vociferaciones procedentes de un hombre herido en su orgullo paterno, que se declaraba evidentemente maldito, dado que uno de sus hijos era un «idiota babeante» y el otro una «perversa diablesa». Era de ella de quien se había dicho eso hacía muchos años.

La señora Verloc volvió a oír tales palabras como un eco fantasmal, y a continuación cayó sobre sus hombros la sombra deprimente de la mansión en Belgravia. Era un recuerdo abrumador, la extenuante visión de incontables bandejas de desayuno subidas y bajadas por innumerables escaleras, de interminables regateos por los peniques, del tráfago interminable de barrer, quitar el polvo, limpiar, desde el sótano a las buhardillas; mientras la madre imposibilitada, tambaleándose sobre sus hinchadas piernas, cocinaba en una sucia cocina y el pobre Stevie —inconsciente genio promotor de todos los esforzados sacrificios de ambas— lustraba en el cuarto contiguo los botines de los caballeros. Pero en esta evocación iba incluido el soplo de un cálido verano londinense, y la figura central de un joven con traje dominguero, con un sombrero de paja en la cabeza y una pipa de madera en la boca. Afectuoso y alegre, era una compañía fascinante para el viaje por la chispeante corriente de la vida: sólo que su bote era muy pequeño. Tenía cabida para una compañera en los remos, pero ningún sitio para pasajeros. Se le permitió alejarse a la deriva del umbral de la mansión de Belgravia, mientras Winnie apartaba de él los ojos llorosos. No era un inquilino. El inquilino era el señor Verloc, indolente y trasnochador, adormilado y jocoso por la mañana debajo las sábanas, aunque con destellos de enamoramiento en sus ojos de párpados abotagados y siempre con algún dinero en los bolsillos. No había chispa de ninguna clase en la perezosa corriente de su vida. Discurría por lugares secretos. Pero su barca parecía espaciosa, y su taciturna magnanimidad aceptaba como algo normal la presencia de pasajeros.

La señora Verloc continuó con sus visiones de siete años de seguridad para Stevie, lealmente pagadas por su parte; de una seguridad que se convirtió en confianza, en un sentimiento doméstico, estancado y profundo como un plácido estanque cuya resguardada superficie apenas se agitaba con el pasaje ocasional del camarada Ossipon, el robusto anarquista de ojos desvergonzadamente sugerentes, cuya mirada claramente pervertida bastaba para alertar a cualquier mujer que no fuese absolutamente imbécil.

Sólo habían transcurrido unos instantes desde que se pronunciase en la cocina la última palabra en alta voz, y la señora Verloc estaba ya contemplando la imagen de un episodio del que no había pasado más de una quincena. Con ojos cuyas pupilas estaban extremadamente dilatadas contemplaba la visión de su esposo y el pobre Stevie alejándose juntos de la tienda, a pie por Brett Street. Era la última escena de una existencia creada por el genio de la señora Verloc; una existencia ajena a toda gracia y encanto, sin belleza y casi sin decencia, pero admirable en la continuidad del sentimiento y en la tenacidad de propósito. Y esa última visión tuvo tal relieve plástico, tal proximidad formal, tal fidelidad en los detalles sugerentes, que arrancó a la señora Verloc un débil murmullo angustiado —alusivo a la suprema ilusión de su vida—, un murmullo consternado que se extinguió en sus descoloridos labios.

—Podrían haber sido padre e hijo.

El señor Verloc se detuvo y alzó un rostro en el que se pintaba la preocupación.

—¿Eh? ¿Qué has dicho? —preguntó. Al no recibir respuesta, reanudó su ominoso paseo. Después, enarbolando amenazadoramente un puño grueso y carnoso, exclamó de pronto:

—Sí. Los de la Embajada. ¡Valiente lote, en verdad! Antes de una semana haré que algunos de ellos deseen estar a veinte pies bajo tierra. ¿Eh? ¿Qué?

Él miró de soslayo, con la cabeza baja. La señora Verloc miraba fijamente la pared pintada de blanco. Una pared en blanco, perfectamente lisa. Una pared como para salir corriendo y darse de cabeza contra ella. La señora Verloc permanecía sentada e inmóvil. Conservaba una inmovilidad semejante a la que el asombro y la desesperación provocarían en la población de la mitad del mundo si súbitamente el sol fuese eliminado del cielo estival por la perfidia de una providencia en la que confiaba.

—La Embajada —empezó otra vez el señor Verloc, tras una preliminar mueca lobuna que dejó al desnudo su dentadura—. Ojalá pudiera andar allí dentro por mi cuenta con una porra durante un cuarto de hora. No pararía de golpear hasta que a toda la panda no le quedase un solo hueso sano. Pero no te preocupes, todavía les voy a enseñar lo que lleva consigo el intento de arrojar a pudrirse en las calles a un hombre como yo. Yo sé muchas cosas. Todo el mundo se enterará de lo que he hecho para ellos. No tengo miedo. No me importa. Todo saldrá a la luz. Cada maldita cosa. ¡Que tengan cuidado!

En estos términos expresó el señor Verloc su sed de venganza. Era una venganza muy adecuada. Armonizaba con los impulsos del genio del señor Verloc. Poseía además la ventaja de estar dentro de sus posibilidades y de encajar fácilmente en sus hábitos de vida, que habían consistido precisamente en traicionar las actividades secretas e ilegales de los demás. Para él, anarquistas y diplomáticos eran lo mismo. El señor Verloc no era, por temperamento, alguien que respetase a las personas. Su desdén se distribuía equitativamente sobre todo su campo de operaciones. Pero como miembro del proletariado revolucionario —cosa que indudablemente era—, albergaba un sentimiento bastante hostil contra la discriminación social.

—Nada en el mundo puede detenerme ahora —añadió, e hizo una pausa mirando fijamente a su esposa, que miraba fijamente la pared en blanco.

El silencio en la cocina se prolongaba, y el señor Verloc se sintió decepcionado. Había esperado que su esposa dijese algo. Pero los labios de la señora Verloc, compuestos como de costumbre, conservaban una estatuaria inmovilidad semejante a la del resto de su semblante. Y el señor Verloc se sentía decepcionado. Pero la ocasión —lo reconocía— no exigía que ella hablase. Era una mujer de muy pocas palabras. Por razones que formaban parte del fundamento mismo de su psicología, el señor Verloc se inclinaba a confiar en cualquier mujer que se le hubiera entregado. Consecuentemente, confiaba en su esposa. El acuerdo entre ellos era perfecto, pero no explícito. Era un acuerdo tácito, que concordaba con la congénita falta de interés de la señora Verloc y con los hábitos mentales de él, que eran indolentes y reservados. Ambos se abstenían de ir al fondo de los hechos y sus motivos.

Esa reserva, que de algún modo expresaba su profunda confianza mutua, introducía al mismo tiempo un cierto elemento de imprecisión en su intimidad. Ningún sistema de relaciones conyugales es perfecto. El señor Verloc supuso que su esposa lo había comprendido, pero lo habría alegrado oírle decir lo que pensaba en ese momento. Habría sido un consuelo.

Había varias razones para que ese consuelo le fuese denegado. Había un obstáculo físico: la señora Verloc no disponía del suficiente dominio sobre su voz. No viendo alternativa alguna entre el aullido y el silencio, optaba instintivamente por este último. Winnie Verloc era por temperamento una persona callada. Y estaba la atrocidad paralizante del pensamiento que la colmaba. Sus mejillas estaban descoloridas, sus labios cenicientos y su inmovilidad era sobrecogedora. Y sin mirar al señor Verloc, pensaba: «Este hombre se llevó al chico para asesinarlo. Se llevó al chico de su hogar para asesinarlo. ¡Me lo arrebató para asesinarlo!»

Todo su ser estaba atormentado por ese pensamiento enloquecedor e impreciso. Estaba en sus venas, en sus huesos, en la raíz de sus cabellos. Mentalmente asumía la actitud bíblica del duelo: la faz cubierta, las vestiduras rasgadas; el sonido del gemido y el lamento llenaba su cabeza. Pero sus dientes estaban violentamente apretados y sus ojos sin lágrimas ardían de furor, porque ella no era una criatura sumisa. La protección que había dispensado a su hermano había tenido en sus orígenes un carácter de fiereza e indignación. Tuvo que amarlo con un amor militante. Había peleado por el niño... incluso contra ella misma. Su pérdida tenía para ella la amargura de la derrota, amén de la angustia de una pasión frustrada. No fue un golpe fatal ordinario. Además, no fue la muerte quien le arrebató a Stevie. Fue el señor Verloc quien se lo llevó. Ella lo había visto. Había observado, sin mover un dedo, cómo se llevaba al chico. Y lo había dejado ir como... como una estúpida, una completa estúpida. Luego, después de haber asesinado al niño, él volvía a casa, con ella. Volvía sencillamente a casa como volvería cualquier otro a casa con su mujer...

Con los dientes apretados, la señora Verloc murmuró, en dirección a la pared:

—Y yo pensaba que estabas acatarrado.

El señor Verloc oyó esas palabras y se las apropió.

—No era nada —dijo con impaciencia—. Estaba trastornado. Estaba inquieto por ti.

Girando lentamente la cabeza, la señora Verloc trasladó su mirada de la pared a la persona de su esposo. El señor Verloc miraba al suelo, con las puntas de los dedos en los labios.

—No tiene remedio —balbuceó, dejando caer la mano—. Tienes que serenarte. Te harán falta todas tus facultades. Fuiste tú quien atrajo sobre nosotros la atención de la policía. No te preocupes, no diré nada más sobre eso —continuó magnánimamente el señor Verloc—. Tú no podías saber.

—No podía —exhaló la señora Verloc. Fue como si hubiera hablado un cadáver. El señor Verloc retomó el hilo de su perorata.

—No te culpo. Yo haré que pierdan el sueño. Una vez entre rejas, estaré lo bastante seguro para hablar, te darás cuenta. Tienes que calcular que pasaré dos años lejos de ti —continuó, en tono de sincera preocupación—. Será más fácil para ti que para mí. Tú tendrás algo que hacer, mientras que yo... Mira, Winnie, lo que tienes que hacer es mantener este negocio en marcha durante dos años. Te bastas para eso. Tienes una buena cabeza. Te mandaré avisar cuando sea el momento de ponerte a tratar de venderlo. Tendrás que ser sumamente cuidadosa. Los camaradas te estarán vigilando todo el tiempo. Tendrás que ser tan astuta como seas capaz, y callada como una tumba. Nadie debe enterarse de lo que vas a hacer. No tengo intención de que me den un golpe en la cabeza o una puñalada en la espalda en cuanto me suelten.

Así habló el señor Verloc, pensando con ingenio y previsión en los problemas del futuro. Su tono fue grave, porque apreciaba adecuadamente la situación. Todo cuanto no había deseado que ocurriese había pasado. El futuro se había vuelto precario. Tal vez su juicio había sido momentáneamente obnubilado por el pavor a la truculenta insensatez del señor Vladimir. Es excusable que un hombre que ha pasado ya de la cuarentena caiga en un considerable estado de perturbación ante la perspectiva de perder su empleo, especialmente si ese hombre es un agente secreto de la policía política, confortablemente instalado en la convicción de su alto valor y en la estimación de altos personajes. Él lo era.

Ahora la cosa había acabado en desastre. El señor Verloc estaba sereno; pero no estaba contento. Un agente secreto que ventila sus secretos por deseo de venganza y alardea de sus logros ante la opinión pública, se convierte en blanco de indignaciones desesperadas y sedientas de sangre. Sin exagerar indebidamente el peligro, el señor Verloc intentaba hacérselo ver claramente a su esposa. Le repitió que no tenía intenciones de permitir que los revolucionarios lo liquidasen.

Miró a su esposa directamente en los ojos. Las agrandadas pupilas de la mujer recibieron su mirada en sus insondables profundidades.

—Te quiero demasiado para eso —dijo él, con una risita nerviosa.

Un leve rubor coloreó el semblante espectral e inmóvil de la señora Verloc. Habiendo acabado con las visiones del pasado, no sólo había oído, sino que también había comprendido las palabras pronunciadas por su esposo. Dichas palabras, por su extremo desacuerdo con la situación mental de ella, le produjeron un efecto ligeramente sofocante. La situación mental de la señora Verloc tenía la virtud de la simplicidad; pero no era juiciosa. Estaba demasiado regida por una idea fija. Cada rincón y cada grieta de su cerebro estaban colmados por el pensamiento de que aquel hombre, con quien había vivido sin disgusto durante siete años, se había llevado al «pobre niño» de su lado para matarlo. El hombre a quien ella se había habituado en cuerpo y alma; el hombre en quien había confiado, ¡se llevó al niño para matarlo! En su forma, en su sustancia, en su efecto, que era universal y alteraba incluso el aspecto de las cosas inanimadas, era un pensamiento ante el que permanecer eternamente absorta y pasmada. La señora Verloc lo estaba. Y la figura del señor Verloc, familiar con el sombrero y el abrigo, iba y venía por ese pensamiento (no por la cocina), pisoteándole el cerebro con las botas. Es probable que también estuviese hablando; pero el pensamiento de la señora Verloc cubría su voz casi enteramente.

De vez en cuando, no obstante, la voz se hacía oír. Varias palabras en sucesión emergían ocasionalmente. La intención de ellas era por lo general esperanzadora. En cada una de estas ocasiones, las dilatadas pupilas de la señora Verloc, perdiendo su abstraída fijeza, seguían los movimientos de su esposo con una expresión de transida ansiedad e impenetrable concentración. Bien informado acerca de todas las cuestiones relacionadas con su ocupación secreta, el señor Verloc anticipaba el éxito para sus planes y conjeturas. Creía realmente que, en definitiva, le sería fácil escapar al puñal de los furiosos revolucionarios. Con demasiada frecuencia había exagerado (con fines profesionales) el alcance de su furia y el largo de su brazo, para tener ahora muchas ilusiones en un sentido o en otro. Pues para exagerar con fundamento hay que comenzar por medir con precisión. Sabía asimismo cuánta virtud y cuánta infamia se olvida en dos años, dos largos años. En aquella primera ocasión en que le hizo una verdadera confidencia a su esposa, se mostró optimista por convicción. Consideró además que era una buena política mostrarse lo más seguro posible. Eso daría ánimos a la pobre mujer. En el momento en que lo liberasen —lo cual, en armonía con el tenor general de su vida, ocurriría desde luego en secreto— desaparecerían ambos sin pérdida de tiempo. En cuanto a cubrir sus huellas, le rogaba a su esposa que confiase en él. Él sabía cómo había de hacerse para que ni el mismo diablo...

Agitó una mano. Parecía alardear. Deseaba únicamente darle a ella ánimos. Era una intención benévola, pero el señor Verloc tenía la desgracia de no estar en sintonía con su audiencia.

El tono confiado llegaba a los oídos de la señora Verloc, que dejaba pasar la mayoría de las palabras; pues ¿qué eran ahora las palabras para ella? ¿Qué podían hacerle, de bueno o de malo, frente a su idea fija? Su mirada sombría seguía a aquel hombre que estaba aseverando su impunidad: al hombre que se había llevado de su casa al pobre Stevie para matarlo en alguna parte: la señora Verloc no recordaba exactamente dónde, pero su corazón se puso a latir de manera sumamente perceptible.

El señor Verloc, en tono suave y conyugal, estaba ahora expresando su firme convicción de que todavía les quedaban por delante unos buenos años de tranquila existencia. No entró en el asunto de los recursos. Habría de ser una vida tranquila y, por así decir, al abrigo de las sombras, oculta entre los hombres cuya carne es hierba[3]; recatada, como la existencia de las violetas. Las palabras utilizadas por el señor Verloc fueron: «sin hacerse notar, por un tiempo». Y

---

[3] Isaías 40, 7: «Ciertamente (cual) hierba es el pueblo». Pensamiento que se recoge y glosa en I San Pedro, 1, 24: «todo viviente es como hierba».

por supuesto lejos de Inglaterra. No estaba claro si lo que el señor Verloc tenía en mente era España o América del Sur; pero en cualquier caso, algún lugar del extranjero.

Esta última palabra, al penetrar en el oído de la señora Verloc, produjo un claro efecto. Aquel hombre estaba hablando de ir al extranjero. Fue un efecto completamente autónomo; y tal es la fuerza de los hábitos mentales, que la señora Verloc se preguntó, inmediata y automáticamente: «Y qué hay de Stevie?»

Fue como un desliz de su memoria; pero instantáneamente tuvo conciencia de que ya no había motivo de ansiedad a ese respecto. Ya no lo habría nunca más. Al pobre niño se lo habían llevado y lo habían matado. El pobre niño estaba muerto.

Aquel penoso desliz de memoria estimuló el entendimiento de la señora Verloc. Empezó a percibir ciertas consecuencias que habrían sorprendido al señor Verloc. Puesto que el niño se había ido para siempre, no había ahora necesidad de que ella permaneciese allí, en aquella cocina, en aquella casa, con aquel hombre. Ninguna en absoluto. Y en consecuencia la señora Verloc se puso de pie como impulsada por un resorte. Pero tampoco era capaz de ver en absoluto qué había que la retuviese en el mundo. Y esta incapacidad la contuvo. El señor Verloc la observaba con conyugal solicitud.

—Ya pareces más recuperada —dijo, intranquilo. Algo extraño en la oscura expresión de los ojos de su esposa perturbaba su optimismo. En ese preciso momento, la señora Verloc empezaba a verse a sí misma como liberada de toda atadura. Poseía su libertad. Su contrato con la existencia, representada por aquel hombre que estaba allí de pie, había terminado. Era una mujer libre. De haber percibido de alguna forma tal perspectiva, el señor Verloc se habría sentido sacudido en extremo. En sus asuntos del corazón siempre había sido atolondradamente generoso, pero siempre con la idea única de ser amado por sí mismo. En ese aspecto, puesto que sus nociones éticas estaban en consonancia con su vanidad, era completamente incorregible. De que esto debiera ser así en el caso de su relación virtuosa y legal era algo de lo que estaba perfectamente convencido. Se había vuelto más viejo, más gordo y más pesado, sin dejar de creer que no le faltaban atractivos para ser amado por sí mismo. Cuando vio que la señora Verloc empezaba a andar saliendo de la cocina sin decir palabra, se sintió defraudado.

—¿Adónde vas? —la llamó con bastante brusquedad—. ¿Arriba?

Ya en el umbral, la señora Verloc se volvió ante la llamada. Una prudencia instintiva nacida del temor —un exagerado temor— a que aquel hombre se le acercara y la tocase, la indujo a asentir levemente con la cabeza (desde la altura de los dos escalones), con una agitación de los labios que el optimismo conyugal del señor Verloc tomó por una débil e incierta sonrisa.

—Eso está bien —la estimuló ásperamente—. Descanso y tranquilidad es lo que te hace falta. Adelante. No tardaré en reunirme contigo.

La señora Verloc, la mujer libre que en realidad no había tenido idea de adónde se dirigía, obedeció a la sugerencia con envarada compostura.

El señor Verloc la observaba. Ella desapareció escaleras arriba. Estaba decepcionado. En su interior operaba aquello que lo habría hecho sentirse mejor si ella hubiera sentido el impulso de arrojarse en sus brazos. Pero él era generoso e indulgente. Winnie era siempre contenida y callada. Tampoco el propio señor Verloc era por lo general pródigo en efusividades y palabras. Pero ésa no era una noche cualquiera. Era una de esas ocasiones en las que un hombre necesita que lo apoyen y lo conforten con pruebas visibles de afecto y comprensión. El señor Verloc suspiró y apagó la luz de gas en la cocina. Su compasión hacia su esposa era genuina e intensa. Estuvo a punto de llenársele los ojos de lágrimas mientras, de pie en la salita, reflexionaba sobre la soledad que pendía sobre la cabeza de ella. En este estado de ánimo echó mucho de menos la ausencia de Stevie en un mundo difícil. Pensó apesadumbrado en su final. ¡Si al menos el muchacho no se hubiera destruido estúpidamente a sí mismo!

Una sensación irreprimible de hambre —no inhabitual

tras la tensión de una empresa azarosa en aventureros de mayor calibre que el señor Verloc— volvió a acometerlo. El trozo de carne asada, dispuesto a la manera de las comidas rituales para el funeral de Stevie, se ofrecía ampliamente a su percepción[4]. Y el señor Verloc comió. Comió ávidamente, sin recato ni decencia, cortando gruesas lonchas con el afilado cuchillo de trinchar y tragándoselas sin pan. En el curso de aquella refacción se le ocurrió que no oía a su esposa —como hubiera debido— moviéndose en el dormitorio. La idea de encontrarla tal vez sentada en el lecho en la oscuridad no solamente le cortó el apetito, sino que le quitó las ganas de seguirla por el momento. Abandonando el cuchillo de trinchar, escuchó con atención cargada de inquietud.

Lo reconfortó el oírla finalmente en movimiento. Ella atravesó súbitamente la habitación y abrió de golpe la ventana. Al cabo de un periodo de quietud allí arriba, durante el cual se la imaginó asomando la cabeza, el señor Verloc oyó que la persiana bajaba lentamente. A continuación, ella dio unos pasos y se sentó. Conocedor a fondo de las costumbres hogareñas, él estaba familiarizado con todas y cada una de las resonancias de aquella casa. Cuando a continuación oyó encima de su cabeza los pasos de su esposa, supo —igual que si la hubiera visto hacerlo— que se había estado poniendo los zapatos de calle. Se encogió ligeramente de hombros ante aquel síntoma ominoso, y alejándose de la mesa se quedó de espaldas a la chimenea, con la cabeza inclinada hacia un lado, mordiéndose las uñas en actitud de perplejidad. Seguía por el sonido los movimientos de ella. Su esposa iba de aquí para allí bruscamente, con súbitas detenciones, ahora delante de la cómoda, luego ante el armario. Una inmensa carga de fatiga, la cosecha de un día de sobresaltos y sorpresas, pesaba aplastantemente sobre las energías del señor Verloc.

No levantó la vista hasta que oyó que su esposa descen-

---

[4] Alusión a *Hamlet*, I, II, 180-1: «¡Ahorro, Horacio, ahorro! Los manjares guisados para el banquete de duelo sirvieron de fiambre en la mesa nupcial.»

día las escaleras. Tal como él había adivinado, estaba vestida para salir.

La señora Verloc era una mujer libre. Había abierto bruscamente la ventana con la intención o de gritar «¡Un crimen! ¡Socorro!», o de arrojarse por ella. Porque no sabía exactamente qué hacer con su libertad. Era como si su personalidad hubiera sido violentamente desgarrada en dos partes cuyas operaciones mentales no se ajustaran muy bien entre ellas. La calle, silenciosa y desierta de punta a punta, la rechazó, al estar de parte de aquel hombre tan seguro de su impunidad. Temió gritar, por miedo a que nadie acudiese. Era obvio que nadie lo haría. Su instinto de conservación la hizo flaquear ante la profundidad de la caída en aquella especie de trinchera honda y cenagosa. Cerró la ventana, y se vistió para salir a la calle de otra manera. Era una mujer libre. Se había vestido cuidadosamente, hasta el extremo de ponerse un velo negro sobre el rostro. Cuando apareció en la sala iluminada ante el señor Verloc, éste observó que llevaba incluso el pequeño bolso de mano colgado de la muñeca izquierda... Corriendo junto a su madre, sin duda.

La idea de que las mujeres eran después de todo unas criaturas fastidiosas se ofreció a su mente fatigada. Pero él era demasiado generoso para albergarla por más de un instante. Aquel hombre, cruelmente herido en su vanidad, seguía siendo magnánimo en su conducta, sin permitirse la satisfacción de una sonrisa amarga o un gesto despectivo. Con verdadera grandeza de espíritu, se limitó a echar una ojeada al reloj de madera en la pared y a decir, con aire de perfecta calma, aunque en tono enérgico:

—Las ocho y veinte, Winnie. No tiene sentido ir allí tan tarde. No habrá forma de que consigas regresar esta noche. —La señora Verloc se había detenido en seco ante la mano extendida de él, que añadió lentamente, con cansancio—: Tu madre se habrá ido a la cama antes de que tú llegues. Ésta es de las noticias que pueden esperar.

Nada más lejos del pensamiento de la señora Verloc que el ir a ver a su madre. La sola idea la hizo retroceder, y al sentir una silla detrás suyo, obedeció a la invitación del contacto y se sentó. Su intención había sido simplemente la de salir por aquella puerta para siempre. Y siendo correcto el sentimiento, su forma mental tomó una forma tosca que se correspondía con sus orígenes y condición social. «Preferiría quedarme en la calle por el resto de mis días», pensó. Pero esta criatura, cuya naturaleza moral había sido objeto de una sacudida de la que —en el orden físico— el terremoto más violento de la historia no sería sino una versión débil y lánguida, estaba a merced de meras insignificancias, de contactos casuales. Se sentó. Con el sombrero y el velo tenía un aire de estar de visita, de haber entrado por un momento a ver al señor Verloc. Su inmediata docilidad lo estimuló, en tanto que su aspecto de aquiescencia únicamente temporal y silenciosa lo provocaba un poco.

—Permíteme decirte, Winnie, que tu lugar esta noche está aquí —dijo con autoridad—. ¡Maldición!, fuiste tú la que me echó la condenada policía encima. No te culpo, pero sigue siendo cosa tuya. Más vale que te quites ese detestable sombrero. No puedo dejarte salir, querida mía —añadió, suavizando el tono.

La mente de la señora Verloc se prendió de esa declaración con mórbida tenacidad. El hombre, que se había llevado a Stevie ante sus propios ojos para asesinarlo en un sitio cuyo nombre no estaba en aquel momento presente en su memoria, no le permitía a ella salir. Claro que no. Ahora que había asesinado a Stevie, jamás la dejaría irse. Querría conservarla porque sí. Y con este típico razonamiento, poseído de toda la fuerza de una lógica demente, la incoherente imaginación de la señora Verloc se puso a actuar. Podía escabullirse por un lado, abrir la puerta, huir corriendo. Pero él se precipitaría tras ella, la cogería rodeándole el cuerpo y la arrastraría de vuelta a la tienda. Ella podía arañar, patear y morder: y apuñalar, también, pero para apuñalar le hacía falta un cuchillo. La señora Verloc permanecía sentada inmóvil bajo su negro velo, en su propia casa, como una visita enmascarada y misteriosa, de impenetrables intenciones.

La magnanimidad del señor Verloc era sencillamente humana. Ella había acabado por exasperarlo.

—¿No puedes decir algo? Tienes tus propias artes para irritar a cualquiera. ¡Oh, sí! Conozco tu número de la sordomuda. Ya te he visto practicarlo antes de ahora, hoy mismo. Pero en este momento no te sirve. Y para empezar, quítate esa maldita cosa. Uno no sabe si le está hablando a una mujer o a un maniquí.

Avanzó hacia ella y, estirando una mano, le arrancó el velo, desvelando un rostro todavía ilegible, contra el cual su nerviosa exasperación se estrelló como una burbuja de cristal contra una roca.

—Así es mejor —dijo, para disimular su momentánea desazón, y se retiró a su anterior posición junto a la chimenea. Jamás se le pasó por la cabeza que su esposa pudiera denunciarlo. Se sintió un poco avergonzado de sí mismo, pues era sensible y generoso. ¿Qué podía hacer? Ya todo estaba dicho. Protestó con vehemencia:

—¡Dios mío! Tú sabes que revolví cielo y tierra. Me arriesgué a delatarme por encontrar a alguien para ese maldito trabajo. Y vuelvo a decirte que no pude encontrar a nadie lo suficientemente loco o lo bastante hambriento. ¿Por quién me tomas?, ¿por un asesino, o qué? El chico está muerto. ¿Crees que yo quería que se volara en pedazos? Está muerto. Sus problemas se han acabado. Los nuestros acaban de empezar, te lo digo yo, precisamente porque él se voló en pedazos. Yo no te culpo. Pero intenta comprender que fue un puro accidente, tanto como si lo hubiera atropellado un autobús mientras cruzaba la calle.

Su generosidad no era infinita, porque era un ser humano, no un monstruo, como creía la señora Verloc. Hizo una pausa, y la mueca que levantó sus bigotes por encima del destello de su blanca dentadura le dio la expresión de un animal reflexivo, no muy peligroso: una bestia lenta, de bruñida cabeza, más triste que una foca, y con una voz áspera.

—Y si vamos al caso, la responsabilidad es tan tuya como mía. Así es. Puedes mirarme indignada cuanto quieras. Sé de lo que eres capaz en ese estado. Hasta de matarme, si alguna vez se me hubiera ocurrido pensar en el muchacho para ese asunto. Fuiste tú quien se pasaba todo el tiempo poniéndomelo por delante cuando yo estaba medio enloquecido por la preocupación de evitarnos problemas. ¿Qué demonios te impulsaba? Se creería que lo hacías a propósito. Y que me aspen si me consta que no. Es imposible saber de cuánto de lo que sucede te has enterado secretamente, con tu infernal modo «a-mí-qué-me-importa» de no mirar a ninguna parte en particular, y de no decir absolutamente nada...

Su voz áspera y familiar cesó durante un rato. La señora Verloc no formuló réplica alguna. Ante ese silencio, él se sintió avergonzado por lo que había dicho. Pero como suele ocurrir con los hombres pacíficos en las riñas domésticas, el estar avergonzado lo llevó a sacar a colación otro aspecto.

—A veces tienes una manera diabólica de contener la lengua —empezó de nuevo, sin alzar la voz—. Como para volver locos a algunos hombres. Tienes suerte de que a mí no me saquen fácilmente de las casillas tus enfurruñamientos de sordomuda. Yo te quiero. Pero no vayas demasiado lejos. Éste no es momento para eso. Deberíamos estar pensando en lo que tenemos que hacer. Y no puedo dejar que salgas esta noche para ir a tu madre con cualquier disparatada historia sobre mí. No lo permitiré. No te equivoques al respecto: si te empecinas en que yo maté al chico, entonces tú lo mataste tanto como yo.

Por la sinceridad del sentimiento y la franqueza de la declaración, estas palabras fueron mucho más lejos que cualquier cosa que hubiera sido dicha alguna vez en aquella casa, mantenida con los salarios de una secreta actividad, completados con la venta de unas mercancías más o menos secretas: pobres recursos ideados por una humanidad mediocre para proteger a una sociedad imperfecta de los peligros de corrupción moral y física —ambos secretos, también— propios de la especie. Fueron pronunciadas porque el señor Verloc se había sentido realmente ofendido; pero las lacónicas normas de comportamiento que regulaban aquella vida familiar asentada al fondo de una tienda en una sombría calle donde nunca brillaba el sol, permanecieron aparentemente inalteradas. La señora Verloc terminó de escucharlo con absoluta compostura y a continuación se levantó de la silla, con el sombrero y la chaqueta, como al final de una visita. Avanzó hacia su esposo con un brazo extendido como para una silenciosa despedida. El velo de tul que pendía por un extremo del lado izquierdo de su rostro daba un aire de formalidad alterada a sus movimientos contenidos. Pero cuando llegó al extremo de la alfombrilla de la chimenea, el señor Verloc ya no se encontraba allí. Se había desplazado hacia el sofá, sin alzar la vista para observar el efecto de su andanada. Estaba cansado, resignado con verdadero espíritu marital. Pero se sentía herido en la parte más sensible de su secreta debilidad. Si ella continuaba amoscada y guardando aquel silencio desmedido..., pues allá ella. Era una experta en ese arte doméstico. El señor Verloc se arrojó pesadamente sobre el sofá, desentendiéndose como de costumbre de la suerte de su sombrero, el cual, como si estuviese habituado a cuidar de sí mismo, buscó refugio seguro debajo de la mesa.

Estaba cansado. Los portentos y las agonías de aquel día lleno de inesperados fracasos —al final de un fatigoso mes de proyectos e insomnios— habían agotado sus reservas nerviosas. El hombre no es de hierro. ¡Al diablo con todo! El señor Verloc se puso a descansar a su peculiar manera, con la ropa de calle. El lado de su abrigo abierto yacía parcialmente en el suelo. Se acomodó de espaldas. Pero anhelaba un descanso más perfecto —el sueño—, unas horas de delicioso olvido. Eso vendría después. Por ahora descansaba. Y pensó: «Ojalá se dejara de esa condenada estupidez. Es exasperante.»

Tiene que haber habido algo imperfecto en el sentimiento de libertad recuperada de la señora Verloc. En lugar de dirigirse a la puerta, se echó hacia atrás, con los hombros contra la repisa de la chimenea, como un caminante que descansa contra una cerca. El velo negro colgando como un trapo contra su mejilla, así como la fijeza de su mirada oscura, en la que la luz de la habitación era absorbida y se perdía sin el vestigio de un solitario destello, proporcionaban a su apariencia un leve matiz de insania. Aquella mujer —capaz de un arreglo cuya mera sospecha habría resultado infinitamente perturbadora para la noción que el señor Verloc tenía del amor— permanecía indecisa, como si tuviese conciencia exacta de que hacía falta algo de su parte para cancelar formalmente el convenio.

En el sofá, el señor Verloc hizo un movimiento buscando amoldar perfectamente los hombros y emitió de todo corazón un deseo no menos ferviente que cualquiera que pudiera esperarse de semejante fuente.

—Ojalá, Dios mío —gruñó ásperamente—, no hubiera visto nunca Greenwich Park ni nada relacionado con él.

El discreto sonido llenó la pequeña habitación con su moderado volumen, congruente con la modesta naturaleza del deseo expresado. Las ondas de aire de la longitud apropiada, propagadas según las fórmulas matemáticas correctas, fluyeron en torno a todos los objetos inanimados de la sala y fueron a romper suavemente contra el obstáculo de la cabeza de la señora Verloc, como si hubiera sido un promontorio de piedra. Y por increíble que parezca, los ojos de ella parecieron agrandarse aún más. El audible deseo del anegado corazón del señor Verloc fluyó hacia un sitio hostil en la memoria de su esposa. Greenwich Park. ¡Un parque! Fue allí donde asesinaron al niño. Un parque... ramas aplastadas, hojas arrancadas, gravilla, fragmentos de carne y huesos fraternos, todo brotando junto como en una erupción de fuegos de artificio. Ella recordó ahora lo que había oído, y lo recordó gráficamente. Tuvieron que juntarlo con una pala. Sacudida de pies a cabeza por irreprimibles estremecimientos, vio ante sí la herramienta misma, con la carga recogida del suelo. Cerró los ojos desesperadamente, lanzando sobre aquella visión la noche de sus párpados, en la que tras una lluvia de miembros entreverados, la cabeza de Stevie decapitado permanecía solitaria en suspenso y se desvanecía lentamente, como la estrella última de una exhibición pirotécnica. La señora Verloc abrió los ojos.

Su rostro ya no era pétreo. Cualquiera podría haber notado el cambio sutil en sus rasgos, en la mirada de sus ojos, que le daban una expresión nueva y sorprendente; una expresión observada con frecuencia por las personas competentes bajo las condiciones de sosiego y seguridad que reclama un análisis cabal, pero cuyo significado era inconfundible a simple vista. Las dudas de la señora Verloc en cuanto a la finalización del convenio ya no existían; sus facultades mentales recuperadas actuaban bajo el control de su voluntad. Pero el señor Verloc no observó nada. Reposaba en el patético estado de optimismo que resulta del exceso de fatiga. No quería más problemas... y menos que nada con su esposa. Había sido incontrovertible en su vindicación. Lo amaban por sí mismo. Interpretaba favorablemente la presente fase de silencio por parte de ella. Había llegado la hora de la reconciliación. El silencio había durado lo bastante. Lo quebró dirigiéndose a ella en voz baja:

—Winnie.

—Sí —respondió obedientemente ella, la mujer libre. La señora Verloc controlaba ahora sus facultades, sus órganos vocales; sentía que ejercía un perfecto control casi sobrenatural sobre cada fibra de su cuerpo. Éste era todo suyo, porque el convenio había concluido. Estaba lúcida. Se había vuelto astuta. Optó por responderle con tanta rapidez por una razón. No quería que aquel hombre en el sofá variase una postura que resultaba muy adecuada a las circunstancias. Lo consiguió. El hombre no hizo el menor movimiento. Pero después de responderle, ella permaneció negligentemente apoyada contra la repisa de la chimenea, en la actitud de un caminante que descansa. No tenía prisa. No había surcos en su frente. La altura del costado del sofá le ocultaba la cabeza y los hombros del señor Verloc. Ella mantenía los ojos fijos en sus pies.

Permaneció así, misteriosamente callada y súbitamente circunspecta, hasta que se oyó hablar al señor Verloc con un acento de marital autoridad, al tiempo que se movía un poco para hacerle sitio a ella al borde del sofá.

—Ven aquí —dijo en un tono extraño, que podría haberse interpretado como de brutalidad, pero que la señora Verloc conocía íntimamente como de seducción.

Ella se adelantó de inmediato, como si todavía fuese una leal mujer sujeta a aquel hombre por un contrato en vigor. Su flanco derecho había rozado ligeramente el extremo de la mesa, y cuando acabó de pasar hacia el sofá, el cuchillo de trinchar había desaparecido sin el menor ruido del lado de la fuente. El señor Verloc oyó el crujido de la tabla del suelo, y se puso contento. Esperó. La señora Verloc se acercaba. Como si el alma errabunda de Stevie hubiera volado buscando refugio directamente al pecho de su hermana, guardiana y protectora, el parecido del rostro de ésta con el de su hermano fue aumentando a cada paso, hasta en el labio inferior caído y la leve divergencia de los ojos. Pero el señor Verloc no vio eso. Estaba echado de espaldas y miraba hacia arriba. Vio parcialmente en el cielo raso una mano que empuñaba un cuchillo de trinchar. La mano se movía de arriba abajo. Los movimientos eran pausados. Lo bastante como para permitirle reconocer el brazo y el arma.

Fueron lo bastante pausados como para que él comprendiese plenamente el significado del portento y saborease el gusto de la muerte subiéndole por la garganta. Su mujer se había convertido en una loca furiosa... furiosa y asesina. Fueron lo bastante pausados como para que el primer efecto paralizante de aquel descubrimiento se extinguiese ante una resuelta determinación de salir victorioso de la horrenda lucha con aquella lunática armada. Fueron lo bastante pausados como para que el señor Verloc elaborase un plan de defensa que incluía el precipitarse detrás de la mesa y el derribar a la mujer con una pesada silla de madera. Pero no fueron lo bastante pausados como para darle al señor Verloc tiempo para mover ni una mano ni un pie. El cuchillo ya estaba clavado en su pecho. No encontró ninguna resistencia en su camino. Finezas del azar. En aquel golpe profundo, propinado por encima del costado del diván, la señora Verloc había puesto todo el legado de su inmemorial y oscura ascendencia, la ferocidad simple de la edad de las cavernas, y la furia desequilibrada y nerviosa de la edad de las tabernas baratas. El señor Verloc, el agente secreto, vuelto ligeramente de lado por la fuerza del golpe, expiró sin agitar un miembro, con el sonido mudo de la palabra «No» a modo de protesta.

La señora Verloc había soltado el cuchillo, y su extraordinario parecido con su difunto hermano se había desvanecido, se había vuelto muy normal. Aspiró profundamente, la primera vez que respiraba con libertad desde que el Inspector Jefe Heat le hubo mostrado el fragmento marcado del abrigo de Stevie. Se inclinó hacia adelante apoyándose en los brazos cruzados sobre el costado del sofá. No había adoptado esa actitud de abandono con el fin de contemplar el cadáver del señor Verloc ni regodearse en ello, sino debido a los movimientos ondulantes y de vaivén de la salita, que durante un rato se comportó como si estuviese en el mar en medio de una tempestad. Estaba mareada, pero serena. Se había convertido en una mujer libre, con una libertad tan completa que no le dejaba nada por desear y absolutamente nada que hacer, puesto que el reclamo urgente de atención por parte de Stevie ya no existía. La señora Verloc, que pensaba en imágenes, no era ahora perturbada por visiones, porque no pensaba en absoluto. Y no se movía. Era una mujer disfrutando de su total ausencia de responsabilidad y de un ocio interminable, prácticamente al modo de un cadáver. No se movía, no pensaba. Tampoco lo hacían los despojos mortales del difunto señor Verloc que reposaban en el sofá. Si no fuera por el hecho de que la señora Verloc respiraba, aquellos dos habrían estado de perfecto acuerdo: el acuerdo de prudente reserva sin palabras superfluas y ahorrador de gestos que había sido la base de su respetable vida hogareña. Pues había sido respetable, al cubrir con una decente reserva los problemas que pueden surgir en la práctica de una profesión secreta y el comercio con mercancías dudosas. Su decoro había permanecido inalterado por inapropiados chillidos y otras inoportunas sinceridades de conducta. Y después de la aplicación del golpe, esa respetabilidad se prolongaba en la inmovilidad y el silencio.

Nada se movió en la salita hasta que la señora Verloc alzó lentamente la cabeza y miró el reloj con curiosa desconfianza. Había percibido un sonido de tictac en la habitación. Aumentaba en su oído, a pesar de que ella recordaba claramente que el reloj de la pared era silencioso, sin ningún tic audible. ¿Qué significaba que se pusiera de pronto a funcionar tan sonoramente? La esfera señalaba las nueve menos diez. A la señora Verloc no le importaba para nada la hora, y el ruido continuaba. Llegó a la conclusión de que no podía ser el reloj, y su mirada ceñuda se deslizó a lo largo de las paredes, osciló y se volvió imprecisa, mientras ella forzaba el oído para localizar el sonido. Tic, tic, tic.

Tras escuchar unos momentos, la señora Verloc dirigió deliberadamente la vista al cadáver de su esposo. Su actitud de reposo era tan doméstica y familiar, que pudo hacerlo sin experimentar la turbación propia de una llamativa novedad en los acontecimientos de su vida hogareña. El señor Verloc estaba entregado a su habitual descanso. Parecía cómodo.

Por la postura del cuerpo, el rostro del señor Verloc no era visible para ella, su viuda. Los hermosos ojos adormilados de la señora Verloc, siguiendo hacia abajo el rastro del sonido, adquirieron una expresión reconcentrada al tropezar con un objeto plano de hueso que sobresalía un poco del borde del sofá. Era el mango del familiar cuchillo de trinchar, sin nada raro en él aparte de su posición perpendicular al chaleco del señor Verloc, y al hecho de que algo goteaba de él. Unas gotas oscuras caían una tras otra sobre el recubrimiento del suelo, con un sonido que se hacía cada vez más rápido y furioso, como el pulso de un reloj enloquecido. Cuando alcanzó su máxima rapidez, aquel latido se trocó en el sonido de un chorro continuo. La señora Verloc observaba esta transformación con sucesivas sombras de ansiedad cruzándole el semblante. Era un pequeño chorro oscuro, rápido, delgado... ¡Sangre!

Ante esta circunstancia imprevista, la señora Verloc abandonó su postura de inacción y ausencia de responsabilidad.

Con un súbito agarrón a su falda y un débil chillido, corrió hacia la puerta, como si el chorro hubiera sido el primer anuncio de una inundación devastadora. Al encontrar en su camino la mesa, le dio un empujón con las dos manos como si hubiera estado viva, con tal fuerza que ésta se desplazó cierta distancia sobre sus cuatro patas —cuyo roce produjo un ruido estridente—, al tiempo que la gran fuente con la carne se estrellaba pesadamente en el suelo.

Después todo quedó tranquilo. La señora Verloc se había detenido al llegar a la puerta. La ráfaga de su huida motivó que un redondo sombrero que el desplazamiento de la mesa había dejado al descubierto en medio del suelo se bamboleara ligeramente sobre su copa.

Capítulo XII

Winnie Verloc, la viuda del señor Verloc, hermana del difunto y fiel Stevie (volado en pedazos en estado de inocencia y convencido de estar empeñado en una empresa humanitaria), no corrió más allá de la puerta de la salita. Cierto es que había salido corriendo hasta allí por un simple goteo de sangre, pero se trató de un movimiento instintivo de repulsión. Y allí se había detenido, con los ojos muy abiertos y la cabeza baja. Como si en su huida de un extremo al otro de la pequeña sala hubiera atravesado largos años, la señora Verloc que estaba junto a la puerta era una persona completamente distinta de la mujer que había estado inclinada sobre el sofá, un tanto ida de la cabeza, pero por lo demás libre para disfrutar de la profunda calma de la inacción y la irresponsabilidad. La señora Verloc ya no estaba mareada. Su cabeza estaba firme. En cambio, ya no estaba tranquila. Estaba asustada.

Si evitaba mirar en dirección a su marido en reposo, no era porque él la asustase. La contemplación del señor Verloc no causaba miedo. Parecía cómodo. Además, estaba muerto. La señora Verloc no albergaba vanas ilusiones sobre el tema de los muertos. Nada los hace retornar, ni el amor ni el odio. No te pueden hacer nada. Son como la nada. En su estado mental privaba una especie de austero desprecio hacia aquel hombre que se había dejado matar tan fácilmente. Aquél había sido el amo de una casa, el esposo de una mujer y el asesino de su Stevie. Y ahora era inimportante desde cualquier punto de vista. Tenía menos valor práctico que la vestimenta de su cuerpo, que su abrigo, que sus botas: que el sombrero que yacía en el suelo. No era nada. No merecía la pena mirarlo. Ya ni siquiera era el asesino del pobre Stevie. El único asesino que encontrarían en la habitación cuando vinieran a buscar al señor Verloc... ¡sería ella!

Las manos le temblaban tanto que por dos veces fracasó en la tarea de volver a sujetarse el velo. La señora Verloc no era ya una persona sin ocupaciones ni responsabilidades. Estaba asustada. El acuchillamiento del señor Verloc había sido sólo una eclosión. Había aliviado la reprimida agonía de los gritos ahogados en su garganta, las lágrimas resecas en sus ojos ardientes, la rabia enloquecedora e indignada por el papel desempeñado por aquel hombre —que era ahora menos que nada— al despojarla del chico. Había sido un estallido de compleja gestación. La sangre que goteaba al suelo desde el mango del cuchillo lo había convertido en un caso sumamente claro de asesinato. La señora Verloc, que siempre se abstenía de examinar las cosas en profundidad, se vio forzada a indagar en el fondo mismo de ésta. No vio allí ningún rostro obsesionante, ninguna sombra acusadora, ningún atisbo de remordimiento, ninguna clase de concepto inmaterial. Lo que vio fue un objeto. Ese objeto era una horca. La señora Verloc tenía miedo al patíbulo.

Su terror nacía de la imaginación. No habiendo puesto jamás los ojos sobre aquel extremo argumento de la justicia de los hombres, excepto en grabados que ilustraban cierto tipo de historias, lo vio por vez primera alzado contra un tenebroso fondo de tormenta, ornado por cadenas y huesos humanos y rodeado de unas aves que picoteaban los ojos de los ajusticiados. Eso era ya de por sí bastante intimidatorio, pero la señora Verloc, aun sin ser una mujer bien informada, tenía el suficiente conocimiento de las instituciones de su país como para saber que las horcas ya no se erigen románticamente en las márgenes de lúgubres ríos o en promontorios barridos por el viento, sino en los patios de las cárceles. Era allí donde, entre cuatro altos muros, como en un pozo, al amanecer, sacaban al asesino para ejecutarlo, en medio de un horrible silencio y —como dicen siempre las crónicas periodísticas— «en presencia de las autoridades». Con los ojos clavados en el suelo, las aletas de la nariz temblándole de angustia y de humillación, se imaginó completamente sola entre un montón de desconocidos señores con chistera de felpa tranquilamente dedicados a la tarea de colgarla por el cuello. ¡Eso nunca! ¡Jamás! ¿Y cómo se hacía? La imposibilidad de imaginarse los detalles de una tan calmosa ejecución añadía algo enloquecedor a su terror abstracto. Los periódicos nunca daban ningún detalle excepto uno, aunque ese uno —con cierto sentimiento— estaba siempre allí, al final de una sucinta reseña. La señora Verloc recordó su índole. Produjo un cruel y doloroso ardor en el interior de su cabeza, como si las palabras —«Una caída de catorce pies»— hubieran sido grabadas en su cerebro con una aguja al rojo. «Una caída de catorce pies».

Las palabras la afectaron también físicamente. Tuvo una sucesión de convulsiones en la garganta para resistir el estrangulamiento; y el miedo al tirón fue tan intenso que se aferró la cabeza con ambas manos como para impedir que le fuese arrancada de los hombros. «La caída fue de catorce pies». ¡No!, eso no debería ocurrir jamás. Ella no podía soportar eso. La idea misma era insoportable. Ella era incapaz de pensarlo. Por lo tanto, la señora Verloc se hizo el propósito de irse enseguida y arrojarse al río desde uno de los puentes.

Esta vez se las compuso para volver a sujetarse el velo. Con el rostro como enmascarado, toda de negro de la cabeza a los pies excepto por unas flores en el sombrero, alzó el rostro mecánicamente para mirar el reloj. Pensó que debía haberse parado. No podía creer que hubieran pasado únicamente dos minutos desde la última vez que lo mirase. Por supuesto que no. Había estado parado todo el tiempo. En realidad sólo habían transcurrido tres minutos entre el momento en que por primera vez ella respiró profundamente y sin trabas después de la cuchillada, y el presente, en el que tomó la decisión de ahogarse en el Támesis. Pero la señora Verloc no podía creerlo. Al parecer había oído decir o había leído que los relojes de pared y de pulsera siempre se paraban en el momento del crimen, para ruina del criminal. No le importaba. «Al puente... y a saltar.» Pero sus movimientos eran lentos.

Se arrastró penosamente a través de la tienda y tuvo que aferrarse del picaporte de la puerta antes de reunir la fuerza necesaria para abrirla. La calle la asustaba, puesto que conducía o a la horca, o al río. Traspuso atropelladamente el escalón de la puerta con la cabeza adelantada y los brazos extendidos, como una persona que cae al tropezar con el pretil de un puente. En esta entrada en el aire libre tuvo un anticipo de la sensación de ahogarse en el agua; una humedad viscosa la envolvió, se le introdujo por la nariz, se le prendió del cabello. No estaba realmente lloviendo, pero todas las farolas de gas tenían un pequeño halo de bruma herrumbrosa. El coche y los caballos se habían ido, y en la negra calle el ventanal de la casa de comidas para carreteros formaba una mancha cuadrada de sucia luz sanguinolenta que brillaba débilmente por debajo de las cortinas, muy cerca de la acera. La señora Verloc, que se dirigía dificultosamente hacia allí, pensó que era una mujer con muy pocas amistades. Era verdad. Tanto lo era que, en un súbito anhelo por ver un rostro amigo, sólo pudo pensar en la señora Neale, la limpiadora. Carecía de relaciones propias. Nadie la iba a echar de menos, en el sentido social. No es del caso imaginar que la viuda de Verloc hubiera olvidado a su madre. No era así. Winnie había sido una buena hija porque había sido una hermana devota. Su madre siempre había dependido de su apoyo. Ningún consuelo ni consejo cabía esperar por ese lado. Ahora que Stevie estaba muerto, el vínculo parecía haberse roto. Ella no podía afrontar a la anciana con aquella horrible historia. Por lo demás, quedaba demasiado lejos. Su destino actual era el río. La señora Verloc trató de olvidarse de su madre.

Cada paso le costaba un esfuerzo de voluntad que parecía el último posible. Se había arrastrado hasta mas allá del rojo resplandor del ventanal de la casa de comidas. «Al puente... y a saltar!», se repetía a sí misma con fiera obstinación. Extendió una mano justo a tiempo para sostenerse en pie contra una farola. «Jamás podré llegar antes de la mañana», pensó. El miedo a la muerte paralizaba sus esfuerzos por escapar a la horca. Le parecía haber estado horas tambaleándose en aquella calle. «Jamás llegaré allí», pensó. «Me encontrarán vagando por las calles. Es demasiado lejos.» Se detuvo jadeando por debajo el negro velo.

«Fue un salto de catorce pies.»

Empujó violentamente la farola lejos de sí y se encontró caminando. Pero otra oleada de debilidad semejante a un inmenso mar la alcanzó, barriendo limpiamente el corazón de su pecho.

—Jamás llegaré allí —musitó, súbitamente frenada, oscilando ligeramente en el sitio donde se había detenido—. Jamás.

Y al percatarse de la total imposibilidad de llegar andando hasta el puente más próximo, la señora Verloc pensó en la huida al extranjero.

Se le ocurrió de repente. Los asesinos se escapaban. Se escapaban al extranjero. España o California. Simples nombres. El vasto mundo creado para gloria del hombre era únicamente un vasto espacio en blanco para la señora Verloc. No sabía qué rumbo tomar. Los asesinos tenían amigos, parientes, ayudantes: poseían el conocimiento. Ella no tenía nada. De cuantos asesinos que hubieran jamás asestado un golpe mortal, ella era la más solitaria. Estaba sola en Londres. Y la ciudad entera, con sus maravillas y su cieno, con su laberinto de calles y su profusión de luces, estaba sumergida en una noche sin esperanza, asentada en el fondo de un abismo del cual ninguna mujer sin ayuda podía esperar salir.

Se balanceó hacia adelante y reanudó ciegamente la marcha, con un espantoso miedo a caer; pero al cabo de unos pasos encontró una sensación de apoyo, de seguridad. Al alzar la cabeza vio el rostro de un hombre que escrutaba su velo muy de cerca. El camarada Ossipon no tenía temor a las desconocidas, y ningún sentido de falsa delicadeza podía impedirle trabar relación con una mujer aparentemente muy embriagada. Al camarada Ossipon le interesaban las mujeres. Sostuvo a ésta entre las dos enormes palmas de sus manos, examinándola como si tal cosa hasta que la oyó decir débilmente: «¡Señor Ossipon!», y entonces casi la deja caer al suelo.

—¡Señora Verloc! —exclamó—. ¡Usted aquí!

Le parecía imposible que hubiera estado bebiendo. Pero uno nunca sabe. No se adentró en la cuestión, sino que, atento a no defraudar al amable destino que le entregaba a la viuda del camarada Verloc, intentó atraerla contra su pecho. Para su asombro, ella cedió con bastante facilidad, y hasta se apoyó por un momento en el brazo de él antes de procurar desembarazarse de su abrazo. El camarada Ossipon no iba a ser rudo con el amable destino. Retiró el brazo con naturalidad.

—Me reconoció usted —balbuceó ella, de pie ante él, bastante firme sobre las piernas.

—Por supuesto que sí —dijo Ossipon con toda premura—. Tuve miedo de que fuera usted a caerse. Últimamente he pensado en usted con demasiada frecuencia como para no reconocerla en cualquier parte, en cualquier momento. Siempre he pensado en usted... desde la primera vez que la vieron mis ojos.

La señora Verloc pareció no oír.

—¿Venía a la tienda? —dijo, nerviosamente.

—Sí, enseguida —contestó Ossipon—. En cuanto leí el periódico.

En rigor, hacía sus buenas dos horas que el camarada Ossipon rondaba por las inmediaciones de Brett Street, incapaz de decidirse a efectuar un osado movimiento. El robusto anarquista no era exactamente un conquistador audaz. Recordaba que la señora Verloc nunca había respondido a sus miradas con el menor gesto de estímulo. Además, pensaba que la tienda podía estar vigilada por la policía, y el camarada Ossipon no deseaba que la policía se formase una noción exagerada de sus simpatías revolucionarias. Aun ahora no sabía exactamente qué hacer. Comparado con sus tratos amatorios habituales, éste era un empeño serio y de envergadura. Ignoraba qué posibilidades tenía, y hasta dónde tendría que llegar con objeto de recoger lo que hubiera que recoger... suponiendo que existiera la posibilidad. Tales perplejidades, que mantenían a raya su entusiasmo, infundieron a su tono una sobriedad perfectamente adecuada a las circunstancias.

—¿Puedo preguntarle adónde iba? —inquirió con voz queda.

—¡No me lo pregunte! —exclamó la señora Verloc con temblorosa violencia contenida. Toda su poderosa vitalidad retrocedía ante la idea de la muerte—. No se preocupe de adónde iba...

Ossipon llegó a la conclusión de que estaba sumamente excitada, pero perfectamente sobria. Durante un momento permaneció en silencio a su lado, tras lo cual de repente hizo algo que él no esperaba. Le deslizó una mano bajo el brazo. Él se sorprendió, por la acción en sí desde luego, pero también, y en la misma medida, por el carácter palpablemente decidido de aquel movimiento. Pero al tratarse de una cuestión delicada, el camarada Ossipon se comportó con delicadeza. Se contentó con presionar ligeramente la mano contra sus robustas costillas. Al mismo tiempo se sintió impelido hacia adelante y cedió. Al final de Brett Street se percató de que lo conducían hacia la izquierda. Se sometió.

El frutero de la esquina había expuesto la resplandeciente gloria de sus naranjas y sus limones, y Brett Place era todo oscuridad, salpicada a intervalos por el halo brumoso de las escasas farolas que definían su forma triangular, con un grupo de tres en una plataforma en el medio. Las oscuras siluetas del hombre y la mujer cogidos del brazo se deslizaban lentamente a lo largo de las paredes con un aspecto de amantes y vagabundos en la noche miserable.

—¿Qué diría usted si le contase que iba a buscarlo? —preguntó la señora Verloc, aferrándose con fuerza a su brazo.

—Diría que no podría usted encontrar a nadie más dispuesto a ayudarla con sus problemas —respondió Ossipon, con la sensación de estar haciendo un tremendo avance. De hecho, la evolución de aquel delicado asunto lo estaba dejando sin aliento.

—¡Mis problemas! —repitió lentamente la señora Verloc.

—Sí.

—¿Y sabe usted cuáles son mis problemas? —susurró con extraña intensidad.

—Diez minutos después de ver el periódico vespertino —explicó Ossipon con calor— me encontré con alguien a quien puede que usted tal vez haya visto un par de veces en la tienda, y tuve con él una conversación que no dejó absolutamente ninguna duda en mi mente. Entonces salí para aquí, preguntándome si usted... Yo he estado indeciblemente enamorado de usted desde la primera vez que puse mis ojos en su rostro —exclamó, como incapaz de reprimir sus sentimientos.

El camarada Ossipon suponía acertadamente que ninguna mujer era capaz de negar totalmente crédito a una declaración semejante. Pero no supo que la señora Verloc la aceptó con toda la fiereza que el instinto de conservación confiere al abrazo de una persona que se está ahogando. Para la viuda del señor Verloc, el robusto anarquista era como un radiante mensajero de vida.

Caminaban lentamente, a pasos acompasados.

—Me lo parecía —murmuró ella débilmente.

—Lo leía usted en mis ojos —sugirió Ossipon con gran convicción.

—Sí —musitó ella en su oído inclinado.

—Un amor como el mío no podía pasarle inadvertido a una mujer como usted —continuó él, tratando de apartar de su mente las consideraciones materiales, tales como el valor comercial de la tienda y el monto del dinero que el señor Verloc podría haber dejado en el banco. Se concentró en el aspecto sentimental del asunto. En lo más íntimo de su ser estaba un poco turbado por su éxito. Verloc había sido un buen tipo, y ciertamente —que se supiera— un marido irreprochable. No obstante, el camarada Ossipon no iba a pelearse con su suerte en beneficio de un muerto. Suprimiendo decididamente su compasión por el espectro del camarada Verloc, prosiguió:

—No podía ocultarlo. Estaba demasiado enamorado de usted. Me atrevería a decir que usted no podía dejar de verlo en mis ojos. Pero no podía imaginarlo. Usted se mostraba siempre tan distante...

—¿Qué otra cosa esperaba? —exclamó la señora Verloc—. Yo era una respetable señora... —Hizo una pausa, para a continuación añadir, como hablando consigo misma, en tono de torvo resentimiento—: hasta que él hizo de mí lo que soy.

Ossipon lo dejó pasar y volvió a la carga.

—Él nunca me pareció completamente digno de usted —empezó a decir, renunciando a toda lealtad—. Usted se merecía mejor destino.

La señora Verloc lo interrumpió con amargura:

—¡Mejor destino! Me estafó siete años de mi vida.

—Parecía usted vivir felizmente con él. —Ossipon intentaba disculpar la tibieza de su conducta pasada—. De ahí mi timidez. Usted parecía amarlo. Yo estaba sorprendido... y celoso —añadió.

—¡Amarlo! —exclamó la señora Verloc en un susurro lleno de desprecio y rabia—. Yo era una buena esposa. Soy una mujer respetable. ¡Usted pensaba que lo amaba! ¡De verdad! Mire usted, Tom...

El sonido de este nombre llenó al camarada Ossipon de un emocionado orgullo. Porque su nombre era Alexander, y lo llamaban Tom por acuerdo de sus amistades más íntimas. Era un nombre entre amigos, para momentos de expansión. No tenía idea de que ella se lo hubiera oído utilizar a alguien alguna vez. Era evidente que no sólo lo había captado, sino que lo había atesorado en su memoria: quizá en su corazón.

—¡Mire, Tom! Yo era una muchacha. Estaba fatigada. Estaba exhausta. Tenía dos personas que dependían de lo que yo pudiera hacer, y parecía realmente que no era capaz de hacer nada más. Dos personas: mi madre y el chico. Él era mucho más mío que de mi madre. Yo pasaba noches y noches despierta con él en mi regazo, completamente sola allí arriba, cuando no tenía yo misma más de ocho años. Y entonces... Era mío, le digo... Usted no puede entenderlo. Ningún hombre puede entenderlo. ¿Qué debía hacer? Había un joven...

El recuerdo del temprano romance con el joven carnicero sobrevivía, tenaz, como la imagen de un ideal entrevisto, en aquel corazón acobardado por el miedo a la horca y lleno de rebeldía contra la muerte.

—Ése era el hombre a quien amaba entonces —continuó la viuda del señor Verloc—. Supongo que él lo veía en mis ojos también. Veinticinco chelines a la semana, y su padre lo amenazó con echarlo a puntapiés del negocio si era tan tonto como para casarse con una muchacha con una madre baldada y un pedazo de idiota de niño a su cargo. Pero él continuó rondándome hasta que una noche reuní valor para darle con la puerta en las narices. Tuve que hacerlo. Lo amaba tiernamente. ¡Veinticinco chelines semanales! Estaba aquel otro hombre... un buen huésped. ¿Qué ha de hacer una muchacha? ¿Podía haberme lanzado a la calle? Él parecía bondadoso. En cualquier caso, yo le hacía falta. ¿Qué iba a hacer yo, con mi madre y aquel pobre niño? ¿Eh? Dije que sí. Él parecía de buen carácter, era generoso, tenía dinero, nunca dijo nada. Siete años... siete años siendo una buena esposa para él, el amable, el bueno, el generoso, el... Y me amaba. ¡Oh, sí! Me amaba hasta el punto de que a veces yo deseaba... Siete años. Siete años siendo su esposa. ¿Y sabe usted lo que era, ese querido amigo suyo? ¿Sabe usted lo que era...? ¡Era un demonio!

La sobrehumana vehemencia de aquella declaración susurrada asombró completamente al camarada Ossipon. Winnie Verloc se giró y lo cogió de ambos brazos, enfrentándolo bajo la bruma que descendía en la oscura soledad de Brett Place, en la cual todos los sonidos vitales se perdían como en un pozo triangular de asfalto y ladrillo, de casas ciegas y piedras insensibles.

—No, no lo sabía —declaró él con una especie de blanda estupidez, cuyo aspecto cómico le pasó inadvertido a aquella mujer obsesionada por el miedo a la horca—. Pero ahora lo sé. Yo... yo comprendo —balbuceó a continuación, mientras su mente discurría acerca de qué clase de atrocidades podría haber llevado a cabo Verloc bajo la apariencia somnolienta y plácida de su condición de casado. Era ciertamente terrible—. Comprendo —repitió, y luego, súbitamente inspirado pronunció un «¡Infortunada mujer!», en lugar del más familiar «¡Pobre pichoncilla!» que solía emplear. Éste no era un caso habitual. Era consciente de que algo anormal estaba ocurriendo, al tiempo que en ningún momento perdía de vista la magnitud de la apuesta—. ¡Infortunada y valerosa mujer!

Se alegró de haber descubierto aquella variante; pero no pudo descubrir nada más. Lo mejor que se le ocurrió fue:

—Ah, pero ahora está muerto —Y puso una considerable antipatía en su cauta exclamación. La señora Verloc se prendió de su brazo con una suerte de frenesí.

—Entonces usted adivinó que había muerto —murmuró, como fuera de sí—. ¡Usted! Usted adivinó lo que tuve que hacer. ¡Tuve que hacerlo!

Hubo ecos de triunfo, alivio, gratitud, en el indefinible tono de aquellas palabras. Eso acaparó la atención de Ossipon en detrimento del mero sentido literal de las mismas. Se preguntó qué le pasaba, por qué se había puesto en aquel estado de salvaje excitación. Incluso empezó a preguntarse si las ocultas causas profundas de aquel asunto de Greenwich Park no estaban enraizadas en las infelices circunstancias de la vida conyugal de Verloc. Llegó hasta sospechar que el señor Verloc hubiera escogido aquella manera extraordinaria de suicidarse. ¡Hombre!: eso explicaría la absoluta futilidad y la marcada torpeza del asunto. Las circunstancias no requerían ninguna manifestación anarquista. Todo lo contrario: y Verloc era tan consciente de ello como cualquier otro revolucionario de su rango. ¡Qué inmensa broma sería que Verloc se hubiera burlado sencillamente de toda Europa, del mundo revolucionario, de la policía, de la prensa, así como del presuntuoso Profesor! En realidad, pensó asombrado Ossipon, ¡parecía prácticamente seguro que lo había hecho! ¡Pobre desgraciado! Tuvo la impresión de que era muy posible que en el hogar de aquella pareja, el demonio no era precisamente el hombre.

Alexander Ossipon, alias El Doctor, tenía una tendencia natural a pensar benévolamente con respecto a sus amistades masculinas. Clavó la mirada en la señora Verloc, que iba colgada de su brazo. Con respecto a las amistades femeninas pensaba de un modo eminentemente práctico. El porqué de la exclamación de la señora Verloc ante su conocimiento de la muerte del señor Verloc, que no era en modo alguno producto de una adivinanza, no lo turbó desmedidamente. Las mujeres suelen expresarse como lunáticas. Pero tenía curiosidad por saber cómo ella lo había sabido. Los periódicos no podían informarle nada, más allá del hecho simple: el hombre volado en pedazos en Greenwich Park no había sido identificado. Resultaba inconcebible, bajo cualquier hipótesis, que Verloc le hubiese dado a ella algún indicio —cualquiera que fuese— sobre sus intenciones. El problema le interesaba enormemente al camarada Ossipon. Se detuvo bruscamente. Para entonces habían recorrido los tres lados de Brett Place y estaban de nuevo próximos al final de Brett Street.

—¿Cómo recibió la primera noticia? —preguntó, en un tono que procuró adecuar al carácter de las revelaciones que le había hecho la mujer que estaba a su lado.

Ella estuvo un rato temblando violentamente antes de responder, en tono neutro:

—A través de la policía. Vino un inspector jefe. El Inspector Jefe Heat, dijo llamarse. Me mostró...

La señora Verloc tuvo un sofoco.

—¡Oh, Tom! ¡Tuvieron que recogerlo con una pala...!

El pecho le subía y bajaba con secos sollozos. Un momento después Ossipon recuperó el habla.

—¡La policía! ¿Quiere usted decir que la policía ya vino? ¿Que ese Inspector Jefe Heat vino en realidad a comunicárselo?

—Sí —confirmó ella en el mismo tono neutral—. Vino. Así de sencillo. Vino. Yo no lo sabía. Me mostró un trozo de abrigo y... así de sencillo. ¿Reconoce esto?, dijo.

—¡Heat! ¿Y qué hizo?

La señora Verloc dejó caer la cabeza.

—Nada. No hizo nada. Se fue. La policía estaba de parte de ese hombre —murmuró en tono trágico—. También vino otro.

—Otro: ¿se refiere a otro policía? —preguntó Ossipon muy excitado, y en un tono muy de niño asustado.

—No lo sé. Vino. Parecía extranjero. Puede que fuera uno de esos de la Embajada.

El camarada Ossipon estuvo a punto de desplomarse bajo este nuevo impacto.

—¡Embajada! ¿Se da cuenta de lo que está diciendo? ¿Qué embajada? ¿A qué demonios se refiere con la embajada?

—Es ese sitio en Chesham Square. La gente contra la que él despotricaba tanto. No lo sé. ¡Qué importa!

—Y ese individuo, ¿qué hizo, o qué le dijo?

—No recuerdo... Nada... No me interesa. No me pregunte —suplicó ella con voz fatigada.

—Está bien. No lo haré —asintió Ossipon con ternura. Y lo decía realmente en serio, no porque estuviera conmovido por el patetismo del tono suplicante, sino porque se sentía perdiendo pie en las profundidades de aquel tenebroso asunto. ¡La policía! ¡La Embajada! ¡Vaya! Temeroso de que su inteligencia se aventurase por senderos en los que sus naturales luces fueran incapaces de guiarlo con seguridad, desechó resueltamente de su cabeza toda suposición, conjetura y teoría. Tenía allí a la mujer absolutamente entregada, y ésa era la principal consideración que había que tener en cuenta. Pero después de lo que había oído ya nada podía sorprenderle. Y cuando la señora Verloc, como si saliera súbitamente espantada de una ilusoria seguridad, se puso a plantearle con vehemencia la necesidad de una inmediata huida al Continente, él no profirió exclamación alguna. Le dijo simplemente con genuino pesar que no había tren hasta por la mañana, y se quedó mirándole pensativamente el rostro, con su velo de tul negro, a la luz de una farola de gas bajo un velo de niebla.

Junto a él, la oscura silueta de ella se fundía en la noche, como una figura a medio esculpir en un bloque de piedra negra. Era imposible decir qué era lo que sabía, hasta dónde llegaba su vinculación con policías y embajadas. Pero si quería escapar, no era cosa de él oponerse. Él mismo estaba ansioso por largarse. Presentía que el negocio, la tienda tan extrañamente frecuentada por policías y por miembros de embajadas extranjeras, no era lugar para él. Eso debería abandonarse. Pero estaba lo demás. Aquellos ahorros. ¡El dinero!

—Tiene usted que esconderme en alguna parte hasta la mañana —dijo ella con tono de desánimo.

—La cuestión es, querida, que no puedo llevarla a donde yo vivo. Comparto la habitación con un amigo.

Se sentía un poco desanimado. Por la mañana los benditos detectives andarían por toda la estación, sin duda. Y una vez que le echaran mano a ella, a buen seguro la habría perdido por una razón o por otra.

—Pero tiene que hacerlo. ¿No le preocupo en absoluto? ¿Para nada? ¿En qué está pensando?

Dijo esto con brusquedad, pero dejó caer con desaliento las manos entrelazadas. Hubo un silencio, en el curso del cual la niebla cayó y la oscuridad reinó impasible sobre Brett Place. Ni un alma, ni siquiera el alma vagabunda, licenciosa y amatoria de un gato, se acercó al hombre y la mujer que estaban cara a cara.

—Tal vez fuera posible encontrar un alojamiento seguro en alguna parte —dijo Ossipon, hablando por fin—. Pero la verdad, querida mía, es que no tengo suficiente dinero para intentarlo: solamente unos peniques. Los revolucionarios no son ricos.

Tenía quince chelines en el bolsillo.

—Y encima tenemos por delante el viaje —añadió—. A primera hora de la mañana, además.

Ella no se movió ni produjo sonido alguno, y el corazón del camarada Ossipon fue presa de un leve desaliento. Al parecer ella no tenía ninguna sugerencia que ofrecer. De pronto ella se llevó una mano al pecho, como si experimentase allí un dolor agudo.

—Pero yo sí tengo —dijo en un jadeo—. Tengo el dinero. Suficiente. ¡Tom! Vámonos de aquí.

—¿Cuánto tienes? —inquirió él, sin ceder a su tirón; pues era un hombre cauto.

—Te digo que tengo el dinero. Todo.

—¿Qué quieres decir? ¿Todo el dinero que había en el banco, o qué? —preguntó él con incredulidad, aunque dispuesto a no sorprenderse de nada en materia de suerte.

—¡Sí, sí! —dijo ella nerviosamente—. Todo el que había. Lo tengo todo.

—¿Cómo demonios te las arreglaste para tenerlo ya todo en tu poder? —se maravilló él.

—Me lo dio él —murmuró Winnie, súbitamente sumisa y temblorosa. El camarada Ossipon aplacó con mano firme su creciente sorpresa.

—Pues entonces... estamos salvados —declaró lentamente.

Ella se inclinó hacia adelante y se hundió contra su pecho. Él la acogió de buen grado. Tenía todo el dinero. El sombrero de ella obstaculizaba una efusión más ostensible; su velo también. Él se mostró tierno, pero sin excederse. Ella recibió sus efusiones sin resistencia ni abandono, pasivamente, como si sintiera sólo a medias. Se desprendió sin dificultad del flojo abrazo de él.

—Tú me salvarás, Tom —exclamó, retrocediendo, aunque reteniéndolo todavía por ambas solapas del abrigo húmedo—. Sálvame. Escóndeme. No dejes que me cojan. Antes debes matarme. Yo no podría hacerlo sola... no, no podría... ni siquiera por aquello a lo que tengo miedo.

Era un ser condenadamente extraño, pensó él. Estaba empezando a inspirarle una indefinida inquietud. En tono áspero, pues lo ocupaban pensamientos importantes, le dijo:

—¿De qué demonios tienes miedo?

—¡No has adivinado lo que me vi forzada a hacer! —gritó la mujer. Aturdida por la intensidad de sus espantosos temores, por las violentas palabras que resonaban en su cabeza manteniendo en su pensamiento el horror de su situación, había supuesto que su incoherencia era la claridad misma. No era consciente de cuán poco había dicho audiblemente en las frases inconexas que completaba únicamente en su pensamiento. Había experimentado el alivio de una confesión plena, y otorgaba especial significación a cada frase pronunciada por Ossipon, cuya experiencia no tenía la menor semejanza con la suya—. ¡No has adivinado lo que me vi forzada a hacer! —Su tono bajó—. Si lo supieras, no necesitarías mucho tiempo para adivinar de qué tengo miedo —prosiguió, en un amargo y sombrío murmullo—. No lo soportaré. No, no y no. ¡Tienes que prometer que primero me matarás! —Lo sacudió de las solapas—. ¡No debe ocurrir jamás!

Él le aseguró secamente que no era necesaria ninguna promesa de su parte, pero tuvo buen cuidado de no contradecirla en términos inflexibles, porque había tenido mucho que ver con mujeres excitadas y en general se inclinaba por dejar que la experiencia guiara su conducta, antes que emplear su perspicacia en cada caso específico. En este caso, su perspicacia estaba empleada en otras direcciones. Lo que decían las mujeres se lo llevaba el viento, pero las insuficiencias de los horarios duraban. El carácter insular de Gran Bretaña se le metió odiosamente por los ojos. «Daría lo mismo que la cerrasen con llave cada noche», pensó con irritación, tan desconcertado como si tuviera que escalar un muro con la mujer cargada a sus espaldas. De pronto se dio una palmada en la frente. A fuerza de estrujarse el cerebro acababa de pensar en el servicio entre Southampton y St Malo. El barco partía alrededor de medianoche. Había un tren a las 10,30. Se sintió contento y dispuesto a actuar.

—De Waterloo. Tiempo de sobra. Estamos bien después de todo... ¿Ahora qué pasa? Ésta no es la dirección —protestó.

La señora Verloc lo había enganchado del brazo y trataba de arrastrarlo de nuevo hacia Brett Street.

—He olvidado cerrar la puerta de la tienda al salir —susurró ella, tremendamente agitada.

La tienda y cuanto había en su interior había dejado de interesarle al camarada Ossipon. Él sabía poner límite a sus apetencias. Estuvo a punto de decir «¿Y qué hay con eso? Olvídalo», pero se contuvo. Le disgustaban las discusiones sobre cosas triviales. Hasta modificó considerablemente el paso pensando que ella pudiera haber dejado el dinero en el cajón. Pero su buena voluntad iba más lentamente que la febril impaciencia de ella.

La tienda pareció de entrada hallarse completamente a oscuras. La puerta estaba entreabierta. La señora Verloc, apoyada contra la fachada, dijo sofocada:

—No ha entrado nadie. ¡Mira! La luz... En la salita.

Ossipon asomó la cabeza y vio un leve resplandor en la oscuridad de la tienda.

—Hay una —dijo.

—La olvidé —llegó débilmente la voz de la señora Verloc desde detrás de su velo. Y en el momento en que él le cedía el paso, ella dijo, subiendo la voz—: Entra tú y apágala... o me volveré loca.

Él no formuló ninguna objeción inmediata a esta proposición, tan extrañamente fundamentada.

—¿Dónde está todo el dinero? —preguntó.

—¡Lo tengo yo! Ve, Tom. ¡Rápido! Apágala... ¡entra! —exclamó, cogiéndolo por los hombros desde atrás.

No preparado para un despliegue de fuerza física, el camarada Ossipon, empujado por ella, se encontró trastabillando ya en medio de la tienda. Estaba asombrado del vigor de la mujer y escandalizado por su actitud. Pero no retrocedió sobre sus pasos para amonestarla enérgicamente en la calle. Estaba empezando a sentirse desagradablemente impresionado por su extravagante proceder. Por otra parte, era el momento —ahora o nunca— de acceder a los deseos de la mujer. El camarada Ossipon evitó fácilmente el extremo del mostrador y se aproximó tranquilamente a la puerta acristalada de la salita. Como las cortinas que cubrían los cristales estaban un poco retiradas, en el momento en que se aprestaba a hacer girar el picaporte —y obedeciendo a un impulso muy natural— miró al interior. Lo hizo sin pensar, sin intención, sin ningún tipo de curiosidad. Miró porque no podía evitar hacerlo. Miró, y descubrió al señor Verloc, que reposaba pacíficamente en el sofá.

Un aullido surgido de las regiones más hondas del pecho del camarada Ossipon se extinguió sin ser oído, transformado en una especie de untuoso sabor a vómito en sus labios. Al mismo tiempo, la parte intelectual de su persona ejecutaba un frenético salto atrás. Pero su cuerpo, así privado de conducción mental, continuó agarrado al picaporte de la puerta con la fuerza irreflexiva del instinto. El robusto anarquista ni siquiera se tambaleó. Y se quedó mirando fijamente, con el rostro pegado a los cristales y los ojos fuera de las órbitas. Habría dado cualquier cosa por huir, pero su sensatez —que retornaba— le informó que soltar el picaporte de la puerta sería inútil. ¿Qué era aquello?: ¿locura, una pesadilla, o un trampa a la que había sido atraído con perversa astucia? ¿Por qué? ¿Para qué? No lo sabía. Sin ningún sentimiento de culpa en su corazón, completamente en paz con su conciencia en lo concerniente a aquellas dos personas, la idea de acabar asesinado por misteriosas razones a manos del matrimonio Verloc le pasó, más que por la cabeza, por la boca del estómago, y salió de allí dejándole una sensación de enfermiza debilidad, de indisposición. Durante un rato —un largo rato, y en un sentido muy peculiar—, el camarada Ossipon no se sintió muy a gusto. Miraba atentamente. En el ínterin, el señor Verloc yacía muy quieto aparentando dormir, por motivos que él sabría, mientras aquella salvaje de su mujer custodiaba la puerta, invisible y silenciosa en la calle oscura y desierta. ¿Era todo aquello una especie de espantosa conspiración urdida por la policía especialmente para él? Su modestia rechazó esa explicación.

Pero fue al observar el sombrero cuando a Ossipon se le desveló el verdadero significado de la escena que estaba contemplando. Parecía algo insólito, un objeto ominoso, una señal. Negro, y con el borde hacia arriba, yacía en el suelo delante del diván, como colocado allí para recibir los peniques que aportasen las personas que vinieran a continuación a contemplar al señor Verloc reposando en el sofá en pleno descanso hogareño. Los ojos del robusto anarquista derivaron del sombrero hacia la mesa desplazada, miraron por un momento la fuente rota, y recibieron una especie de conmoción óptica al observar un blanco destello bajo los párpados imperfectamente cerrados del hombre del diván. Más que dormido, el señor Verloc parecía ahora acostado con la cabeza ladeada y mirándose insistentemente el lado izquierdo del pecho. Y cuando el camarada Ossipon distinguió el mango del cuchillo, giró alejándose de la puerta acristalada y se puso a hacer violentas arcadas.

El estruendo de la puerta de calle cerrada de golpe hizo que hasta su alma pegase un brinco de pánico. Aquella casa con su inquilino inerte podía aún convertirse en una trampa... una trampa de naturaleza terrible. El camarada Ossipon no tenía ahora ninguna idea definida acerca de lo que le estaba ocurriendo. Al darse con el muslo contra el extremo del mostrador, giró en redondo, se tambaleó con un grito de dolor, y sintió, aturdido por el estruendo de la campanilla, que un abrazo convulsivo le sujetaba los brazos mientras los labios fríos de una mujer se movían con lentitud en su misma oreja —provocándole un escalofrío— para formar las palabras:

—¡Un policía! ¡Me ha visto!

Él cesó de revolverse; ella no lo soltaba. Había trenzado inextricablemente los dedos sobre la robusta espalda de él. Mientras los pasos se aproximaban, ellos respiraban agitadamente, pecho contra pecho, con una respiración difícil, laboriosa, en una actitud como de lucha a muerte, cuando en realidad era la de un miedo mortal. Y duró largo rato.

El policía de ronda había en verdad visto algo de la señora Verloc; sólo que viniendo de la avenida iluminada al otro extremo de Brett Street, ella no había sido para él más que un revuelo en la oscuridad. Y ni siquiera estaba seguro de que hubiera habido tal revuelo. No tenía motivos para apresurarse. Al llegar a la altura de la tienda observó que la habían cerrado temprano. No había en eso nada muy inusual. Quienes hacían la guardia tenían órdenes concretas sobre aquella tienda: no había que interferir en lo que allí ocurriese, a menos que se tratase de algo absolutamente escandaloso, pero cualquier cosa que se observase debía ser informada. No había observaciones que hacer; pero por sentido del deber y por la tranquilidad de su conciencia, debido también a aquel dudoso revuelo en la oscuridad, el policía cruzó la calle y probó la puerta. La cerradura de resorte cuya llave —para siempre fuera de servicio— descansaba en un bolsillo del chaleco del señor Verloc, resistió tan bien como de costumbre. Mientras el concienzudo agente sacudía el picaporte, Ossipon sintió los fríos labios de la mujer que se agitaban otra vez contra su misma oreja, provocándole estremecimientos:

—Si entra, mátame... mátame, Tom.

El policía se alejó, alumbrando de pasada el escaparate con su farol, por pura fórmula. Adentro, el hombre y la mujer permanecieron un momento más sin moverse, jadeantes, pecho contra pecho; después ella aflojó los dedos y dejó caer los brazos lentamente. Ossipon se recostó contra el mostrador. El robusto anarquista necesitaba urgentemente apoyo. Aquello era espantoso. Casi estaba demasiado trastornado para hablar. No obstante consiguió articular un quejumbroso pensamiento, demostrativo de que cuando menos era consciente de su situación.

—Apenas un par de minutos más tarde y me habrías hecho dar de bruces contra ese sujeto que hurgaba por aquí con su maldito farol.

La viuda del señor Verloc, inmóvil en medio de la tienda, dijo en tono insistente:

—Entra y apaga esa luz, Tom. Me va a volver loca.

Vio vagamente el vehemente gesto de negación de él. Nada en el mundo lograría inducir a Ossipon a entrar en aquella salita. Él no era supersticioso, pero había demasiada sangre en el suelo: un horripilante charco que rodeaba completamente al sombrero. Consideraba que para su tranquilidad de ánimo —¡y quizá para la seguridad de su cuello!— ya había estado demasiado cerca de aquel cadáver.

—¡Entonces en el contador de gas! Allí. Mira. En aquel rincón.

Como una sombra, la robusta silueta del camarada Ossipon atravesó la tienda bruscamente a grandes zancadas y se agachó obedientemente en el rincón; pero la suya era una obediencia desganada. Empezó a manipular las llaves nerviosamente... y de pronto, en medio de una sofocada maldición, la luz detrás de la puerta acristalada vaciló y se extinguió, al mismo tiempo que el jadeante suspiro histérico de una mujer. La noche, inevitable recompensa a los leales afanes del hombre en este mundo, había caído sobre el señor Verloc, el probado revolucionario —«de los de la vieja escuela»—, el humilde guardián de la humanidad; el invalorable agente secreto △ de los despachos del barón Stott-Wartenheim; un servidor de la ley y el orden, fiel, digno de confianza, preciso, admirable, tal vez con un único simpático defecto: la ilusoria convicción de ser querido por sí mismo.

Ossipon se abrió paso a tientas a través de la cargada atmósfera, ahora negra como la tinta, hacia al mostrador. La voz de la señora Verloc de pie en el centro de la tienda, vibró detrás de él en aquella tiniebla en una protesta desesperada.

—No me ahorcarán, Tom. A mí no...

Se interrumpió bruscamente. Desde el mostrador, Ossipon formuló una advertencia:

—No grites de ese modo. —Después pareció reflexionar profundamente—. ¿Tú hiciste eso completamente sola? —inquirió con voz estrangulada, pero aparentando una autoritaria serenidad que llenó el corazón de la señora Verloc de agradecida confianza en su fuerza protectora.

—Sí —susurró ella, invisible.

—No lo hubiera creído posible —murmuró él—. Ni yo ni nadie. —Ella lo oyó desplazarse y oyó el chasquido del pestillo de una cerradura en la puerta de la sala. El camarada Ossipon había asegurado bajo llave el descanso del señor Verloc; y no lo había hecho por respeto a su carácter de eterno ni por alguna otra consideración oscuramente sentimental, sino porque no estaba para nada seguro de que no hubiera alguien más oculto en algún lugar de la casa. No creía a la mujer, o más bien era incapaz a esas alturas de discernir qué podía ser cierto, posible, o siquiera probable, en aquel asombroso universo. El terror lo privaba de toda posibilidad de creer o no creer en relación con aquel extraordinario asunto, que había empezado con inspectores de policía y embajadas y acabaría vaya a saber dónde... en el patíbulo para alguien. Le aterrorizaba la idea de que no podía demostrar el uso que había hecho de su tiempo a partir de las siete, porque había estado merodeando por los alrededores de Brett Street. Le aterrorizaba aquella mujer sobreexcitada que lo había hecho entrar allí, y que probablemente lo haría cargar con una acusación de complicidad, al menos si él no se andaba con cuidado. Le aterrorizaba la rapidez con la que se había visto envuelto en semejante riesgo... atraído engañosamente. Hacía unos veinte minutos que se había encontrado con ella, no más.

La voz de la señora Verloc se alzó sumisa, suplicando en tono lastimero:

—¡No dejes que me cuelguen, Tom! Sácame de este país. Trabajaré para ti. Seré tu esclava. Te amaré. No tengo a nadie en el mundo... ¡Quién va a ocuparse de mí si no eres tú! —Cesó por un momento; después, la magnitud de la soledad creada en torno a ella por un insignificante hilo de sangre que chorreaba del mango de un cuchillo, le inspiró una ocurrencia indigna de ella, que había sido la respetable muchacha de la mansión de Belgravia, la leal, respetable esposa del señor Verloc—: No te pediré que te cases conmigo —musitó en tono abochornado.

Avanzó un paso en la oscuridad. Él estaba aterrorizado. No le habría sorprendido el que de pronto ella extrajese otro cuchillo, destinado a su pecho. Ciertamente, no hubiera ofrecido ninguna resistencia. En verdad, en ese momento no encontró en sí la fortaleza necesaria para decirle que se quedase donde estaba. Pero en un extraño tono cavernoso inquirió:

—¿Él estaba dormido?

—No —exclamó ella, que rápidamente continuó—: no estaba dormido. Faltaría más. Me había estado diciendo que nada podía afectarlo. Después de haberse llevado al niño ante mis propios ojos para matarlo... al encantador, inocente, inofensivo muchacho. Mío, te lo aseguro. Él estaba tumbado en el diván, lo más tranquilo... después de matar a mi niño... a mi niño. Me habría echado a la calle para quitarme de su vista. Y él va y me dice muy tranquilo: «Ven aquí», después de haberme dicho que yo había ayudado a matar al niño. ¿Lo oyes, Tom? Me dice, «Ven aquí», después de arrancarme el corazón lo mismo que al niño para destrozarlo en el lodo.

Hizo una pausa, tras la cual repitió por dos veces, como en sueños:

—Sangre y lodo, sangre y lodo.

Una gran luz se encendió para el camarada Ossipon. Entonces era aquel muchacho medio idiota el que había perecido en el parque. Y el engaño a todos los involucrados resultaba más completo que nunca, colosal. En el colmo del asombro, exclamó científicamente:

—El degenerado... ¡Válgame Dios!

—«Ven aquí» —se alzó nuevamente la voz de la señora Verloc—. ¿De qué pensaba que estaba yo hecha? Dime, Tom. «¡Ven aquí»! ¡Yo! ¡Lo más tranquilo! Yo había estado mirando el cuchillo, y pensé que iría, sí, ya que tanto me necesitaba. ¡Oh, sí! Fui a él... por última vez. Con el cuchillo.

Él estaba desmesuradamente aterrorizado por ella, hermana del degenerado, una degenerada ella misma, del tipo criminal... o bien del tipo embustero. Se podría haber dicho que el camarada Ossipon estaba aterrorizado científicamente, además de sufrir todas las otras clases de miedo. Era un pánico inconmensurable y complejo, que por su propio exceso le daba en la oscuridad una falsa apariencia de estar reflexionando profunda y serenamente. Pues al estar con su voluntad y su mente semicongeladas, se movía y hablaba con dificultad... y nadie le veía el semblante horrorizado. Se sentía medio muerto.

Pegó un brinco de un pie de altura. Inesperadamente, la señora Verloc había profanado la inviolable, reservada decencia de su hogar con un estridente y terrible chillido.

—¡Socorro, Tom! Sálvame. ¡Que no me ahorquen!

Él se lanzó hacia adelante, buscándole a tientas la boca para silenciarla, y el chillido se extinguió. Pero en la acometida, él la había derribado. A continuación la sintió cogerse de sus piernas, y se convirtió en una especie de borrachera, le hizo ver visiones, adquirió las características del delírium trémens. Ahora veía víboras, fuera de toda duda. Veía a la mujer envolviéndolo como una serpiente, de la que no podía librarse. Ella no era mortífera. Era la propia muerte, compañera de la vida.

La señora Verloc, como aliviada por el estallido, estaba ahora muy lejos de comportarse ruidosamente. Daba lástima.

—Tom, no puedes abandonarme ahora —murmuró desde el suelo—. A menos que me pises y me aplastes la cabeza. No me separaré de ti.

—Ponte de pie —dijo él. Su rostro estaba tan blanco que resultaba visible en la intensa oscuridad de la tienda; en cambio la señora Verloc, con el velo, carecía de rostro y su forma era casi indiscernible. El temblor de una cosa pequeña y blanca —la flor de su sombrero— señalaba su posición, sus movimientos.

La cosa se elevó en la oscuridad. Ella se había levantado del suelo, y Ossipon lamentó no haber salido corriendo en el acto a la calle. Mas percibió sobradamente que eso no serviría. Ella saldría corriendo tras él. Lo perseguiría chillando hasta alertar a cuanto policía alcanzase a oírla. Y sólo Dios sabía lo que entonces diría de él. Estaba tan asustado que por un momento le pasó por la cabeza la absurda idea de estrangularla en la oscuridad. Y se asustó más que nunca. Ella lo tenía en sus manos. Se veía a sí mismo viviendo en un terror abyecto en algún perdido caserío en España o en Italia; hasta que una hermosa mañana lo encontrasen muerto a él también, con un cuchillo en el pecho, como el señor Verloc. Suspiró profundamente. No osaba moverse. Y la señora Verloc, que aguardaba sin hablar lo que él dispusiese, se sintió confortada por su reflexivo silencio.

De pronto él habló con voz casi natural. Sus reflexiones habían concluido.

—Vámonos, o perderemos el tren.

—¿Adónde vamos, Tom? —preguntó ella tímidamente. La señora Verloc ya no era una mujer libre.

—Vayamos primero a París, lo mejor que podamos... Sal tú primero a ver si el camino está despejado.

Ella obedeció. Su voz llegó atenuada a través de la puerta abierta con cautela.

—Todo bien.

Ossipon salió. A pesar de sus esfuerzos por evitarlo, la campanilla quedó sonando con estrépito detrás de la puerta en la tienda vacía, como si intentase en vano advertir al yacente señor Verloc de la partida final de su esposa... en compañía de su amigo.

En el coche de alquiler que cogieron enseguida, el robusto anarquista se volvió locuaz. Estaba aún espantosamente pálido, con ojos que parecían haberse hundido no menos de media pulgada en su rostro tenso. Pero pareció haber pensado en todo de un modo extraordinariamente metódico.

—Cuando lleguemos —declaró en un tono extraño, monótono—, debes entrar en la estación por delante de mí, como si no nos conociésemos. Yo sacaré los billetes, y deslizaré el tuyo en tu mano al pasar a tu lado. Después te meterás en la sala de espera de primera clase para señoras y te quedarás allí sentada hasta diez minutos antes de la partida del tren. Entonces sales. Yo estaré afuera. Encamínate tú primero al andén, como si no me conocieras. Puede haber allí ojos vigilantes al tanto de las cosas. Sola, eres nada más que una mujer que se va en tren. A mí me conocen. Conmigo, pueden tomarte por la señora Verloc huyendo. ¿Comprendes, querida? —añadió con esfuerzo.

—Sí —dijo la señora Verloc, sentada contra él en el coche, totalmente rígida por el pánico a la horca y el miedo a la muerte—. Sí, Tom. —Y agregó para sí, como un horrible estribillo: «Una caída de catorce pies.»

Ossipon, sin mirarla, y con el rostro como si le hubieran aplicado un molde de yeso fresco tras una agotadora enfermedad, dijo:

—A propósito, necesitaría ahora el dinero para los billetes.

La señora Verloc se soltó varios corchetes del corpiño del vestido mientras continuaba con la mirada clavada al frente, más allá del guardabarros, y le entregó la billetera nueva de piel de cerdo. Él la recibió sin decir palabra y pareció sepultarla profundamente en alguna región de su propio pecho. A continuación se dio allí una palmada, por fuera de la chaqueta.

Todo eso fue hecho sin el intercambio de una sola mirada; eran como dos personas a la expectativa del primer indicio de un objetivo anhelado. Cuando el coche de alquiler giró en una esquina y se encaminó al puente, Ossipon volvió a abrir los labios.

—¿Sabes cuánto dinero hay en esa cosa? —preguntó, como si le dirigiese la palabra parsimoniosamente a algún duende instalado entre las orejas del caballo.

—No —dijo la señora Verloc—. Me lo dio él. Yo no lo conté. En aquel momento no le presté atención. Después...

Movió un poco la mano derecha. Este pequeño movimiento de aquella mano derecha que había asestado el golpe mortal en el corazón de un hombre hacía menos de una hora fue tan expresivo, que Ossipon no pudo reprimir un estremecimiento. Lo exageró adrede y murmuró:

—Tengo frío. Estoy congelado.

La señora Verloc miraba directamente ante ella la perspectiva de su huida. De cuando en cuando, como una luctuosa serpentina que se arroja de un lado a otro de la calle, las palabras «una caída de catorce pies» se atravesaban ante su tensa mirada. A través del negro velo, el blanco de sus ojos enormes emitía brillantes destellos, como los de una mujer enmascarada.

La rigidez de Ossipon tenía algo de sistemático y formal, una curiosa expresión oficial. Se le oyó de nuevo, de repente, como si hubiera soltado una presa para poder hablar.

—Vamos a ver: ¿sabes si tu... si él tenía la cuenta en el banco bajo su propio nombre o con otro?

La señora Verloc volvió hacia él su rostro enmascarado y el blanco destello de sus grandes ojos.

—¿Otro nombre? —dijo, pensativa.

—Has de ser precisa en lo que digas —la aleccionó Ossipon mientras el carruaje avanzaba raudamente—. Es sumamente importante. Te lo explicaré. El banco tiene la numeración de estos billetes. Si fueron pagados a su nombre, entonces, cuando se conozca su... su muerte, los billetes pueden servir para localizarnos, puesto que no tenemos más que ese dinero. ¿No llevas ningún otro encima?

Ella negó con la cabeza.

—¿Ninguno en absoluto? —insistió él.

—Unas monedas.

—En ese caso, sería peligroso. Habría que manejar entonces ese dinero con un cuidado especial. Muy especial. Puede que tuviéramos que perder más de la mitad para poder cambiar esos billetes en un lugar seguro que yo conozco en París. En el otro caso, o sea si tenía su cuenta y le pagaban bajo otro nombre, digamos, por ejemplo, Smith, el dinero puede utilizarse con total seguridad. ¿Comprendes? El banco no tiene modo de saber que el señor Verloc y el tal Smith son la misma persona. ¿Ves lo importante que es que no te equivoques en tu respuesta? ¿Estás en condiciones de contestarla, sí o no? Tal vez no, ¿eh?

Ella dijo, serenamente:

—Ahora me acuerdo. Él no operaba a su propio nombre. Una vez me dijo que lo tenía depositado a nombre de Prozor.

—¿Estás segura?

—Completamente.

—¿No crees que el banco estuviera enterado de su nombre? ¿O alguien del banco, o...?

Ella se encogió de hombros.

—¿Cómo puedo saberlo? ¿Es posible, Tom?

—No. Supongo que no. Habría sido más tranquilizador saberlo... Ya hemos llegado. Baja tú primero y entra directamente. Muévete con soltura.

Él se quedó atrás, y le pagó al cochero con su propio cambio suelto. El programa trazado por su minuciosa previsión fue llevado a cabo. Cuando la señora Verloc, con su billete para St Malo en la mano, entró en la sala de espera de señoras, el camarada Ossipon se metió en el bar, y en siete minutos absorbió tres dosis de brandy caliente con agua.

—Intento ahuyentar un resfriado —le explicó a la camarera con ademán amistoso y gesto sonriente. A continuación salió, llevándose de aquel festivo interludio el semblante de un hombre que ha bebido en la misma Fuente de los Pesares. Alzó la mirada hacia el reloj. Era la hora. Aguardó.

Puntual, la señora Verloc salió, con el velo puesto y toda de negro, negra como la propia muerte ordinaria, coronada con unas pálidas flores baratas. Pasó cerca de un pequeño grupo de hombres que reían, pero cuyas risas podían haber sido fulminadas con una sola palabra. Su andar era indolente, pero llevaba la espalda erguida, y el camarada Ossipon miró detrás de ella con terror antes de ponerse él mismo en marcha.

El tren estaba estacionado, con casi nadie acercándose a la hilera de puertas abiertas. Debido a la época del año y al tiempo abominable, apenas había pasajeros. La señora Verloc caminó lentamente a lo largo de los compartimientos vacíos, hasta que Ossipon le tocó el hombro por detrás.

—En éste.

Ella entró, y él permaneció en el andén mirando alrededor. Ella se inclinó hacia adelante, y en un susurro:

—¿Qué pasa, Tom? ¿Hay algún peligro?

—Aguarda un momento. Ahí está el revisor.

Ella lo vio abordar al hombre uniformado. Hablaron un rato. Oyó que el revisor decía, «Muy bien, señor», y lo vio tocarse la gorra. Después Ossipon retornó, diciendo:

—Le he dicho que no dejase entrar a nadie en nuestro compartimento.

Ella estaba en su asiento inclinada hacia adelante.

—Piensas en todo... ¿Me sacarás de esto, Tom? —preguntó en un rapto de angustia, levantándose bruscamente el velo para mirar a su salvador.

Había dejado al descubierto un rostro adamantino. Y desde ese rostro las pupilas sopesaban, grandes, secas, dilatadas, opacas, calcinadas como dos agujeros negros en las blancas y brillosas esferas.

—No hay peligro —dijo él, observándolas con un interés cercano al éxtasis, que a la señora Verloc, que huía de la horca, le pareció colmado de fuerza y ternura. Esa devoción la conmovió profundamente, y el semblante adamantino perdió la severa rigidez del terror. El camarada Ossipon lo observó como ningún amante ha observado jamás el rostro de su amada. Alexander Ossipon, anarquista, apodado El Doctor, autor de un (ilegal) folleto médico, ex disertante en locales sindicales sobre aspectos sociales de la higiene, estaba libre de las trabas de la moral convencional, pero acataba las normas de la ciencia. Era científico, y observó científicamente a aquella mujer, hermana de un degenerado, degenerada ella misma, del tipo criminal. La observó e invocó a Lombroso del mismo modo que un campesino italiano se encomendaba a su santo favorito. Observó científicamente. Observó sus mejillas, su nariz, sus orejas... ¡Malo...! ¡Fatal! Como los labios de la señora Verloc, levemente relajada bajo su mirada apasionadamente atenta, se apartaron ligeramente, él le observó también la dentadura... No quedaba ninguna duda... el tipo criminal... Si el camarada Ossipon no encomendó su alma aterrorizada a Lombroso, fue sólo porque científicamente no podía creerse portador de un alma o algo por el estilo. Pero sí estaba imbuido del espíritu científico, que lo impulsó a afirmar solemnemente, en el andén de una estación de ferrocarril y en frases nerviosas y entrecortadas:

—Un muchacho extraordinario, ese hermano tuyo. Sumamente interesante de estudiar. Un ejemplar perfecto en cierto modo. ¡Perfecto!

Su miedo oculto lo hacía hablar en términos científicos. Y la señora Verloc, oyendo aquellas palabras de alabanza dedicadas a su muerto querido, se echó hacia adelante con un destello de luz en los ojos sombríos semejante al rayo de sol precursor de una lluvia tempestuosa.

—Realmente lo era —susurró ella suavemente, con labios temblorosos—. Tú le prestabas mucha atención, Tom. Eso me encantaba en ti.

—Es casi increíble el parecido que había entre vosotros dos —prosiguió Ossipon, dando expresión a su permanente pavor y tratando de ocultar su horrible impaciencia nerviosa por que partiese el tren—. Sí, se parecía a ti.

No eran palabras particularmente tocantes ni compasivas. Pero el hecho de aquella semejanza en la que insistían bastaba por sí solo para actuar poderosamente sobre las emociones de ella. Con un pequeño y débil sollozo, la señora Verloc abrió de pronto los brazos y rompió finalmente a llorar.

Ossipon entró en el compartimento, cerró apresuradamente la puerta y miró afuera para ver la hora en el reloj de la estación. Ocho minutos más. Durante los primeros tres la señora Verloc lloró violenta y desconsoladamente, sin pausa ni interrupción. Después se repuso algo, y sollozó suavemente con abundante efusión de lágrimas. Intentó hablar con su salvador, con aquel hombre que era mensajero de vida.

—¡Oh, Tom! ¿Cómo pude tener miedo a morir después de que me lo arrebatasen tan cruelmente? ¡Cómo pude! ¿Cómo pude ser tan cobarde?

Lamentaba en voz alta su amor por la vida, esa vida sin gracia ni encanto, y casi sin dignidad, pero con una sublime fidelidad de propósito (capaz de hacerla llegar incluso al crimen). Y, como suele ocurrir en el lamento de la pobre humanidad rica en sufrimiento pero indigente en palabras, la verdad —el auténtico grito de la verdad— se halló en una forma gastada y artificial recogida de entre las frases de falso sentimiento.

—¿Cómo pude tenerle tanto miedo a la muerte? Tom, yo lo intenté. Pero tengo miedo. Intenté eliminarme. Y no pude. ¿Soy insensible? Supongo que el cáliz de los horrores no estaba lo bastante colmado para alguien como yo. Después, cuando apareciste tú...

Hizo una pausa. Luego, en un arranque de confianza y gratitud:

—¡Te dedicaré todos los días de mi vida, Tom! —dijo sollozante.

—Ve al otro rincón, alejado del andén —dijo solícitamente Ossipon. Ella dejó que su salvador la instalase cómodamente, y él observó el advenimiento de otra crisis de llanto, más violenta aún que la primera. Observaba los síntomas con un cierto aire de médico, como contando los segundos. Por fin oyó el silbato del revisor. Al percibir que el tren comenzaba a moverse, una involuntaria contracción del labio superior le dejó al descubierto los dientes, dándole un aspecto de total resolución. La señora Verloc no oía ni veía nada, y Ossipon, su salvador, permaneció inmóvil. Notó que el tren rodaba más velozmente, con un fuerte rumor acompasado con los sollozos de la mujer, y entonces atravesó el coche con dos largas zancadas, abrió la puerta con decisión, y saltó fuera.

Lo había hecho en el extremo mismo del andén; y fue tal su determinación de atenerse a su desesperado plan que logró, por una especie de milagro ejecutado casi en el aire, cerrar la puerta del coche. Sólo después se encontró rodando hecho un ovillo como un conejo alcanzado por un disparo. Cuando se puso de pie, estaba magullado, conmocionado, pálido como un muerto y sin aliento. Pero estaba tranquilo, y perfectamente en condiciones de hacer frente al sobresaltado corro de ferroviarios que en un momento se había formado a su alrededor. En tono afable y convincente explicó que su esposa había partido urgentemente para Bretaña a reunirse con su madre moribunda; que, por supuesto, estaba sumamente afectada, y él considerablemente preocupado por su estado; que había estado tratando de animarla y no se había dado cuenta en absoluto de que el tren empezaba a moverse. Ante la exclamación general de por qué entonce no había ido a Southampton, él pretextó la inexperiencia de una joven cuñada que habían dejado sola en la casa a cargo de tres niños pequeños, y la alarma que le provocaría con su incomparecencia, estando las oficinas de telégrafo cerradas. Había actuado impulsivamente. «Pero no creo que vaya a intentarlo nunca más», concluyó. Sonriéndoles a todos y tras distribuir algunas monedas, salió de la estación sin cojear siquiera.

Fuera, el camarada Ossipon, repleto como nunca en su vida de seguros billetes, rechazó la oferta de un coche de alquiler.

—Puedo andar —dijo, dedicando una sonrisita amistosa al servicial cochero.

Podía. Se puso a andar. Atravesó el puente. Más adelante, las torres de la Abadía, desde su imponente inmovilidad, vieron pasar bajo las farolas la mata amarilla de su cabellera. Las luces de Victoria lo vieron también, y Sloane Square, y las rejas del parque. Y el camarada Ossipon se encontró una vez más sobre un puente. El río, un siniestro prodigio de sombras inertes y destellos móviles entremezclados allí abajo en un negro silencio, atrajo su atención. Se quedó largo rato mirando por encima del pretil. Sobre su humillada cabeza estalló con fuerza el resonante impacto de bronce del reloj de la torre. Él alzó la cabeza para mirar la esfera... Las doce y media de una noche agitada en el Canal.

Y de nuevo el camarada Ossipon se puso en marcha. Su robusta figura fue vista esa noche en lugares distantes de la enorme ciudad que dormitaba monstruosamente sobre una alfombra de lodo bajo un velo de cruda niebla. Se la vio cruzando las calles sin vida ni sonido, o empequeñeciéndose en las perspectivas interminables de la sucesión de casas en sombras que flanqueaban las avenidas marcadas por hileras de farolas a gas. Anduvo por *squares, places, ovals, commons,* por monótonas calles de nombres desconocidos, de esas en las que el polvo de la humanidad se deposita inerte y desesperanzado fuera de la corriente de la vida. Anduvo. Y torciendo súbitamente hacia una estrecha faja a modo de jardín, provista de cuadrado de césped, se franqueó la entrada —con una llave que extrajo del bolsillo— en una sucia casucha.

Se tumbó sobre la cama completamente vestido y permaneció absolutamente inmóvil durante un cuarto de hora entero. Después se irguió de repente, para recoger las rodillas y abrazarse las piernas. El amanecer lo encontró con los ojos abiertos, en la misma postura. El hombre capaz de andar durante tanto tiempo —tan lejos, tan sin rumbo— sin mostrar señales de fatiga, era también capaz de permanecer estático durante horas, sin mover mínimamente un miembro ni una pestaña. Pero cuando los rayos de un sol tardío penetraron en el cuarto, él separó las manos y se echó boca arriba con la cabeza en la almohada. Sus ojos miraban fijamente al cielo raso. Y de pronto, se cerraron. El camarada Ossipon dormía a la luz del día.

Capítulo XIII

El enorme candado de hierro en la puerta del armario empotrado era el único objeto sobre el que el ojo podía posarse sin sentirse mortificado por lo desagradable de las formas y la pobreza del material. Invendible en condiciones mercantiles normales debido a sus nobles proporciones, se lo había cedido a El Profesor por unos peniques un comerciante en objetos náuticos del este de Londres. La habitación era grande, limpia, decente, y pobre, con esa pobreza que sugiere la desatención de toda necesidad humana aparte del simple pan. En las paredes no había nada excepto el papel, una extensión de color verde limón, tiznada en partes de manera indeleble, y con diversas manchas que hacían pensar en desvaídos mapas de continentes deshabitados.

Sentado a una mesa de juego próxima a una ventana estaba el camarada Ossipon, con la cabeza entre los puños. El Profesor, que vestía su único traje de raído *tweed* pero chancleteaba de un lado a otro sobre las tablas desnudas con unas pantuflas increíblemente gastadas, había hundido las manos en los deformados bolsillos de su chaqueta. Le estaba contando a su robusto huésped una visita que le había hecho poco antes al apóstol Michaelis. El Anarquista Perfecto había estado incluso un poco menos estricto que de costumbre.

—El tío no sabía nada de la muerte de Verloc. ¡Desde luego! Él jamás mira los periódicos. Dice que lo entristecen demasiado. Pero eso no importa. Entré en su casita campestre. Ni un alma por ninguna parte. Tuve que gritar media docena de veces antes de que me contestase. Pensé que estaba todavía profundamente dormido, en la cama. Pero nada de eso. Ya había pasado cuatro horas escribiendo su libro. Estaba sentado en esa jaula diminuta en medio de un revoltijo de manuscritos. Cerca de él, sobre la mesa, había una zanahoria cruda a medio comer. Su desayuno. Ahora vive a una dieta de zanahorias crudas y un poco de leche.

—¿Y qué aspecto le da? —preguntó sin interés el camarada Ossipon.

—Angélical... Recogí del suelo un puñado de páginas. La pobreza de razonamiento es pasmosa. Carece de toda lógica. Es incapaz de pensar de modo coherente. Pero eso no es nada. Ha dividido su biografía en tres partes, tituladas Fe, Esperanza y Caridad. Está trabajando sobre la idea de un mundo organizado como un inmenso y agradable hospital, con jardines y flores, en el cual los fuertes están para dedicarse a cuidar a los débiles.

El Profesor hizo una pausa.

—¿Puede usted concebir esa locura, Ossipon? ¡Los débiles! ¡El origen de todos los males en esta tierra! —continuó, con su inflexible seguridad—. Le dije que yo soñaba con un mundo convertido en un matadero, en el que se acometería la tarea de exterminar totalmente a los débiles.

—¿Comprende, Ossipon? ¡La fuente de todo mal! Ellos son nuestros siniestros amos: los pobres, los flojos, los tontos, los cobardes, los débiles de corazón y los esclavos de la mente. Tienen poder. Son la multitud. Suyo es el reino de la tierra. ¡Exterminar! ¡Exterminar! Ése es el único camino para el progreso. ¡Lo es! Sígame, Ossipon. Primero debe desaparecer la gran multitud de los débiles, después los sólo relativamente fuertes. ¿Lo ve? Primero los ciegos, después los sordos y los mudos, a continuación los cojos y los lisiados... y así sucesivamente. Toda corrupción, todo vicio, todo prejuicio, toda convención debe encontrar su fin.

—¿Y qué es lo que queda? —preguntó Ossipon en tono ahogado.

—Quedo yo... si soy lo bastante fuerte —aseguró el cetrino y pequeño «profesor», cuyas grandes orejas, finas como membranas y que sobresalían notablemente de los lados de su frágil cráneo, tomaron repentinamente un tinte rojo oscuro.

—¿No he soportado bastante esa opresión de los débiles? —continuó con energía. Después, dando un golpecito al bolsillo superior de la chaqueta—: Y, sin embargo, yo soy la fuerza —continuó—. ¡Pero el tiempo! ¡El tiempo! ¡Denme tiempo! ¡Ah!, esa multitud, demasiado estúpida para sentir piedad o temor. A veces pienso que lo tienen todo a su favor. Todo, incluso la muerte... mi propia arma.

—Venga a beberse una cerveza conmigo en el «Silenus» —dijo el robusto Ossipon después de un intervalo de silencio pautado por el rápido flap flap de las pantuflas del Perfecto Anarquista. Este último aceptó. Estaba alegre ese día, a su peculiar manera. Palmeó a Ossipon en el hombro.

—¡Cerveza! ¡Sea! Bebamos y alegrémonos, pues somos fuertes, y mañana moriremos[1].

Se ocupó en ponerse las botas, hablando entretanto en su tono cortante y resuelto.

—¿Qué le pasa, Ossipon? Parece triste, y hasta busca mi compañía. Tengo entendido que a usted lo ven permanentemente en lugares donde los hombres sueltan estupideces mientras beben sus copas. Qué: ¿ha abandonado su colección de mujeres? Ellas son las débiles que alimentan a los fuertes, ¿eh?

Pisó fuerte con un pie y cogió la otra bota acordonada, pesada, de suela gruesa, sin lustrar, remendada muchas veces. Sonrió melancólicamente para sí.

—Cuénteme, Ossipon, hombre terrible, ¿se ha matado alguna vez una de sus víctimas por usted, o sus triunfos han sido hasta ahora incompletos, ya que sólo la sangre confiere un sello de grandeza? Sangre. Muerte. Fíjese en la historia.

—Váyase al cuerno —dijo Ossipon, sin girar la cabeza.

—¿Por qué? Deje que ésa sea la esperanza del débil, cuya teología ha inventado el infierno para los fuertes. Ossipon,

---

[1] Cfr. Isaías 22, 13; Eclesiastés 5, 17.

lo que siento hacia usted es un afable desprecio. Usted no sería capaz de matar una mosca.

Pero mientras rodaba en dirección a la celebración en la parte alta del autobús, El Profesor perdió su excelente estado de ánimo. El espectáculo de las multitudes que atestaban las aceras ofuscaba su certidumbre bajo una carga de duda y desazón, que podía quitarse de encima tras un periodo de reclusión en el cuarto del gran armario cerrado con un candado enorme.

—Así que —dijo Ossipon sobre su hombro el camarada Ossipon, que iba sentado en el asiento de atrás—, así que Michaelis sueña con un mundo convertido en un bonito y alegre hospital.

—Así es. Una inmensa organización de beneficencia para la curación de los débiles —asintió El Profesor con sarcasmo.

—Eso es una tontería —admitió Ossipon—. La debilidad no tiene cura. Pero puede que Michaelis no ande tan errado, después de todo. Dentro de doscientos años los médicos gobernarán el mundo. La ciencia lo hace ya. Gobierna en la sombra, tal vez, pero gobierna. Y toda ciencia debe culminar al final en la ciencia de curar, no a los débiles, sino a los fuertes. La humanidad quiere vivir. *Vivir.*

—La humanidad —declaró el Profesor con un destello de autoconfianza de sus gafas con montura metálica— no sabe lo que quiere.

—Pero usted sí —gruñó Ossipon—. Hace un rato clamaba usted por el tiempo. Y bien, los médicos le servirán su tiempo... si es usted bueno. Usted se considera entre los fuertes, porque lleva en el bolsillo material suficiente como para mandarse a usted mismo, y digamos que a otros veinte, a la eternidad. Pero la eternidad es un maldito agujero. Lo que usted necesita es tiempo. Usted... si usted encontrase a un hombre que pudiera garantizarle diez años de tiempo, lo llamaría su amo.

—Mi divisa es: ni dios, ni amo —dijo enfáticamente El Profesor, al tiempo que se ponía de pie para salir del autobús.

Ossipon lo siguió.

—Aguarde hasta estar tumbado boca arriba cuando su tiempo haya acabado —retrucó, saltando desde el estribo después del otro—. Su roñosa, vil, miserable porción de tiempo —prosiguió diciendo mientras cruzaba la calle y subía de un brinco al bordillo.

—Ossipon, creo que es usted un farsante —dijo El Profesor, al tiempo que abría con aire imperioso las puertas del renombrado «Silenus». Y cuando estuvieron instalados ante una pequeña mesa, desarrolló algo más tan agradable opinión—. Ni siquiera es médico. Pero resulta divertido. Su visión de una humanidad que a escala universal, de polo a polo, ande sacando la lengua para tomar un comprimido a instancias de unos pocos solemnes payasos, es digna de un profeta. ¡Profecías! ¿De qué sirve pensar en lo que será? —alzó su vaso—. Por la destrucción de lo que es —dijo calmosamente.

Bebió y recayó en su característica actitud de cerrado silencio. La idea de una humanidad tan numerosa como la arena de la playa, tan indestructible, tan difícil de manejar, lo deprimía. El sonido de las explosiones de las bombas se perdía sin eco en aquella inmensidad de pasivos granos. Por ejemplo, el caso de Verloc: ¿quién se acordaba ahora de él?

Ossipon, como súbitamente forzado por una fuerza misteriosa, extrajo del bolsillo un periódico plegado varias veces. El crujido del papel hizo que El Profesor levantara la cabeza.

—¿Qué periódico es ése? ¿Dice algo? —preguntó.

Ossipon dio un respingo, como un sonámbulo asustado.

—Nada. Nada en absoluto. Es de hace diez días. Creo que lo olvidé en mi bolsillo.

Pero no se deshizo de aquel diario viejo. Antes de volver a metérselo en el bolsillo echó una furtiva mirada a las palabras finales de un párrafo. Decían: *Un impenetrable misterio parece destinado a flotar por siempre sobre este acto de locura o desesperación.*

Eran las palabras que cerraban una información encabezada con este titular: *Una pasajera se suicida desde un buque del Canal.* El camarada Ossipon estaba familiarizado con las excelencias estilísticas del artículo: *Un impenetrable misterio pa-*

rece destinado a flotar por siempre... Se sabía de memoria cada palabra. *Un impenetrable misterio...* Y el robusto anarquista, dejando caer la cabeza sobre el pecho, cayó en un prolongado estado de sopor.

Aquella cosa lo amenazaba en las fuentes mismas de su existencia. No podía salir a reunirse con sus diversas conquistas, las que cortejaba en los bancos de Kensington Gardens, y las que encontraba junto a las rejas, sin el temor a empezar a hablarles de «un impenetrable misterio destinado...». Estaba empezando a temer científicamente que la locura lo estuviese esperando entre aquellas líneas. A flotar por siempre sobre... Era una obsesión, una tortura. Recientemente había dejado de acudir a varias de tales citas, cuya nota característica solía ser una confianza ilimitada en el lenguaje del sentimiento y la ternura varonil. La inclinación a la confidencia de varios tipos de mujer satisfacía los requerimientos de su autoestima y ponía en su mano algunos medios materiales. Necesitaba aquello para vivir. Estaba allí. Pero si ya no podía utilizarlo, corría el riesgo de privar de alimento a sus ideales y a su cuerpo... *Este acto de locura o desesperación.*

Seguramente un «misterio impenetrable» iba a «pender por siempre», en lo concerniente a todo el mundo. Pero ¿y eso qué, si él fuese el único entre todos los hombres que no pudiera librarse jamás del maldito conocimiento? Y el conocimiento del camarada Ossipon era tan preciso como hasta donde pudiera llegar el del periodista: el umbral mismo del *misterio destinado a flotar por siempre...*

El camarada Ossipon estaba bien informado. Sabía lo que había visto el hombre del portalón del buque: «Una señora con vestido y velo negros deambulando a medianoche por el embarcadero.» «¿Va a viajar en el buque, señora?», le había preguntado para estimularla. «Por aquí.» Ella parecía no saber qué hacer. Él la ayudó a subir a bordo. Parecía estar débil.

Y Ossipon sabía también lo que había visto la camarera de a bordo: una dama de negro con el rostro muy pálido, de pie en medio de la desierta cámara para las señoras. La camarera la indujo a tenderse allí. Parecía completamente reacia a hablar, y como si se hallara en algún terrible aprieto. Lo siguiente que supo la camarera fue que la dama había abandonado la cabina de señoras. Entonces la camarera salió a cubierta a buscarla, y el camarada Ossipon estaba informado de que la buena mujer había encontrado a la infortunada tendida en una de las tumbonas con capota. Tenía los ojos abiertos, pero no respondía a nada que se le dijera. Parecía muy enferma. La camarera trajo al jefe de camareros, y aquellas dos personas estuvieron deliberando acerca de su extraordinaria y trágica pasajera. Hablaron en susurros audibles (ya que ella no parecía oír) de St Malo y del cónsul allí, de comunicarse con sus parientes en Inglaterra. Después se retiraron a tomar las providencias para su traslado abajo, pues realmente por lo que veían de su rostro les parecía que se estaba muriendo. Pero el camarada Ossipon sabía que detrás de aquella blanca máscara había una vigorosa vitalidad en lucha contra el terror y la desesperación, un apego a la vida capaz de soportar la furiosa angustia que conduce al crimen y al miedo, el ciego y loco miedo a la horca. Él lo sabía. Pero la camarera y el jefe de camareros no supieron nada, excepto que cuando regresaron a buscarla, antes de cinco minutos, la dama de negro no estaba ya en la tumbona. No estaba por ninguna parte. Se había ido. Eran entonces las cinco de la mañana, y no fue ningún accidente. Una hora después, uno de los tripulantes del barco encontró un anillo de boda sobre el asiento de la tumbona. Se había adherido a la madera en un sitio húmedo, y sus destellos llamaron la atención del hombre. Había una fecha, 24 de junio de 1879, grabada en su interior. *Un misterio impenetrable está destinado a flotar por siempre...*

Y el camarada Ossipon alzó su cabeza inclinada, adorada por varias humildes mujeres de estas islas, apolínea en el fulgor solar de su abundante cabellera.

Entretanto, El Profesor se había impacientado. Se puso de pie.

—Quédese —se apresuró a decir Ossipon—. Oiga: ¿qué sabe usted de la locura y la desesperación?

El Profesor se pasó la punta de la lengua por los labios, finos y resecos, y dijo con aire doctoral:

—Esas cosas no existen. Toda pasión se ha perdido actualmente. Es un mundo mediocre, renqueante, sin fuerza. Y la locura y la desesperación son fuerzas. Y la fuerza es un delito a los ojos de los idiotas, los débiles y los estúpidos que mandan en el gallinero. Usted es un mediocre. Verloc, cuyo caso la policía ha conseguido encubrir tan bonitamente, era un mediocre. Y la policía lo liquidó. Era un mediocre. Todo el mundo es mediocre. ¡Locura y desesperación! Déme usted eso como palanca, y moveré el mundo. Ossipon, tiene usted mi cordial desprecio. Es usted incapaz de concebir incluso lo que el ciudadano bien alimentado llamaría un delito. Carece de fuerza —hizo una pausa, sonriendo sarcásticamente bajo el fiero destello de sus gruesas gafas.

—Y permítame decirle que esa pequeña herencia que dice que le ha caído no ha mejorado su inteligencia. Se sienta usted ante su cerveza como un fantoche. Adiós.

—¿La quiere usted? —dijo Ossipon, mirándolo con una sonrisa estúpida.

—¿Querer qué?

—La herencia. Toda entera.

El incorruptible Profesor se limitó a sonreír. Faltaba poco para que se le cayese la ropa a pedazos, sus botas, deformes a fuerza de reparaciones, pesadas como de plomo, dejaban entrar el agua con cada paso. Dijo:

—Dentro de poco le enviaré una factura por ciertos productos químicos que pediré mañana. Me hace mucha falta. ¿Comprendido... eh?

Ossipon bajó lentamente la cabeza. Estaba solo. *Un misterio impenetrable...* Le pareció que, suspendido en el aire ante él, veía su propio cerebro palpitando al ritmo de un misterio impenetrable. Estaba evidentemente enfermo. ... *Este acto de locura o desesperación.*

La pianola próxima a la puerta tocó irrespetuosamente un vals de principio a fin y después quedó en silencio de repente, como si se hubiera enfurruñado.

El camarada Ossipon, apodado El Doctor, salió de la cervecería del «Silenus». En la puerta vaciló, parpadeando ante un sol no demasiado espléndido. El periódico con la crónica sobre el suicidio de una dama estaba en su bolsillo. Su corazón latía contra él. El suicidio de una dama: *este acto de locura o desesperación.*

Iba andando por la calle sin mirar dónde ponía los pies; y caminaba en una dirección que no iba a llevarlo al lugar de la cita con otra dama (una institutriz madura que depositaba su confianza en una deliciosa cabeza apolínea). Se estaba alejando de allí. No podía enfrentarse con ninguna mujer. Era la ruina. No podía pensar, ni trabajar, ni dormir, ni comer. Pero estaba empezando a beber con placer, con expectativa, con esperanza. Era la ruina. Su carrera revolucionaria, sostenida por el sentimiento y la confianza de muchas mujeres, estaba amenazada por un misterio impenetrable: el misterio de un cerebro humano que latía erróneamente al ritmo de unas frases de periódico; ... *flotará por siempre sobre este acto...* —se iba inclinando hacia la calzada junto al bordillo— ... *de locura o desesperación.*

«Estoy gravemente enfermo», murmuró para sí con científica percepción. Ya su robusta figura, con el dinero del servicio secreto de una embajada (heredado del señor Verloc) en los bolsillos, marchaba por la depresión de la calzada a un lado del bordillo, como entrenándose para la tarea de un futuro inevitable. Ya llevaba humillados los anchos hombros y la cabeza de deliciosos rizos, como dispuesto a recibir el yugo de cuero del cartel publicitario en forma de emparedado. Como aquella noche, hacía más de una semana, el camarada Ossipon caminaba sin mirar dónde ponía los pies, sin sentir fatiga, sin sentir nada, sin ver nada, sin oír sonido alguno. *Un misterio impenetrable...* Pasaba inadvertido. ... *este acto de locura o desesperación.*

Y también el incorruptible Profesor caminaba, apartando los ojos de la odiosa multitud humana. No tenía futuro. Lo desdeñaba. Él era una fuerza. Sus pensamientos acariciaban imágenes de ruina y destrucción. Caminaba frágil, insignificante, descuidado, miserable... y terrible en el absurdo de su concepción que apelaba, para regenerar el mundo, a la locura y la desesperación. Nadie lo miraba. Pasaba, inadvertido y mortal —como la peste—, por la calle repleta de hombres.

ÍNDICE